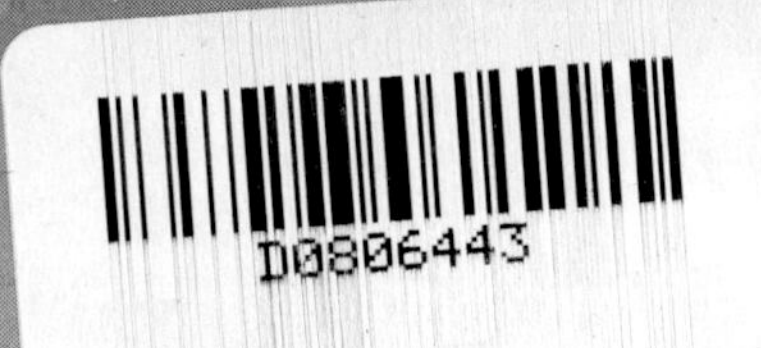


# 365 pensées quotidiennes

Juliette Tremblay

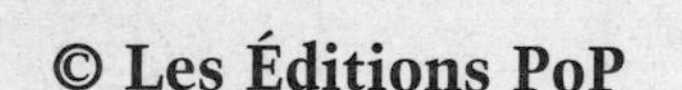



Coordination
et graphisme : Marie-Claude Parenteau

Quatrième trimestre 2008

Gouvernement du Québec-
Programme de crédit
d'impôt pour l'édition de livres-
Gestions Sodec

Imprimé au Canada

ISBN : 978-2-89638-442-6

# 365 pensées quotidiennes

- L'amour
- Le couple
- L'écoute de soi

LES ÉDITIONS POP

# TABLE DES MATIÈRES

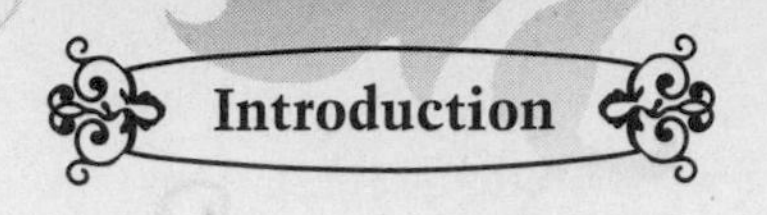


# LA VIE DE COUPLE EST UN LIEU D'ÉPANOUISSEMENT

La vie, aujourd'hui, est une course folle. Tout le monde court et, souvent, nous oublions que les moments de réflexion sont absolument nécessaires pour réussir à acheminer positivement les émotions qui jalonnent toute vie de couple.

Nous cherchons à en faire toujours plus, les tâches à accomplir sont nombreuses et nous voulons performer pour toutes sortes de raisons. Mais nous oublions que la réflexion et la saine remise en question sont essentielles pour être bien avec soi-même et avec celui qui partage notre vie. Chaque journée devrait être ponctuée d'un instant d'intimité où vous pourriez calmement réfléchir sur votre existence et partager amoureusement avec celui qui vit à vos côtés.

Ce livre de pensées quotidiennes peut vous aider à prendre et à conserver cette habitude. Chaque pensée vous donnera un sujet de réflexion qui vous fera progresser dans votre connaissance de vous-même. Pour être bien dans votre peau et pour être présente à celui que vous aimez, il est important de bien comprendre les émotions qu'amènent la proximité et l'intimité d'une relation amoureuse.

Par la lecture de ce livre de pensées, tout au long de l'année, jour après jour, vous découvrirez la dimension émotive et spirituelle de votre vie de couple.

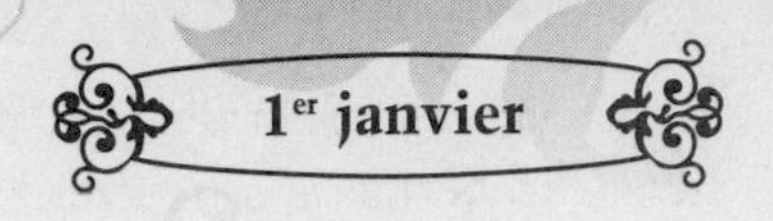


# J'ENTREPRENDS BIEN LA NOUVELLE ANNÉE

C'est le début d'une nouvelle année. La tradition veut que, à cette occasion, chacun prenne des résolutions afin d'améliorer tel ou tel aspect de sa personnalité ou de sa vie. Mais cet exercice, pour être valable, demande de bien se connaître. Il exige de la persévérance, car le changement personnel ne se fait qu'un jour à la fois, sachant bien qu'il en sera ainsi pendant longtemps. Le début de la nouvelle année est également une période de réjouissance et de rapprochement entre parents et amis. C'est une occasion de pardonner, d'oublier le passé et de réfléchir au moment présent. Je n'oublie pas de me souhaiter une bonne année à moi-même, tout autant qu'à mon conjoint et à mes enfants.

---

**J'entreprends la nouvelle année avec espoir, et j'ose espérer que chaque jour en soit un de découverte et de progrès dans la connaissance de soi.**

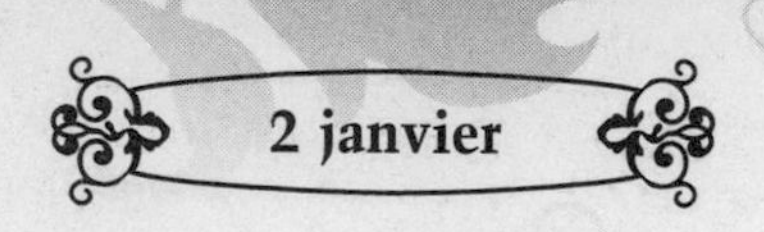

## 2 janvier

# JE VIS L'INSTANT PRÉSENT

Lorsque je rumine de vieilles histoires, ou lorsque j'anticipe l'avenir au point de perdre contact avec le présent, je ne suis plus en communication avec mon conjoint ni avec moi-même. Je vis alors hors du temps. Car le seul temps qui existe, c'est le moment présent. Pour vivre véritablement dans la réalité, je ne peux m'échapper ni me cantonner dans les chimères de demain ni dans les regrets d'hier. Le présent me permet d'être pleinement moi-même. Il m'apporte des difficultés réelles que j'ai à confronter, mais, au moins, je suis à même de m'occuper de mes problèmes. J'ai alors la possibilité d'être pleinement présente à mon partenaire de vie. Ma vie de couple est-elle centrée sur le présent ?

---

**J'essaierai de me centrer sur ce que je ressens vraiment dans le présent, afin d'être véritablement présente dans ma vie de couple.**

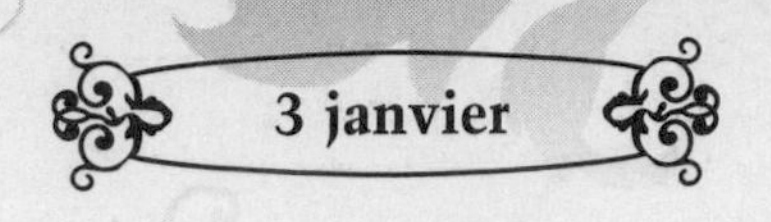


# JE RENONCE À CONTRÔLER

Une tentation à laquelle il m'arrive, hélas, de céder dans ma vie de couple, c'est de vouloir contrôler mon partenaire, ses actes, ses attitudes ou ses opinions. Pourtant, je sais bien que, lorsque je risque un tel contrôle, ma relation se détériore pendant que les occasions de conflit se multiplient. Je sais aussi que lorsqu'on s'ingénie à contrôler mes gestes ou mes pensées, je n'aime pas cela et je me rebelle. Alors, pourquoi le contrôle continue-t-il à être un problème chez moi ? Ce qui me pousse à agir ainsi, ne serait-ce pas mon insécurité, donc une incapacité à faire confiance à la vie ? Dans la mesure où c'est ma foi en une Puissance supérieure qui inspire mes actions, je renoncerai à contrôler mon partenaire.

---

**Mon couple ne s'en portera que mieux si je remplace mes tentatives de contrôler mon conjoint par la confiance. Puis-je faire confiance à mon partenaire et faire confiance à la Vie ?**

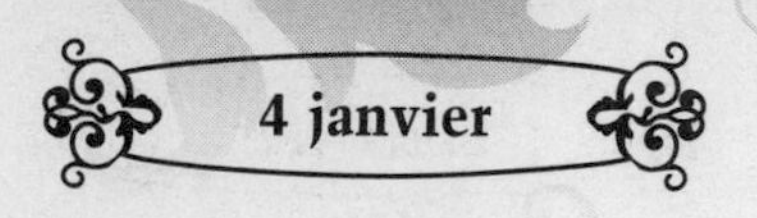


## J'APPRENDS À FAIRE CONFIANCE

La confiance ne s'acquiert pas du jour au lendemain. C'est un geste du cœur qui se développe avec le temps et qui commence par de timides essais. Graduellement, la confiance en moi grandit. J'en viens à identifier des gens à qui je peux me fier, et l'ouverture aux autres grandit. La confiance en une Puissance supérieure à moi-même croît également et un sentiment de sécurité s'installe en moi. Cette expérience m'aide à vivre dans la confiance envers mon conjoint. Mon couple devient peu à peu un jardin où la sérénité fleurit.

---

**La confiance ne vient pas toute seule; c'est une habitude à prendre et une habileté à développer dans tous les domaines de ma vie.**

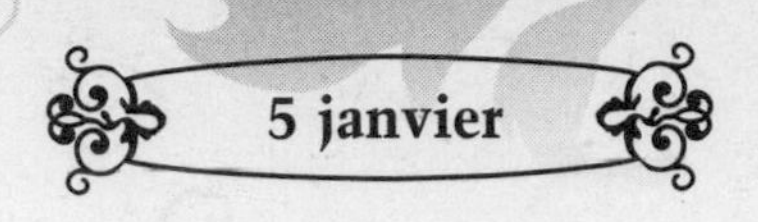

5 janvier

## JE SAIS QUE MON CORPS EST IMPORTANT

Mon corps m'appartient; c'est une partie de moi à part entière. J'ai donc à faire des actes responsables envers lui. Je dois en prendre soin: le garder propre, le maintenir en bonne santé et en sécurité, bien le nourrir, le vêtir confortablement et avec goût. Mon corps me sert aussi quand je dois agir autour de moi. C'est avec mon corps que je suis en contact réel avec les gens. C'est avec lui aussi que je rencontre mon conjoint: c'est avec mon corps que je lui parle, que je l'écoute, que je lui manifeste des marques d'attention et que j'en donne, que je vis ma sexualité. Ce corps, c'est moi; je suis bien dans mon corps et je l'aime, malgré ses imperfections et, peut-être, ses handicaps.

---

**Aujourd'hui,<br>est-ce que je traite mon corps<br>de façon responsable<br>et amoureuse?**

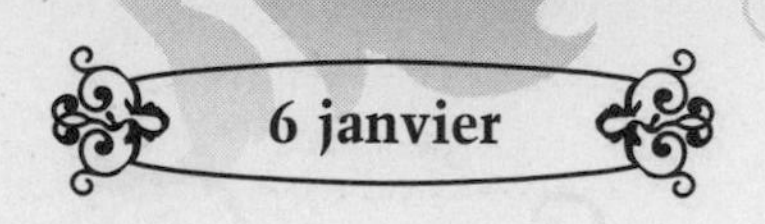

6 janvier

## JE TRAVAILLE SUR MES ATTITUDES MENTALES

Mes attitudes mentales sont importantes parce qu'elles servent à orienter ma vie lorsque j'ai des décisions à prendre. Et la vie me demande sans cesse de faire des choix. D'où l'importance d'un jugement sain. J'ai probablement du ménage à faire dans mes attitudes mentales: renoncer à certaines idées reçues et à maints préjugés, apprendre à penser par moi-même, développer ma capacité à évaluer les différents aspects d'une question, etc. Tout cela me permet de fonctionner avec un meilleur jugement dans les différents domaines de ma vie. Et là où mes attitudes mentales sont particulièrement importantes, c'est, bien sûr, dans ma vie de couple. Est-ce que je fais preuve d'un jugement équilibré dans mes contacts avec mon partenaire de vie?

---

**J'apprends à remplacer les préjugés et les idées préconçues par une réflexion personnelle. Je suis capable de penser par moi-même.**

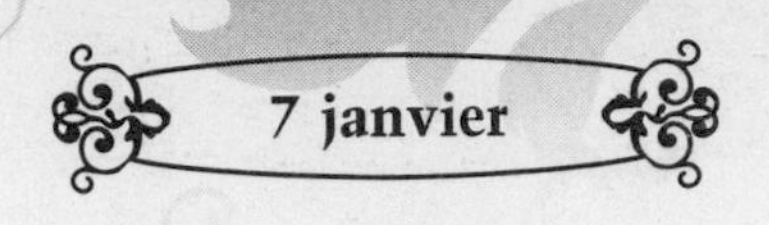


# JE VIS MES ÉMOTIONS

Devant chaque situation, une réaction monte en moi sans que je la choisisse: c'est une émotion. C'est ainsi que je peux ressentir de la joie ou de la tristesse, de la colère ou de la peur, selon les circonstances. Ma vie de couple est un terrain très fertile en émotions à cause de la proximité et de l'intimité de la relation avec mon conjoint. Il est dans la nature de chaque être humain de fonctionner ainsi. Je ne devrais donc pas avoir peur de vivre ces émotions: après tout, elles font partie de moi. Si j'éprouve de la peur devant celles-ci, cette peur est malsaine et m'amène à réagir de façon malsaine. Je m'habitue plutôt à ressentir pleinement les émotions qui m'habitent.

---

**J'essaierai de ne pas avoir peur de mes émotions, même quand elles sont désagréables: je me rapproche ainsi de moi-même.**

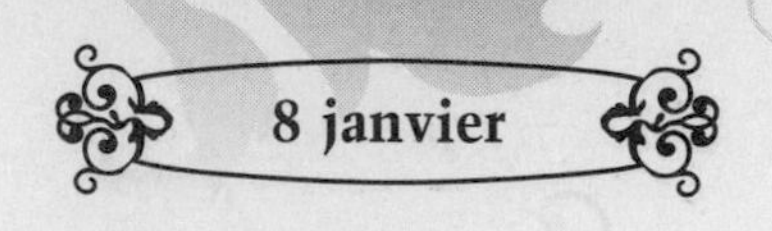


# JE DÉVELOPPE MA VIE SPIRITUELLE

Si je peux trouver en moi de l'amour, si je peux me connecter, même occasionnellement, à la profondeur de mon être, je suis déjà spirituellement vivante. Cette vie spirituelle me permet de me développer et de grandir; elle me permet aussi de faire face aux difficultés et aux problèmes de la vie. C'est un secours précieux qui m'aide à vivre dans ma vie de couple une merveilleuse aventure au lieu qu'elle soit une rencontre, d'abord exaltante, qui finit par s'enliser dans l'ennui et la routine. La vie spirituelle me fait découvrir ma richesse intérieure et me fait voir mon conjoint sous un jour très différent. Les problèmes deviennent des occasions de grandir. Les occasions de conflit diminuent alors qu'augmentent les raisons de se réjouir. Une lumière nouvelle éclaire la vie de mon couple à mes yeux.

---

**La dimension spirituelle de ma vie de couple dépend de la qualité de mon contact avec moi-même.**

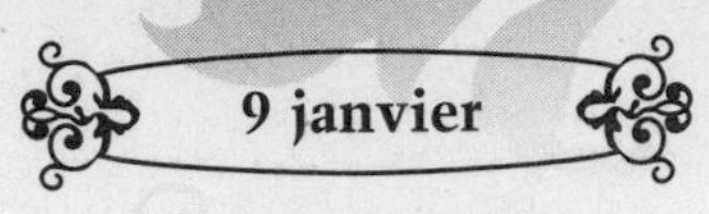

9 janvier

# JE PRIE POUR MON PARTENAIRE DE VIE

La prière est une des activités qui me servent à approfondir ma vie spirituelle en améliorant mon contact avec une Puissance supérieure. Lorsque je prie, je parle à cette Puissance supérieure. Je lui fait confidence de mes soucis, de mes peines, de mes déceptions et de mes espoirs. Je lui demande de me faire connaître sa volonté à mon endroit. De la même manière, je lui confie aussi ma vie de couple et lui demande de pouvoir faire ce qui sera bon pour nous deux. Si je suis déçue de mon conjoint, je demande qu'on me guide sur le chemin du pardon. Si je suis insatisfaite de moi, je demande de pouvoir faire mieux à l'avenir. La qualité de ma foi peut aider à améliorer ma vie de couple.

---

**La prière est un outil qui m'aide à mieux vivre dans la réalité quotidienne de mon couple.**

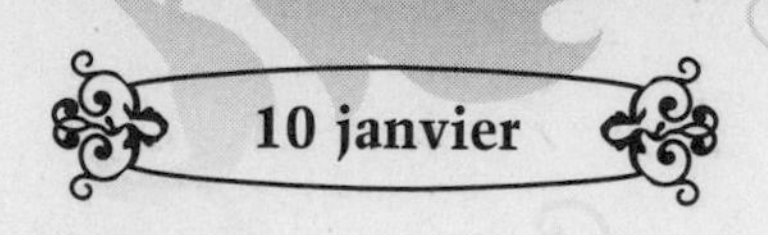


## J'ADMETS MES ERREURS ET MES CHOIX DOUTEUX

Si je suis attentive à ce que je fais, il m'apparaît évident que je fais parfois des erreurs ou de mauvais choix: décisions discutables, comportements ou jugements déplorables. Ces erreurs viennent souvent de la précipitation ou de la peur. En me dépêchant trop, je n'évalue pas correctement la portée de mes actions. Ou alors j'agis sous l'emprise d'une peur non fondée. Lorsque je commets une erreur, il est important que j'en prenne conscience et que je l'admette, d'abord face à moi-même, puis vis-à-vis des personnes que j'ai pu ainsi affecter. Une bonne méthode pour évaluer la portée de mes actes, c'est de procéder à un bilan rapide de ma journée chaque soir, d'examiner mes comportements et mes motivations. Je me rapproche ainsi de moi-même et des autres.

---

**Je reste en contact avec moi-même en procédant à un bilan rapide de ma journée et en admettant mes torts vis-à-vis de ceux que j'ai blessés.**

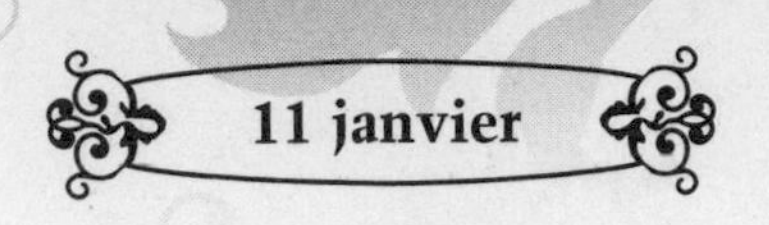

# 11 janvier

## J'EXPRIME CE QUE JE RESSENS

Je n'hésite pas à exprimer à mon entourage ni à mon compagnon de vie les émotions et les sentiments qui m'habitent. Ainsi, je vise l'équilibre entre ce que je vis à l'intérieur de moi-même et ce que je manifeste à l'extérieur. Le pensées et les émotions refoulées s'accumulent et contribuent à engendrer un malaise intérieur. C'est pourquoi il importe que j'évite d'accumuler les états d'âme refoulés. Ainsi, les autres savent vraiment ce que je ressens et ils peuvent me comprendre. Il est important que ma relation avec mon conjoint fonctionne de cette façon. L'alternative c'est le silence, les malentendus, la frustration et la colère. Est-ce cela que je désire?

---

**Aujourd'hui, je dirai à mes proches ce que je ressens vraiment; j'essaierai d'être claire et précise, tout en parlant avec amour.**

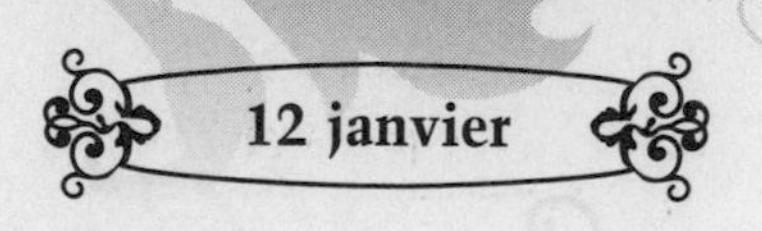


# JE FAIS DES PROJETS AVEC MON PARTENAIRE

Être capables de faire des projets ensemble dépend de notre aptitude commune à communiquer, à imaginer et à faire confiance. En arriver là suppose que nous avons progressé ensemble. J'en suis venue à voir l'autre de façon réaliste. J'ai appris à résoudre mes différends et mes conflits avec mon conjoint. J'en suis venue à lui laisser la liberté d'être ce qu'il est et à vivre mon autonomie vis-à-vis de lui. Maintenant, nous sommes capables de créer ensemble, d'imaginer ce qui nous ferait plaisir et nous aiderait à devenir meilleurs pour ensuite le réaliser. Tout cela n'a-t-il pas commencé par une simple rencontre ?

---

**La capacité de faire des projets avec mon partenaire de vie résulte d'un apprentissage de la vie en commun et de la volonté de prendre des risques avec lui.**

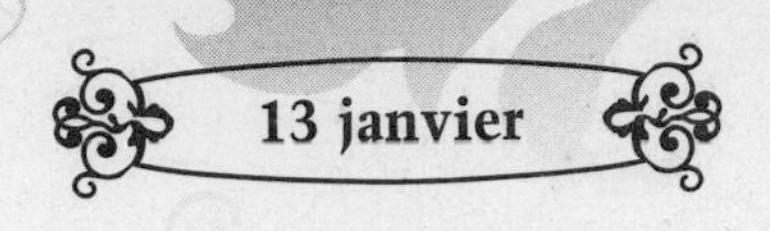

## 13 janvier

# JE CONTRIBUE À LA CROISSANCE DE MON CONJOINT

Évoluer de concert avec une autre personne demande de contribuer à la croissance de l'autre dans tous les domaines ? Autrement, à quoi servirait l'intimité ? Je fais donc de mon mieux pour enrichir mon conjoint dans le domaine matériel et physique, dans ses connaissances, dans sa vie émotionnelle et dans son évolution spirituelle. Je contribue aussi à sa croissance en acceptant de recevoir de lui et en valorisant ce qu'il peut m'apporter. Je vis ces échanges sans calculs ni arrière-pensées. Ainsi, je me rapproche de mon partenaire dans le cadre d'une vie enrichissante parce que faite d'échanges.

---

**Je fais de ma vie de couple un lieu de croissance et d'échanges en contribuant à l'évolution de mon partenaire et en acceptant de recevoir de lui.**

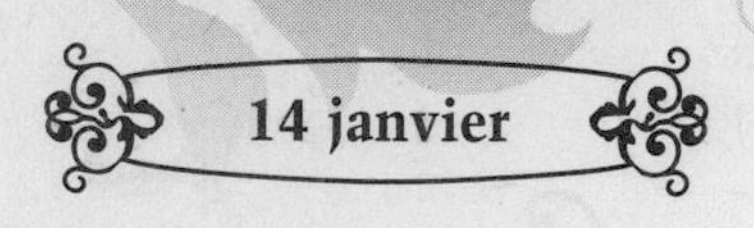

14 janvier

# JE DÉVELOPPE MON AUTONOMIE

Chaque jour, j'apprends à vivre de façon autonome. Je le fais, non pas en proclamant ce grand principe, mais en recherchant ce qui me rend autonome dans les petits gestes de la vie quotidienne. C'est ainsi que j'acquiers l'habitude de l'autonomie. Je le fais en prenant moi-même une décision devant chaque problème qui se présente. Je n'attends plus que quelqu'un d'autre, même mon conjoint, décide à ma place. Quand je choisis ce que je ferai, je tiens compte de ce qui est bon pour moi comme de ce qui est bon pour les autres. Je m'affirme posément, sans y mettre d'agressivité ou de colère. Je ne dépends plus d'une autre personne pour décider à ma place; je deviens responsable de mes choix.

---

**Je ne laisse plus à personne le pouvoir de décider pour moi; j'assume la responsabilité de mes propres décisions.**

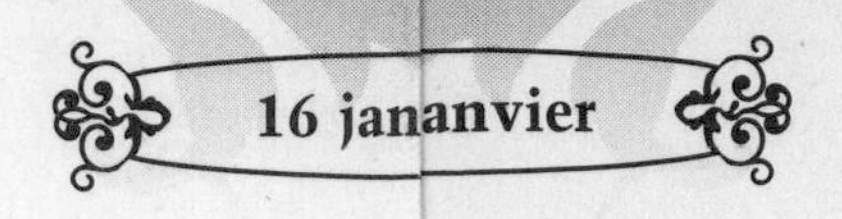


## QUAND J'AI DLLE LA JOIE

La peine vient parfoisre émotion que je vis
une déception surgit,. Je suis souvent réti-
vaise nouvelle me tol'éprouver, comme si
survient une situatics. Pourtant, la joie est
m'envahit. Il est notielle à ressentir et à
ainsi dans de telles ciline mon cœur et me
pas honte de ressentire qui me permet de
une émotion normaleurnée. Si je partage
pelle mon enfance, alqu'un, avec mon con-
façon normale de réaier lieu, celle-ci n'est
lait pas. Aujourd'hui,s multipliée. La joie
de la peine, c'est come logique de petites
démunie que lorsque nouvelle, la réussite
cepte ma peine et jerprise agréable, etc. Je
ment, pour ensuite pae passer quand elle se
J'évite de fuir ma pein

---

**La peine est u**
**normale qui me**te la joie
**mon impu**cadeau destiné
**devant certaine** partagé
**J'accepte de**s proches.
**ma peine lo**
**se mani**

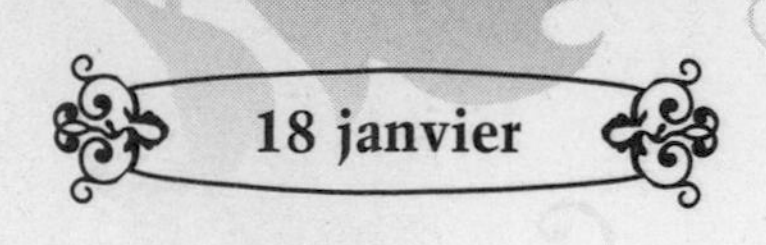

18 janvier

## JE DÉDRAMATISE MES PEURS

La peur a longtemps fait partie intégrante de ma vie. Des grandes frayeurs aux petites peurs, il y en avait partout: peur du noir, peur d'être abandonnée, peur de déplaire, peur d'oublier mes clés, peur de manquer de quelque chose, etc. La peur était omniprésente et me paralysait. Pourtant, toutes ces peurs étaient illusoires: elles n'avaient aucun fondement réel. Elles disparaissent dans la mesure où elles sont remplacées par la confiance: confiance en une Puissance supérieure, confiance en moi, confiance en la vie, confiance en mon conjoint. C'est alors que la peur cesse d'être présente et est remplacée par un sentiment d'appartenance et d'harmonie avec ce qui est autour de moi.

---

**Mes peurs, la plupart du temps,
ne sont pas réelles;
elles ne sont que le reflet
de mon manque
de confiance.**

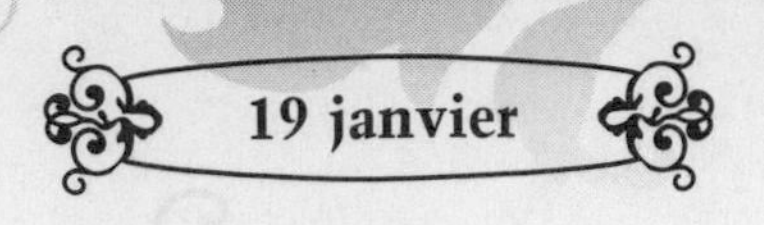


## JE PRENDS MES DÉCISIONS POUR AUJOURD'HUI

Comme chaque jour, j'ai des décisions à prendre. Il en est de petites, liées à la vie quotidienne. Il peut aussi y en avoir d'importantes, engageantes pour l'avenir: un choix professionnel, un voyage, un changement dans mes relations, une décision concernant ma vie de couple, etc. Quoi qu'il en soit, je chercherai à être éclairée dans ma prise de décision: je demanderai à ma Puissance supérieure de m'indiquer quelle est sa volonté face à cette situation. Je renonce à vouloir contrôler tout ce qui se passe dans ma vie et j'admets que je n'ai pas toutes les réponses. Celles qui me manquent me viendront de la Vie et m'éclaireront en vue d'un juste choix. Je serai alors en paix avec cette décision à prendre au lieu d'être tourmentée par l'indécision.

---

**Je prends mes décisions avec l'aide de ma Puissance supérieure.**

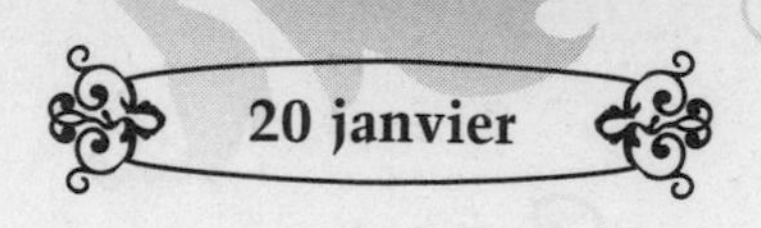


## MON «ENFANT»

Il y a en moi une dimension «enfant» qui peut me faire agir de différentes manières: cet «enfant» est parfois boudeur ou capricieux, parfois créatif et enjoué, mais il vit toujours selon ses sentiments et ses émotions. Cette dimension est une richesse de ma personnalité. Mais il n'y a pas que cet aspect de moi qui me fasse agir. Je peux aussi fonctionner dans un état de «parent» qui juge et réprimande, ou qui prend soin et aime les autres aussi bien que moi-même. Il arrive aussi que je fonctionne comme un adulte rationnel apte à peser le pour et le contre, et à prendre des décisions. Ces trois aspects de ma personnalité peuvent me pousser à agir et il est important que je puisse les reconnaître et déterminer le rôle qu'ils jouent en moi.

---

**Je suis équilibrée lorsque l'enfant, le parent et l'adulte intérieurs qui m'animent fonctionnent en harmonie.**

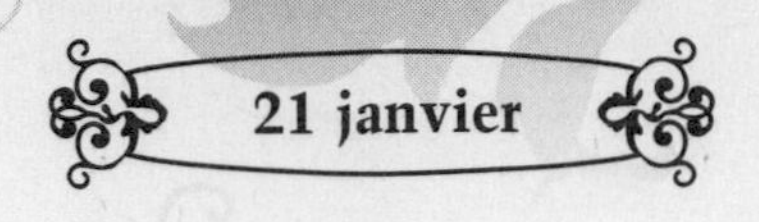



## JE FAIS UN BILAN DE MA JOURNÉE

Une bonne méthode pour rester en contact avec ce que je suis et ce que je vis est de faire, chaque soir, un rapide bilan de ma journée. Ce bilan m'aide à prendre conscience de mes bonnes actions et de ce qui a été positif; il m'aide aussi à réaliser en quoi j'ai encore des points à améliorer dans mes pensées, mes attitudes et mes comportements. Un bilan fait régulièrement me permet de constater mes progrès et mes lacunes. Ainsi, je demeure consciente de ma réalité et cela me permet de m'ajuster dans ma relation de couple et dans les autres aspects de ma vie.

---

**Un bilan de ma journée m'aide à mieux fonctionner dans ma vie de couple.**

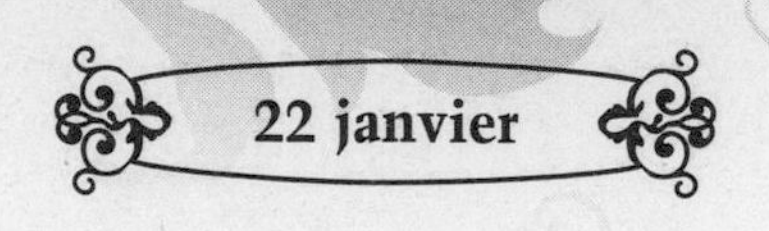

22 janvier

## JE DEMANDE LE COURAGE

Je suis parfois bloquée ou hésitante à agir, à faire ce que je sais être bon pour moi. Le courage de passer à l'action me manque. Je retarde le moment d'agir ou je m'occupe à autre chose. Mon esprit voit clairement ce que j'ai à faire, mais le cœur n'y est pas. Que faire dans de tels moments? Si je crois qu'une Puissance supérieure peut m'aider, je Lui demande de me donner le courage nécessaire afin de passer à l'action et d'entreprendre ce que j'ai à faire. La confiance en une Puissance supérieure est le secret qui rendra ma demande efficace. La croissance spirituelle m'amène à identifier clairement mes limites et à reconnaître qu'au-delà de celles-ci, j'ai besoin de l'aide d'une Puissance supérieure.

---

**Le véritable courage**
**n'est pas toujours inné;**
**lorsqu'il me fait défaut,**
**je sais où aller le chercher.**

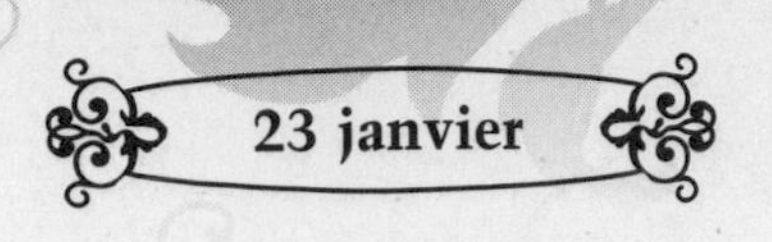

23 janvier

# J'ÉCOUTE LES CONSEILS

Dans une situation de conflit ou de problème j'ai souvent de la difficulté à identifier une solution correcte et efficace. Cela est vrai aussi en ce qui concerne ma vie de couple. Les réactions émotives que je ressens ne m'aident pas non plus à voir clairement ce qu'il me faudrait faire. Dans de tels moments, j'ai besoin des conseils de personnes éclairées et objectives. Je dois donc approcher des gens qui peuvent m'aider et me guider. Je peux aussi prier afin que des conseils appropriés soient mis sur ma route. L'important est que j'accepte de recevoir des autres, et surtout de mon conjoint, ce qui me manque pour mieux fonctionner.

---

**Je demande l'aide et les conseils des autres lorsque cela est nécessaire.**

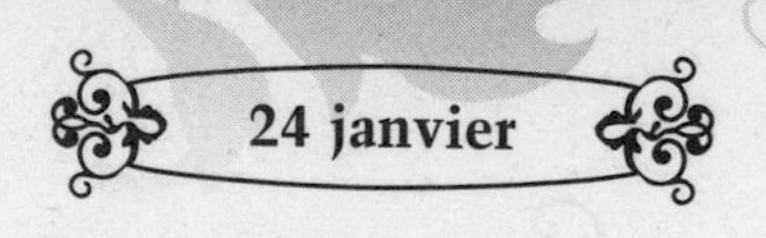

24 janvier

# J'ACCEPTE MON PARTENAIRE TEL QU'IL EST

Mon partenaire n'est pas toujours comme je voudrais qu'il soit. Mes attentes à son sujet sont parfois irréalistes; il peut aussi arriver qu'il ne soit pas aussi disponible ou présent que d'habitude. Lorsque cela se produit, j'essaie de réagir avec calme et prudence en m'adaptant à la réalité de ce jour, au lieu d'être en désaccord avec un tel événement. Je tente de faire preuve d'acceptation vis-à-vis de mon partenaire. Ce n'est pas toujours facile, mais les bénéfices en valent la peine. Non seulement ma vie de couple devient alors synonyme d'harmonie, mais je découvre qu'en acceptant mon conjoint tel qu'il est, je m'accepte plus facilement telle que je suis. L'acceptation de soi passe par l'acceptation de l'autre.

---

**En acceptant l'autre tel qu'il est, je renonce à le contrôler et à le changer; je quitte alors le domaine de la peur.**

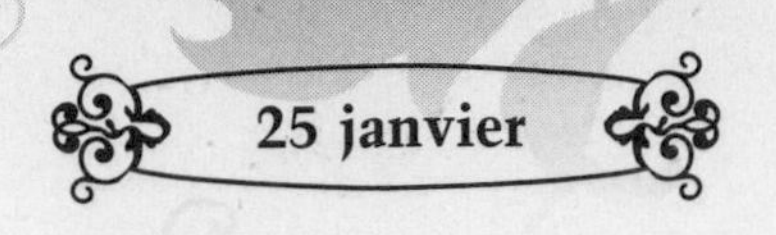

## QU'EST-CE QUE JE FAIS AVEC MON AGRESSIVITÉ?

L'agressivité est une forme de colère devant ce que je refuse d'accepter. En étant agressive avec mes proches ou avec mon conjoint, je me sépare de ceux-ci et je m'isole. Je refuse de les accepter; du même coup, je refuse aussi de m'accepter. J'entre alors dans le domaine de l'illusion et de la peur. Ce chemin ne mène qu'à la souffrance. Comment faire pour être libérée de cette souffrance où je me suis enfermée? Je peux essayer de revenir sur moi et tenter d'identifier ce que je refuse d'accepter. Ensuite, je peux demander à ma Puissance supérieure le courage qui me manque pour accepter ce que je refuse et la sérénité devant ce que je ne peux changer. Dans un tel état d'esprit, l'agressivité n'a simplement plus sa place: elle disparaît d'elle-même.

---

**Qu'est-ce que mon agressivité a à m'apprendre à mon sujet?**

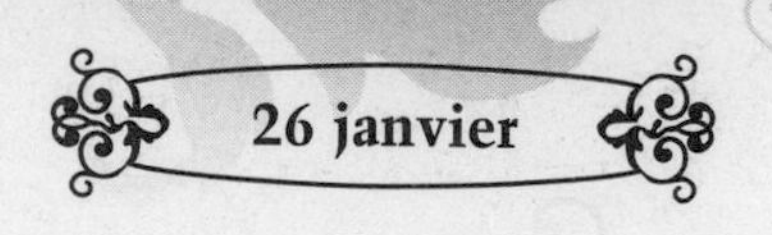


# JE DÉVELOPPE MON AUTONOMIE DANS MA VIE DE COUPLE

Je suis autonome si j'ai la capacité de fonctionner sans dépendre de mon conjoint ni de ses réactions dans mes choix et mes décisions. Il ne m'est pas toujours facile d'affirmer mon autonomie, mais c'est une condition nécessaire pour que ma vie de couple soit durable, épanouie et enrichissante. Je ne désire plus aujourd'hui acheter la paix dans mon couple en renonçant à m'affirmer et en gardant le silence. Le compromis véritable passe par l'affirmation de mes valeurs. Je suis alors en mesure de formuler des demandes à mon conjoint, tout en acceptant de sa part celles où je me sens respectée et aimée. C'est ainsi que j'apprends à devenir autonome.

---

**Mon autonomie personnelle se bâtit chaque jour dans mon couple par de petits gestes.**

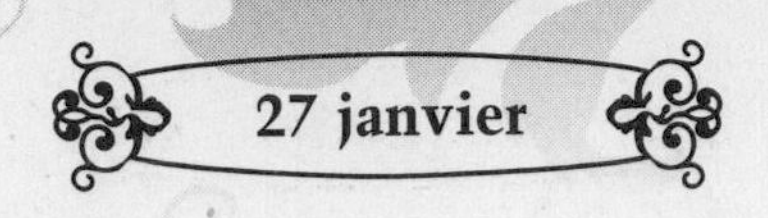


# J'ADOPTE UNE DISCIPLINE PERSONNELLE DANS MA VIE DE COUPLE

S'il est vrai que mon bien-être personnel exige que j'applique certaines règles dans ma vie, cela l'est davantage si je vis en couple, alors que notre bien-être commun dépend de certaines exigences. Parfois, mon bien-être personnel va à l'encontre du bien de notre couple. J'ai alors un choix à faire. Il est clair qu'un choix dicté par l'égoïsme va à l'encontre du bien-être commun. Si je choisis cette voie, j'aurai à en assumer les conséquences. Si mon choix me porte vers le bien de mon couple, j'ai à renoncer souvent à ce qui me ferait plaisir. Dans les deux cas, une forme de discipline personnelle m'est nécessaire pour savoir où je m'en vais.

---

**Les choix que j'ai à faire demandent que j'adopte une discipline personnelle pour m'aider à voir clair dans mes décisions.**

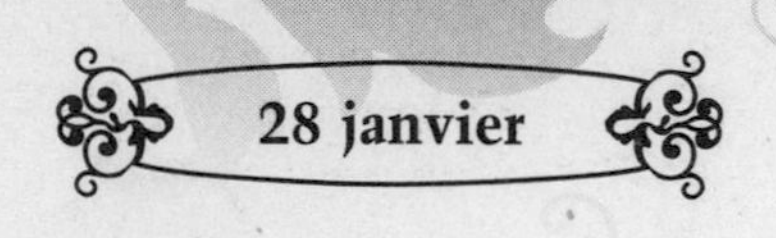

28 janvier

## J'ENVISAGE LES RENONCEMENTS À VIVRE DANS MON COUPLE

C'est à un niveau profond, celui des instincts naturels, que les conflits surgissent souvent en moi. L'instinct de survie, par exemple, provoque la peur dans toutes sortes de circonstances. Ou l'instinct social m'amène à rechercher la compagnie des autres à tout prix. Dans ma vie de couple, l'action désordonnée de mes instincts peut engendrer des conflits. Pour mettre de l'ordre dans tout cela, une méthode efficace consiste à renoncer à certaines de mes idées; pour ce faire, j'ai à pratiquer l'égalité d'humeur, que la chose désirée se produise ou non. Je deviens alors libre devant l'objet de mon désir. Cela m'amène de la tranquillité intérieure en évitant la joie exagérée ou la déception profonde et rétablit l'harmonie avec mon partenaire.

---

**Je recherche la libération vis-à-vis de ce qui est extérieur à moi par le renoncement.**

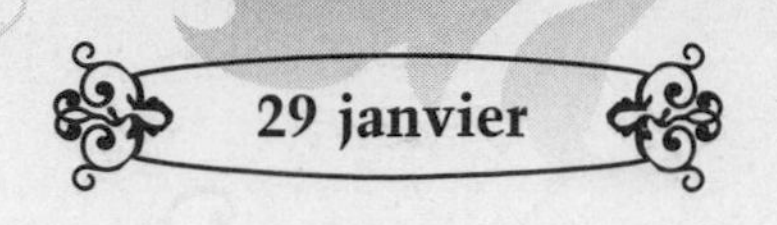

29 janvier

# JE CHERCHE LE BON CÔTÉ

Toute chose a un bon et un mauvais côté. Quand un événement malheureux ou une situation difficile provoque en moi de la tristesse ou génère de la souffrance, le mauvais côté m'affecte, ce qui est normal. Mais je peux aussi choisir de rechercher ce que cet événement m'apporte de positif: quelle leçon de vie il contient. Ainsi, je ne reste plus à subir passivement la tristesse ou la douleur: j'agis devant elle en cherchant ce qui peut s'y trouver de bon pour moi. Quand un tel événement vient toucher notre vie de couple, je peux aider mon conjoint à vivre sa peine et à rechercher aussi le bon côté de ce qui nous arrive. La recherche du bon côté nous empêche de sombrer dans l'isolement.

---

**Je ne subis pas seulement les événements difficiles; j'essaie de les dépasser en recherchant ce qu'ils portent de positif. Ainsi, ils ne m'affectent plus.**

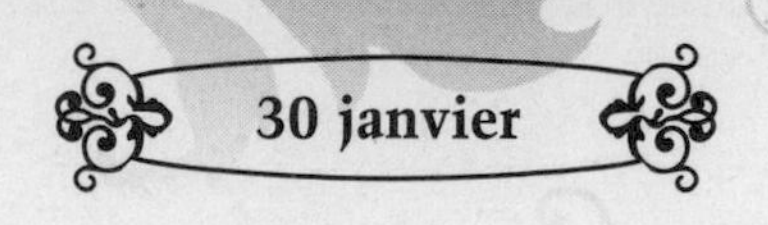


# J'APPRÉCIE LE SILENCE

Parfois, cela me fait du bien de me retrouver dans le silence; cela me permet de faire une pause face au bruit et à l'agitation du quotidien. Je peux alors me retrouver avec moi-même et consacrer un peu de temps à faire quelque chose que j'aime. J'en profite aussi pour m'éloigner de l'agitation et du bruit qu'il y a en dedans de moi. S'il y a des parties de mon être ainsi troublées, il s'en trouve aussi de très calmes où je peux m'arrêter et prendre du temps pour moi afin de réfléchir ou me détendre. Choisir le silence ne veut pas dire que je rejette mon conjoint, mes enfants ou mes proches. Cela signifie simplement que je me choisis de temps en temps.

---

**Est-ce que j'apprécie à leur juste valeur le silence et ses effets sur moi?**

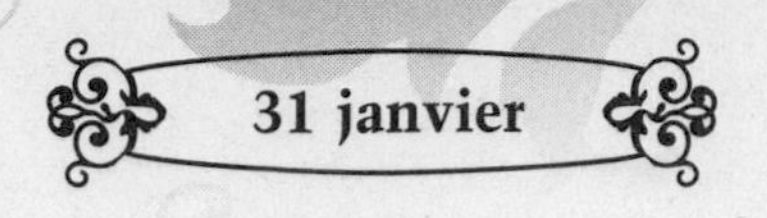

31 janvier

## EST-CE QUE JE ME CONNAIS?

Le cœur de l'évolution personnelle, c'est la connaissance de soi. Comment puis-je évoluer, donc changer, si j'ignore ce qui ne va pas bien en moi ? La connaissance de soi a commencé, pour moi, le jour où j'ai admis mon ignorance à mon endroit. Cette première vérité m'a permis de commencer à chercher la vérité à mon sujet. J'ai commencé à connaître la personne que je suis vraiment par des lectures, mais surtout en parlant avec d'autres personnes ayant une expérience de vie plus grande que la mienne. Le fait d'écrire sur ce que je vis m'aide aussi à me connaître plus profondément. Si je le désire, je peux trouver différents outils pour me rapprocher de moi.

---

**Est-ce que je fais de la connaissance de soi une priorité ?**

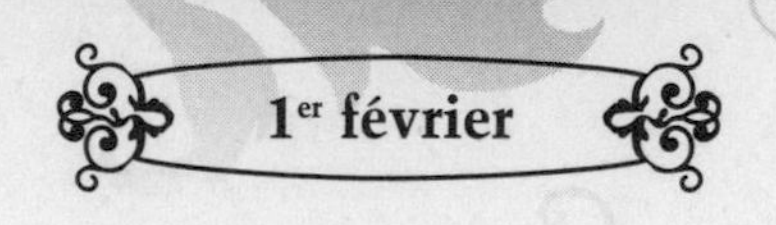


## J'ASSUME MES CONTRADICTIONS

Un signe que je ne suis pas parfaite, c'est que j'ai des attitudes ou des comportements qui ne vont pas bien ensemble ou qui se contredisent parfois carrément. Je peux affirmer quelque chose aujourd'hui alors que j'ai soutenu le contraire avec tout autant d'assurance hier. C'est que je n'agis pas toujours après une calme réflexion; la vie ne laisse pas toujours le temps de méditer sur les paroles ou les gestes. J'essaie d'atteindre une meilleure harmonie dans mes comportements en étant plus consciente, plus réfléchie. Lorsque je réalise que je suis en contradiction avec moi-même, j'en parle avec mon conjoint et, si j'ai tort, je n'hésite pas à l'admettre.

---

**Je deviens responsable de mes contradictions et j'en répare les conséquences lorsque c'est nécessaire.**

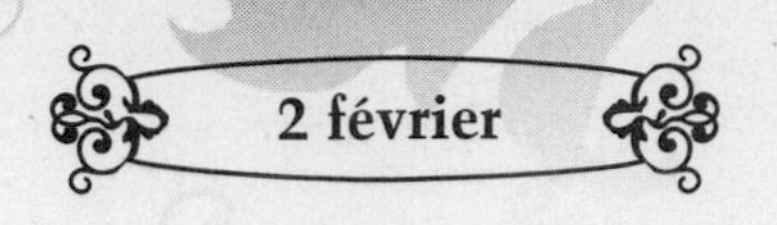

2 février

## JE NE CHERCHE PLUS À TOUT CONTRÔLER AUTOUR DE MOI

Aujourd'hui, je renonce à exercer une forme de contrôle sur mon conjoint ou sur mes proches. Cette attitude ne m'a jamais réussi dans le passé et n'a suscité que des conflits. Lorsque la tentation de décider pour un autre se manifeste en moi, je me connais maintenant assez pour me demander si c'est la peur qui me pousse à agir ainsi. En effet, j'ai compris avec le temps que mon désir de contrôler était dicté par le besoin malsain de me garantir un environnement où je ressentirais de la sécurité. Il y avait donc une peur cachée derrière ce besoin. Si je suis à l'aise avec moi-même et dans ma relation de couple, je ressentirai alors le sentiment de sécurité que je recherche tant en voulant contrôler.

---

**Le besoin de contrôler naît de la peur et du manque de confiance; est-ce que je fais confiance en la vie?**

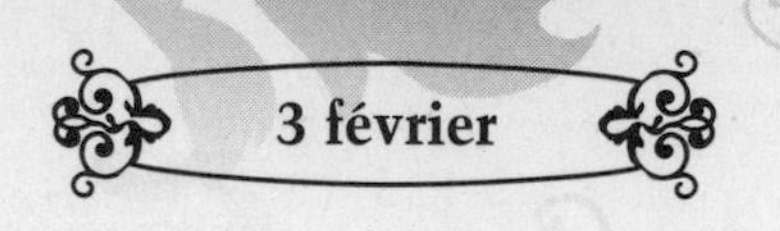


# JE CHASSE LA CULPABILITÉ

Je pouvais facilement me sentir coupable dans toutes sortes de situations: je n'en avais pas assez fait, j'aurais dû agir autrement, j'ai dû oublier quelque chose. Je n'étais pas en paix avec ce que j'avais fait et cela venait gaspiller mon moment présent. Je n'étais pas bien avec ce sentiment; cela affectait ma relation avec mon conjoint. Maintenant, quand je fais de mon mieux, je suis en paix avec les conséquences de mes actes, car je sais que les résultats de ceux-ci ne m'appartiennent plus. Je regarde en avant plutôt que derrière moi. Je ne perds plus mon temps à regarder maladivement si j'aurais pu mieux agir et je suis en paix avec moi.

---

**Je remplace la culpabilité par la certitude tranquille que j'ai fait de mon mieux.**

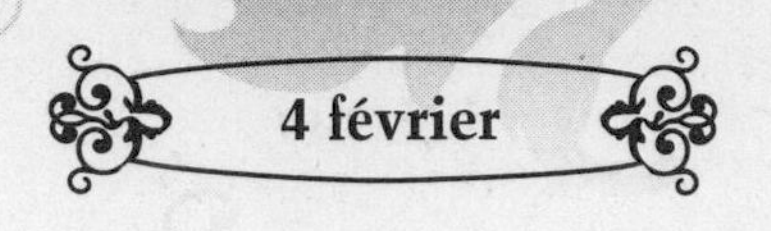

4 février

# JE RECHERCHE L'ÉQUILIBRE

Une de mes difficultés consistait à passer constamment d'un extrême à l'autre dans ce que je faisais: trop joyeuse ou trop triste, trop active ou totalement inerte, enthousiaste ou déprimée. Je n'étais jamais bien dans le présent et je devais tout le temps changer d'état d'âme ou d'activité. Alors, j'envoyais des messages contradictoires à mon conjoint et celui-ci avait beaucoup de difficulté à me comprendre et à me suivre. J'évite aujourd'hui les sautes d'humeur et les états extrêmes: je reste dans le présent et j'accepte ce que je vis au lieu de toujours fuir. En recherchant l'équilibre et en acceptant ma réalité, je contribue à assurer le bien-être de mes proches.

---

**L'équilibre me permet de trouver l'extraordinaire dans l'ordinaire de chaque jour.**

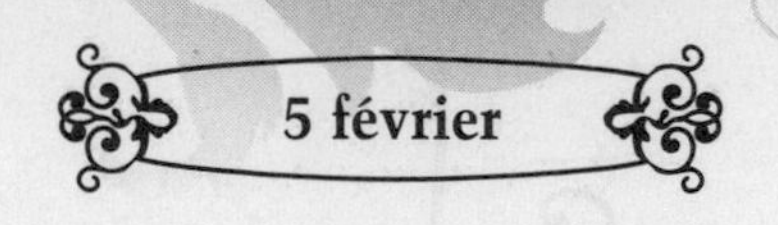

5 février

# J'ENTRETIENS L'ESPOIR

Même si la vie est parfois difficile avec ses soucis et ses déceptions, je garde vivante et j'entretiens la petite flamme de l'espoir. Les moments difficiles de la vie se vivent juste pour aujourd'hui, et demain n'est pas encore là; nul ne sait de quoi il sera fait. Si je fais réellement confiance à la Vie, je sais que je ne serai pas déçue par ce qu'elle me réserve. Je crois réellement que ce qui m'arrive est vraiment ce qu'il y a de meilleur pour moi et que ce que j'aimerais vivre n'est pas nécessairement ce qu'il me faut. Je ne suis pas seule dans ces moments difficiles et je peux aussi me tourner vers mon conjoint pour trouver son aide et son support.

---

**L'espoir est précieux**
**et me permet de traverser**
**les tempêtes de la vie.**

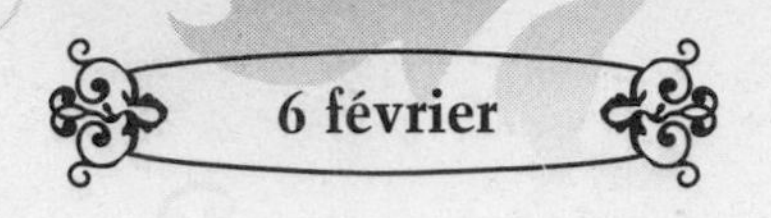


# JE NOURRIS LA FOI

Le développement d'un contact personnel et conscient avec une Puissance supérieure à moi-même est devenu partie intégrante de ma vie. Faire suffisamment confiance à cette Puissance pour me confier à elle sans restriction s'appelle, pour moi, la foi. C'est la foi qui donne un sens à ma vie aujourd'hui et qui m'aide à définir mes valeurs. Sans cette foi, je ne saurais pas comment agir, comment penser, comment être ni comment vivre en relation. Cette relation privilégiée avec ma Puissance supérieure me permet de passer à travers les difficultés de la vie. Je ressens aussi de la gratitude pour tout ce qui va bien dans ma vie grâce à ma Puissance supérieure.

---

**La foi fait aujourd'hui partie de ma vie et je la nourris comme je nourris mon corps ou mon intelligence.**

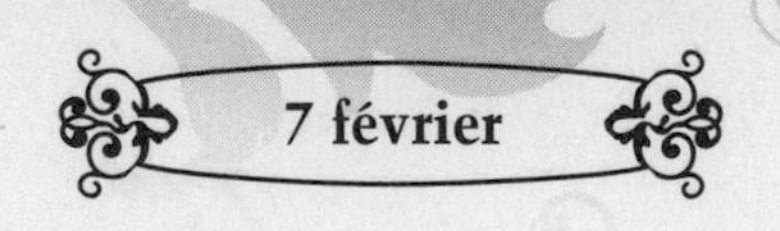

7 février

# JE CULTIVE L'HONNÊTETÉ

Être honnête signifie pour moi agir en conformité avec les valeurs auxquelles je crois, même si je dois alors renoncer à un avantage immédiat. C'est une attitude que j'essaie de développer dans ma vie de couple parce qu'il est important pour moi que la relation avec mon conjoint se vive au niveau des valeurs. La solidité de notre couple est, ainsi, davantage assurée puisqu'elle dépend de moins de facteurs superficiels ou de circonstances temporaires. Pour être honnête dans ma vie de couple, j'ai besoin d'être honnête avec moi-même. Donc, j'ai besoin de me connaître. L'honnêteté dépend de mon évolution personnelle.

---

**L'honnêteté avec l'autre commence par la connaissance que j'ai de moi-même.**

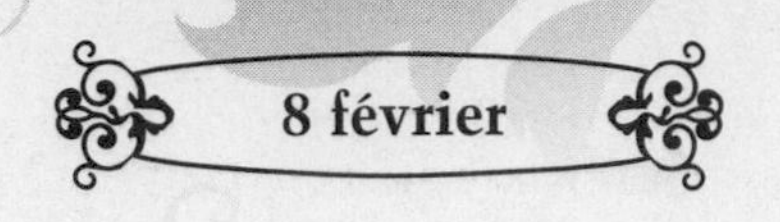

8 février

# JE METS DE L'HUMOUR DANS MA VIE

Souvent, j'ai tendance à donner aux événements une coloration dramatique qui amplifie hors de proportion leur impact sur moi. J'en ressens alors davantage les effets, habituellement pénibles ou destructeurs. Un bon moyen d'éliminer ce caractère dramatique à ce qui m'arrive est de mettre de l'humour dans ma vie. Ainsi, ce qu'un événement peut avoir de dramatique devient souvent banal et inoffensif et ma réaction change alors du tout au tout. J'apprends ainsi à ne pas me prendre trop au sérieux, particulièrement dans les petites choses de la vie. L'humour dans ma vie de couple aide aussi à désamorcer des situations qui auraient pu se transformer en conflit si nous n'avions pas su en rire.

---

**Un brin d'humour change souvent du tout au tout ma perception des choses.**

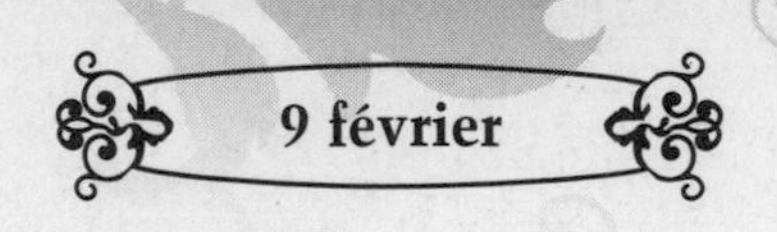


# J'ÉVITE LE PIÈGE DE L'IMPATIENCE

Manquer de patience est l'un de mes traits de caractère. Je vis dans l'impatience avec moi-même et souvent avec mon conjoint. Pourquoi suis-je ainsi? Peut-être l'impatience veut-elle réellement signifier manque d'acceptation? Depuis que j'ai compris cela, j'essaie non plus de dominer mon impatience, mais plutôt de cultiver ma capacité d'accepter ce qui est autour de moi ou en moi. Je m'accepte mieux dans certaines situations où j'admets que je ne peux rien y changer. J'accepte mieux mon conjoint et les autres en réalisant que je ne peux ni les changer ni changer les circonstances. Alors, je deviens plus tolérante et les réactions d'impatience se font de plus en plus rares.

---

**Je ne combats plus l'impatience; je cherche plutôt à développer ma capacité d'acceptation.**

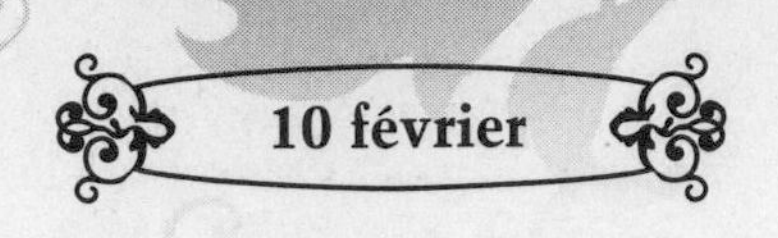

10 février

# EST-CE QUE JE VIS DE L'INTIMITÉ?

La vie commune avec mon partenaire est-elle faite d'intimité ou d'une vague proximité dans différents domaines? Il existe une différence entre ces façons d'être. Nous vivons de l'intimité quand nous trouvons dans notre relation ce qu'il nous faut pour évoluer, sans qu'il y ait manipulation ou motifs cachés. Ce n'est pas toujours le cas, mais ce qui compte c'est que ce climat d'intimité soit suffisamment présent dans notre couple pour que nous trouvions un sens à être ensemble aujourd'hui encore. Être ensemble continue à nous nourrir parce que notre couple constitue une entité privilégiée où nous pouvons continuer à évoluer dans notre vie respective.

---

**La possibilité de vivre de l'intimité est une grâce que je recherche aujourd'hui.**

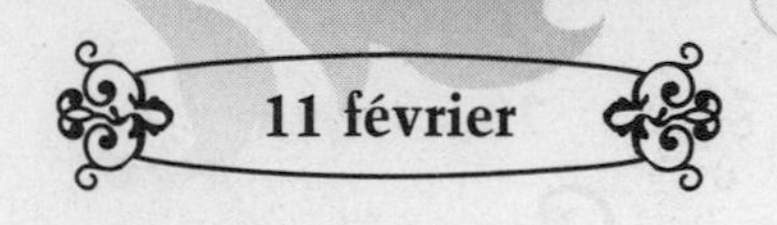


# J'ÉVITE L'ISOLEMENT

Lorsque je vis des moments plus difficiles, j'ai parfois tendance à m'isoler et à éviter tout contact avec les autres. Je reste alors dans ma coquille et je ne fais que penser à ce qui ne va pas. Penser constamment à ce qui ne va pas n'est pas la meilleure façon pour que ça aille mieux, mais c'est une tendance naturelle que j'ai. Pourtant, être en contact avec quelqu'un d'autre me ferait probablement comprendre ce qui m'aiderait à m'extraire de mes difficultés émotives. Une bonne parole semée au bon moment peut faire merveille. En me privant de contact avec les autres, je ne fais que prolonger mes difficultés et ma souffrance.

---

**Souvent, c'est une autre personne qui possède la clé qui me permettrait de sortir de mon marasme intérieur.**

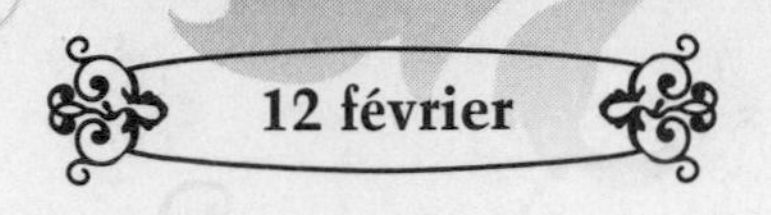

## J'APPRENDS À LÂCHER PRISE DANS MON COUPLE

Si je m'entête et persiste à exiger que les choses se passent comme je le veux dans ma vie de couple, je dois souvent rencontrer des difficultés. Surtout si mon conjoint opte pour la même attitude. En réalité, à certains moments je dois reconnaître que persister à avoir raison dépend davantage de mon orgueil personnel que du désir de voir les choses aller mieux dans mon couple. Si je reconnais que je n'arrive pas à changer une situation et si j'abandonne toute tentative en ce sens, les choses iront probablement mieux d'elles-mêmes. Ce sera un exemple pour mon conjoint qui finira bien par réaliser qu'il existe d'autres solutions que l'entêtement devant les difficultés de la vie.

---

**Reconnaître mes limites personnelles devant la vie me libère de mon orgueil et m'aide à mieux vivre les difficultés.**

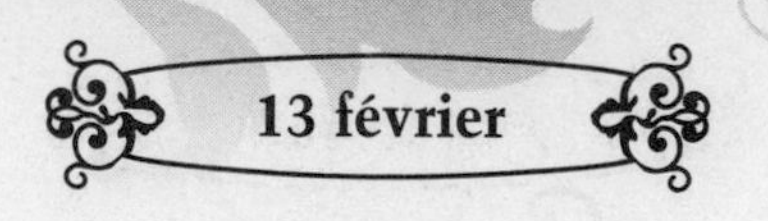


# JE SUIS LIBRE DANS MON COUPLE

J'entends souvent les autres regretter de n'être pas libres dans leur vie de couple. Je crois que je suis vraiment libre dans la mienne, pour autant que cela soit possible. Cela ne veut pas dire que je puisse faire ce que je veux à n'importe quel moment qui me convient. Ma liberté, c'est que je garde la possibilité de choisir mes options devant n'importe quelle situation, surtout si elle est déplaisante ou difficile. Je ne me sens pas alors liée par des limites ou des attentes qui viennent de l'autre. Dans ma vie de couple, il est essentiel qu'il en soit ainsi; autrement, cette relation ne pourrait durer longtemps.

---

**La liberté naît à l'intérieur de moi et se dégage vers mon couple.**

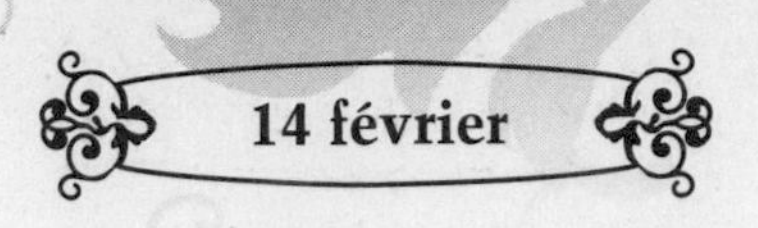

14 février

## EST-CE QUE JE CÉLÈBRE LA SAINT-VALENTIN?

La Saint-Valentin est traditionnellement la fête des amoureux. C'est une occasion spéciale pour marquer l'attachement que je ressens envers mon conjoint. Mais est-ce que cet attachement doit nécessairement être célébré un 14 février? Dans un couple qui fonctionne, la Saint-Valentin ne devrait-elle pas durer toute l'année? Cette journée sert alors à exprimer ce que je ressens d'une façon spéciale, différente, inattendue. Le meilleur cadeau que je puisse offrir à mon partenaire de vie en ce jour, c'est l'imagination. Mais cela ne veut pas dire que mon amour ne puisse s'exprimer aussi les autres jours de l'année.

---

**Je célèbre la Saint-Valentin en laissant mon imagination créer l'expression de mon amour.**

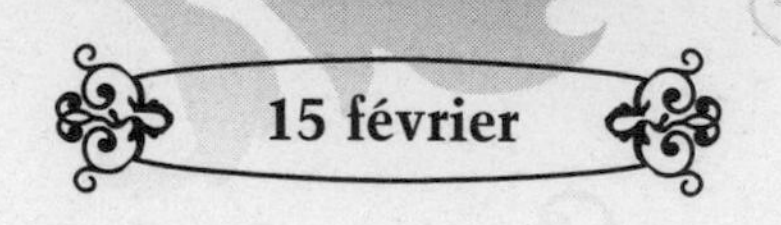


# JE FAIS FACE AUX OBSTACLES

Il n'est pas toujours facile d'avancer dans la vie de tous les jours quand de multiples obstacles se dressent sur mon chemin. Difficultés au travail, dans ma vie de couple, dans mes relations; tout cela fait partie de ma condition d'être humain. Si j'aborde ces difficultés comme autant de possibilités de grandir et d'aller plus loin, je mobiliserai toutes mes ressources et je chercherai l'aide qui me manque. Si je considère les obstacles de la vie comme des malchances et une fatalité, je ne ferai rien pour aller plus loin. Est-ce que je choisis de faire face à la vie ou de me résigner à la passivité?

---

**Les difficultés de la vie ne sont pas une malédiction, mais une occasion de me dépasser et de devenir la personne que je suis vraiment.**

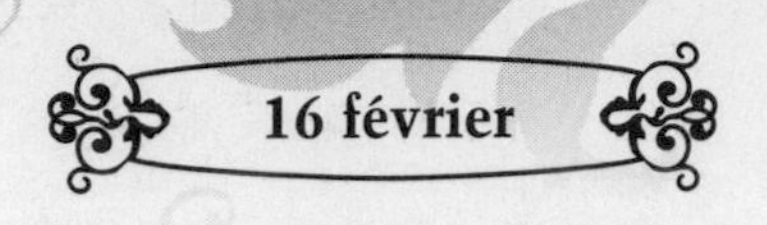

16 février

## L'ORGUEIL FAIT-IL PARTIE DE MA VIE?

L'orgueil est une erreur de jugement que je porte sur ma valeur personnelle. Je me vois alors comme meilleure que je ne le suis. Et cette erreur de jugement m'amène à en engendrer d'autres; ma perception de la vie et des gens devient faussée et des erreurs de comportement ne tardent pas à suivre. Cela peut venir affecter ma vie de couple en tout premier lieu, en m'amenant à dénigrer mon conjoint. La meilleure façon que je connaisse de faire face à l'orgueil est de cultiver son contraire: une juste perception de moi-même et de la place que j'occupe dans la vie. De cette perception réaliste peut naître un juste sentiment de fierté, qui est tout le contraire de l'orgueil.

---

**J'essaie de trouver la vérité
à mon sujet
et je nourris la fierté
qui en découle.**

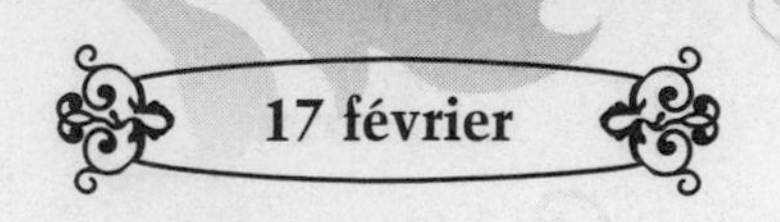

17 février

## J'ESSAIE DE VIVRE DANS LA BONTÉ

La bonté fait-elle partie de mes valeurs? Si c'est le cas, tant mieux. Sinon, je devrais cultiver cette attitude dans mes relations avec mon conjoint, mes enfants. Voir ce qu'il y a de bon chez les autres m'amène à vivre différemment mes rapports avec eux. Les autres ont également des faiblesses et je m'en rends compte, mais je ne concentre pas toute mon attention sur celles-ci; le côté positif de l'autre m'attire davantage. Et qu'en est-il de la bonté envers moi-même? Me traiter avec bonté est également important: j'en arrive alors à tenir véritablement compte de mes limites, de mes besoins véritables et de mes buts de vie au lieu de les nier.

---

**Si je sème de la bonté autour de moi, elle me reviendra.**

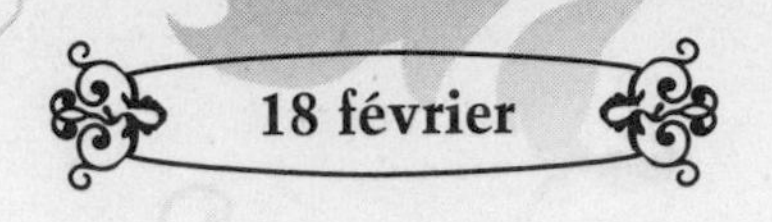

18 février

# JE PARDONNE, JE ME PARDONNE

Si j'en veux fréquemment à une autre personne parce qu'on ne m'a pas bien traitée, je vis dans le malheur. Et si cette situation persiste, cela tourne à l'obsession et m'empêche de jouir, même minimalement de la vie. C'est maintenant moi qui me traite avec injustice. Pour être libérée de cette souffrance intérieure, je ne connais qu'un seul remède: pardonner dans mon cœur à qui m'a blessée. Je suis alors libérée de mon obsession. Mais il arrive que cela ne suffise pas et que je continue à être malheureuse. C'est peut-être que je ne me suis pas pardonné à moi-même d'avoir agi comme je l'ai fait. J'ai donc à me tourner aussi vers moi pour me pardonner.

---

**Le guérison des offenses s'obtient par le pardon; me suis-je aussi pardonné d'avoir agi ainsi?**

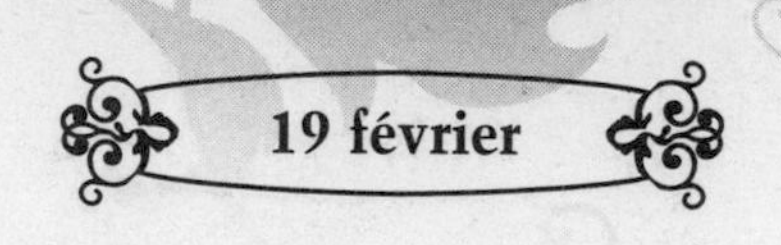


# JE PARTAGE

Partager, c'est mettre en commun avec d'autres pour notre bien-être mutuel. C'est d'abord mettre en commun ce que j'ai: un objet qui ne me sert plus ou de la nourriture ou du temps libre. C'est surtout mettre en commun ce que je suis: être attentive, être soucieuse du bien-être de l'autre, être accueillante. C'est parler de ce que je vis vraiment sans intention de manipuler ou de contrôler. C'est faire part de mon expérience à ceux en qui je peux avoir confiance. C'est aussi accepter de recevoir de l'autre: recevoir sa peine, des confidences, de l'affection ou même son silence. Partager, c'est aussi admettre que j'ai des besoins, que je ne me suffis pas à moi-même. Le lieu de partage par excellence, c'est mon couple.

---

**Quand je partage,**
**je choisis de mettre l'amour**
**en action.**

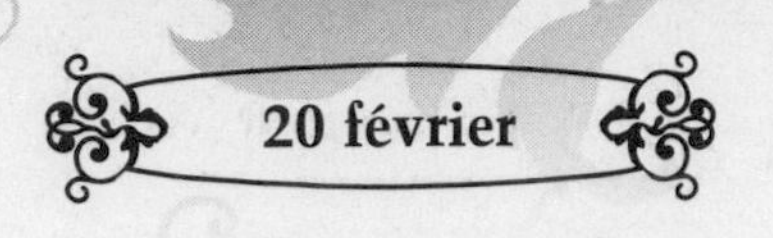

20 février

# JE FAIS PREUVE DE PERSÉVÉRANCE

C'est à force de refaire les mêmes gestes, de reprendre les mêmes pensées, de choisir encore les mêmes attitudes que des changements s'installent dans ma vie. Je choisis alors de changer et d'être mieux avec moi-même. Il n'est pas vrai que je suis condamnée à vivre toujours les mêmes choses et que je suis sans pouvoir sur mon destin. Je demande à ma Puissance supérieure la grâce de persévérer dans mes actions vers le bien-être, et j'agis ensuite en ce sens. Quand le courage me manque en chemin, je me tourne à nouveau vers cette Puissance supérieure, mais je persévère. Peu à peu, tout change et mes anciens comportements deviennent chose du passé.

---

**J'utilise la persévérance comme outil de changement personnel.**

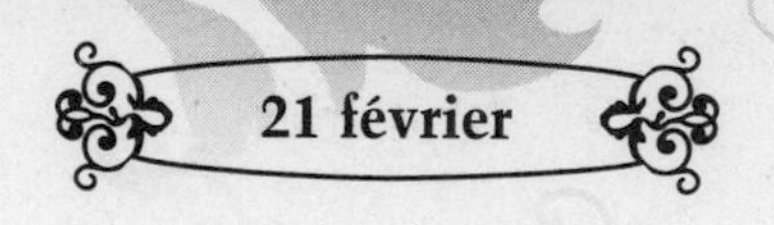

21 février

## JE PARTAGE MES PRISES DE CONSCIENCE

Je rencontre souvent des parcelles de vérité à mon sujet. Une lecture, une phrase dite par mon conjoint ou un ami, une réflexion sur mon expérience personnelle sont autant de moyens de rencontrer cette vérité. Mais prendre note mentalement de ce que je découvre ne me suffit pas. Une partie de la vérité à mon sujet consiste à ressentir ce que celle-ci me fait vivre. Autrement, je demeure mentalement isolée de moi-même. Ces prises de conscience, je les partage ensuite avec mon conjoint; cela l'aide à me comprendre et l'encourage à être à l'écoute de soi et à s'ouvrir à son tour.

---

**Une prise de conscience
est le début
d'une habitude de vie.**

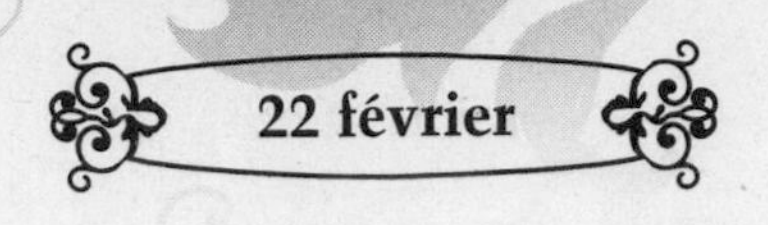

22 février

## JE MESURE MON PROGRÈS

La meilleure façon de mesurer si j'ai changé, c'est de voir comment je fonctionne devant des situations problématiques non résolues. Auparavant, je ne pouvais pas vivre si un problème restait sans solution dans ma vie. Il fallait que j'en trouve une, autrement je n'éprouvais que tracas et culpabilité. Maintenant, je suis souvent capable de faire face à une situation non résolue et de garder la paix intérieure. Là est la différence. Et il en est ainsi maintenant parce que je n'éprouve plus l'obligation de devoir résoudre à tout prix tous les problèmes, les miens comme ceux de mes proches. J'ai seulement appris à lâcher prise devant des situations que je ne peux changer.

---

**J'évolue dans la mesure où mes attitudes face aux problèmes de la vie et de mon couple ne sont plus les mêmes.**

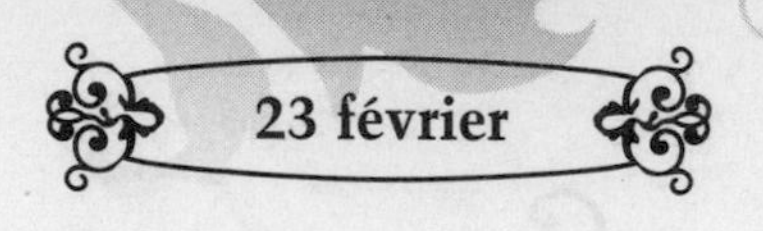


# J'ÉVITE LE REFOULEMENT

Quand quelqu'un ou quelque chose me blesse ou me perturbe, je sais que je dois en parler à quelqu'un et non garder ces sentiments en moi. Mon conjoint ou une amie peut prêter une oreille attentive à ce que je ressens et me comprendre. Ainsi, je ne garde pas en moi la peine ou la colère que je peux éprouver. Je deviens alors libre vis-à-vis de ces émotions négatives. La pire chose que je puisse faire serait de garder en moi ce que je ressens, de le refouler. C'est pourquoi j'ai besoin de personnes autour de moi à qui je puisse faire confiance. C'est dans le même esprit que je demeure ouverte afin de recevoir les confidences des autres, car je sais qu'eux aussi doivent éviter le refoulement.

---

**Je ne garde rien de négatif en moi, afin de garder ma liberté émotive.**

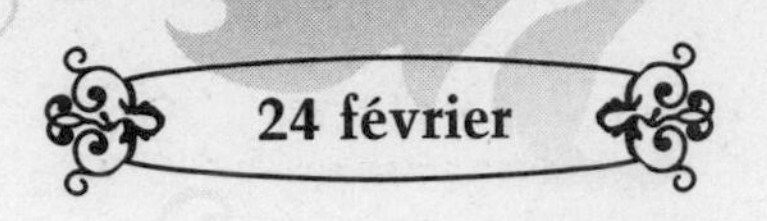

24 février

## JE PRENDS DES RISQUES DANS MON COUPLE

Les qualités que je me suis découvertes me rendent capable d'agir et de tenter de nouvelles expériences dans ma vie. J'ai suffisamment d'estime de moi-même pour me croire capable de réussir tout ce dont j'ai envie. J'accepte aussi que, parmi mes essais, certains ne seront pas couronnés de succès. Mais je prends quand même le risque de passer à l'action parce que mon succès dépend moins de ma capacité à réussir immédiatement et à voir des résultats tangibles que de croire que, même dans l'échec le plus évident, je peux retirer quelque chose de positif. C'est pourquoi j'accepte les risques comme faisant partie de ma vie.

---

**J'ose prendre des risques parce que je crois en la vie.**

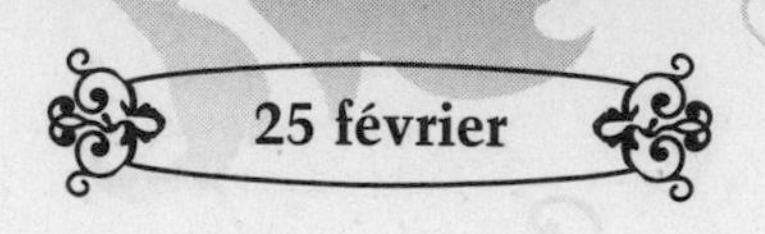


# JE FUIS
# LE RESSENTIMENT

Longtemps, je me suis laissé habiter par des pensées négatives à l'endroit de gens qui m'avaient nui ou dérangée. J'y repensais souvent et cela occupait toutes mes pensées et brûlait toute mon énergie. Je n'avais plus d'intérêt pour rien à force d'entretenir des pensées de haine et des scénarios de vengeance. Il arrivait aussi que toutes ces pensées n'étaient imputables qu'à une erreur d'interprétation de ma part. Je sais maintenant que cela s'appelle du ressentiment. C'est une activité mentale et émotionnelle que je ne me permets plus de vivre à cause des conséquences désastreuses que cela entraîne dans ma vie. Je choisis de pardonner à la place.

---

**Je fuis le ressentiment comme si c'était une maladie qui ne peut que m'éloigner de la santé.**

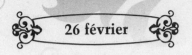

# JE DEVIENS RESPONSABLE

Mes actes résultent de mes choix et, avec le temps, j'ai appris à les considérer comme m'appartenant. Lorsque j'agis, je suis prête à assumer la responsabilité de ce que je fais; ce que je rejette, c'est la culpabilité maladive qui accompagnait des actes aux conséquences négatives. Devant les autres ou avec mon conjoint, je n'essaie plus de fuir comme une enfant ou de faire comme si ces gestes n'avaient aucun rapport avec moi. Je ne suis plus paralysée par la culpabilité. Je réfléchis davantage avant de faire un geste, cependant. Je demande conseil. Dans une situation importante je demande à la Puissance supérieure de m'éclairer. Ensuite, j'agis et j'assume la responsabilité de ce qui adviendra.

---

**Je suis responsable**
**de mes pensées**
**et de mes actes,**
**car ils portent ma marque.**

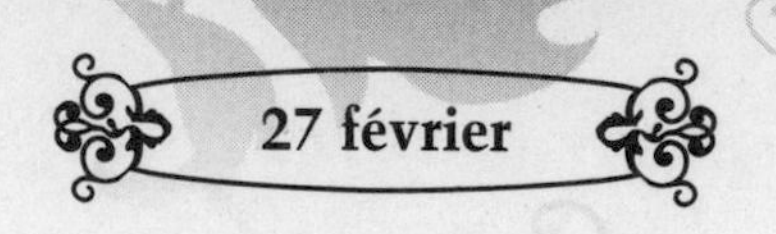


# J'ACCEPTE D'ÊTRE VULNÉRABLE

Si je choisis de m'ouvrir à mon conjoint et aux autres, de partager ce que je vis et ressens, d'être disponible et sincère, je prends un risque. Je peux être blessée par des gens qui, volontairement ou non, vont m'atteindre alors que je suis sans défense devant leurs actes ou leurs paroles. Maintenant je sais cela. Et pourtant, je choisis d'être vulnérable et je prends le risque de m'ouvrir. Je sais aussi que je suis blessée dans la mesure où je concède aux autres le pouvoir de m'atteindre. Finalement, je découvre que prendre ce risque est bénéfique pour ma relation avec mon conjoint, et me rapproche de mes amis et de mes proches.

---

**Accepter d'être vulnérable,**
**c'est me libérer**
**du jugement**
**et des actions des autres.**

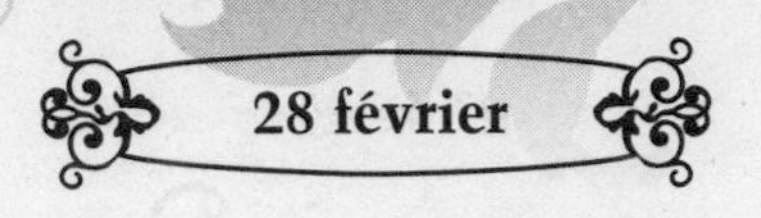

# 28 février

## JE VIS ET LAISSE VIVRE

Cette petite phrase recouvre tout un programme de vie. Elle me suggère de laisser mon conjoint ou les autres libres de vivre à leur manière et de les accepter pleinement ainsi, même si je suis en désaccord avec ce qu'ils font. Elle me suggère également de vivre ma propre vie pleinement, sans me laisser influencer indûment par les autres. C'est une façon d'être où chacun vit dans l'autonomie. Cela me demande d'être responsable dans ma manière de vivre avec les autres et dans ma vie personnelle. Avec mon conjoint, cela signifie le laisser libre de ses choix de vie, mais, aussi, conserver ma liberté dans l'exercice des miens.

---

**À l'école de la vie, chacun a,**
**vis-à-vis de sa vie**
**et de celle des autres,**
**la liberté, mais aussi**
**la responsabilité.**

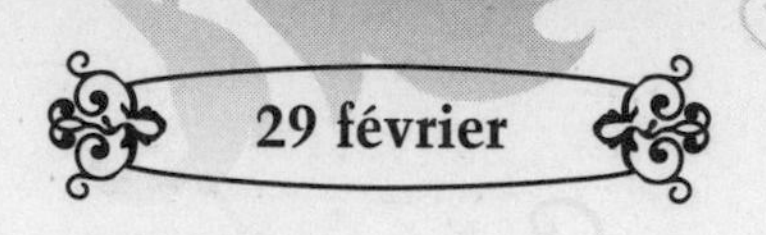

29 février

# JE MÉDITE SUR LE TEMPS

Ce n'est que tous les quatre ans que revient cette journée, et ce fait m'amène à méditer sur le temps: le temps qui passe, le temps qu'on perd, le temps que l'on n'a pas. Le temps m'est donné, comme toute chose, avec la liberté d'en faire l'usage que je veux. Comment est-ce que je choisis d'utiliser mon temps ? Pour moi, c'est une ressource non renouvelable, un peu comme le pétrole. Le temps passé, bien ou mal utilisé, ne revient plus. Mais les regrets au sujet du temps sont un gaspillage de cette ressource: en regrettant le passé, je ne vis plus dans le présent. En anticipant l'avenir, je quitte également le présent. Ceci m'amène à penser que, pour expérimenter la vie, seul le temps présent compte.

---

**Suis-je satisfaite de l'usage que je fais du temps qui m'est confié, alors qu'aujourd'hui je dispose d'une journée de plus ?**

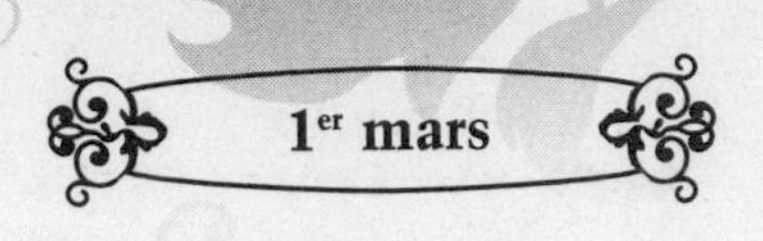


# J'ENRACINE MA VOLONTÉ

J'ai longtemps cru que ma volonté personnelle était toute-puissante et qu'elle pouvait régler n'importe quel problème dans ma vie. Peu à peu, la vie s'est chargée de m'enseigner que la volonté peut être mal utilisée et qu'alors elle est un outil inefficace. Si ma volonté se confine dans mon mental et néglige les autres parties de mon être, alors je suis divisée en moi-même et ma volonté est une illusion. La véritable volonté s'enracine dans mon cœur tout autant que dans mon esprit et elle agit éclairée par l'amour. Autrement, je manque de sagesse profonde et de connaissance de la vie.

---

**Est-ce que je fais de ma volonté une manifestation d'amour envers la vie et envers moi-même ?**

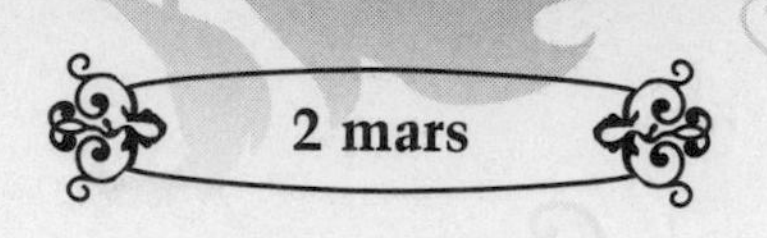


# JE PRATIQUE LA TOLÉRANCE

Si tous et toutes pensaient, ressentaient et agissaient comme moi, la vie serait très monotone. Les différences individuelles viennent ajouter de la variété à l'existence. Parfois, les différences entre les autres et moi sont très grandes et j'ai beaucoup de difficulté à les accepter. Cette difficulté me renseigne sur moi: je ne suis pas prête à être ainsi. Mais rien ne m'oblige à adopter la manière d'être de la personne qui me dérange. Tout ce que la vie me demande, c'est d'accepter que d'autres personnes puissent être différentes de moi. Cette attitude de souplesse s'appelle la tolérance. Et si j'ai de la difficulté à la pratiquer, je ne suis pas obligée de rester là.

---

**Je trouve dans la tolérance une solution à mon manque d'acceptation; est-ce que je pratique la tolérance envers moi-même?**

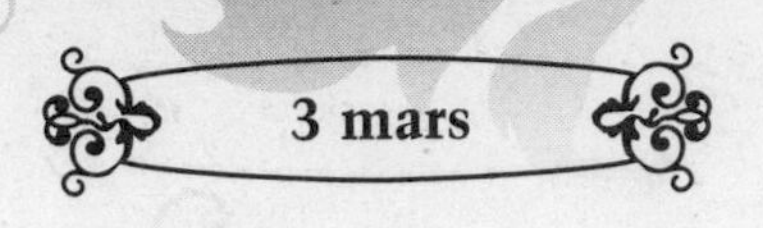

3 mars

# JE NE ME LAISSE PAS ÉBRANLÉE DEVANT L'INJUSTICE

Parfois, les autres me traitent de manière injuste. Cela arrive même avec mon conjoint. Ce sont des moments difficiles à passer parce que mon sentiment de justice est ébranlé. Mes réactions peuvent être dangereuses pour moi; je me dois d'y prendre garde. Le ressentiment et le désir de vengeance sont des tentations faciles, mais ils demandent toujours que je paie un prix élevé par la suite pour les avoir fréquentés. Le pardon est plus difficile, moins naturel. Pourtant, c'est ce que la vie me demande de faire; autrement, je m'isole, je deviens perdue au milieu des autres. Tout me sera plus facile si je me rapproche de ma Puissance supérieure pour lui demander de m'aider à pardonner.

---

**De nouvelles valeurs demandent une nouvelle façon de voir la vie. À l'injustice, je réponds par le pardon.**

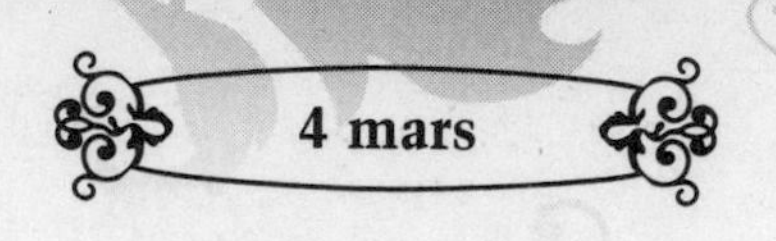

4 mars

## JE DÉVELOPPE MA VIE SPIRITUELLE

Un des aspects de ma personnalité demande que j'aie une vie spirituelle active. Par cette facette de mon être, je reconnais que j'ai besoin d'absolu et de paix intérieure, j'admets qu'il y a des problèmes que je suis impuissante à résoudre. Quand je me sens hésitante entre des choix contradictoires, c'est habituellement dans la vie spirituelle que je trouve une réponse satisfaisante. C'est dans cette intimité de ma personne que je me repose régulièrement de la vie trépidante et agitée d'aujourd'hui. La prière et la méditation m'aident à remplacer la fébrilité et les illusions par la sérénité. Ma vie spirituelle est une dimension essentielle de ma vie.

---

**C'est dans ma vie spirituelle que je trouve un sens et une unité à tout ce qui semble absurde et éparpillé dans ma vie.**

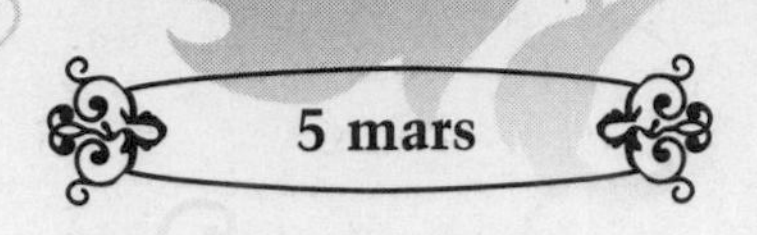

5 mars

# JE CHERCHE LE SENS DE LA SOUFFRANCE DANS MA VIE

Quand je regarde autour de moi, je constate qu'il y a beaucoup de souffrance. Ma vie n'en est pas exempte. La souffrance fait vraiment partie de ma condition. Comment y réagir? La tentation de réagir par la révolte, l'incompréhension et un sentiment d'injustice est une attitude que j'ai longtemps pratiquée. Pourtant, aujourd'hui je crois que, parfois, je crée ma propre souffrance. Lorsque je m'entête dans mes illusions, lorsque je me laisse guider par un sentiment exagéré de ma propre personne, mes comportements aboutissent à la souffrance. J'ai alors le choix de continuer ainsi ou de rechercher la paix intérieure.

---

**Lorsque cela m'est possible,
j'adopte la paix intérieure
au lieu de créer de la souffrance
dans ma vie.**

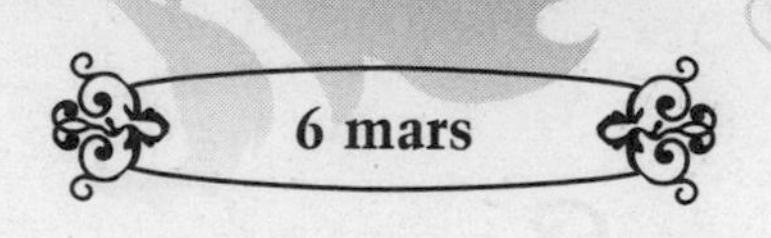

## JE M'EXPRIME PAR LA SEXUALITÉ

La sexualité est un aspect important de ma personnalité et de ma vie. C'est aussi un test de mon aptitude à fonctionner dans ma relation de couple, puisque l'intimité physique peut servir de baromètre pour mesurer ma capacité à être intime dans tous les domaines avec mon partenaire de vie. C'est une dimension où ma capacité à exprimer mes besoins, mes désirs et mes limites est particulièrement importante. C'est le domaine de ma vie où il m'est davantage donné la possibilité d'être la personne que je suis réellement. La dimension du plaisir est un autre aspect important de ma sexualité. C'est aussi une façon de retrouver l'harmonie et de me réconcilier avec mon conjoint après un différend.

---

**La sexualité me permet d'exprimer toute la profondeur de ma personne; en suis-je consciente?**

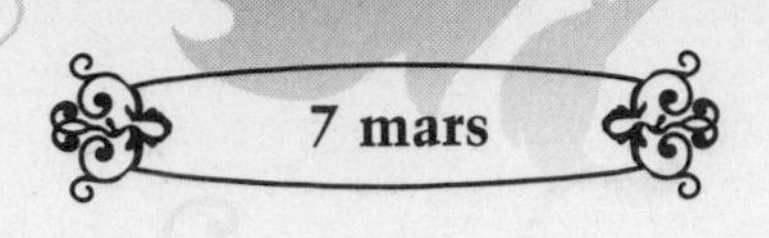


## J'APPRÉCIE LA SANTÉ

Aujourd'hui j'ai pu accomplir un tas de choses, grandes ou petites. J'ai pu le faire parce que je suis relativement en bonne santé. J'ai mes petits ennuis dans ce domaine, comme tout le monde, mais cela va assez bien. Est-ce que j'apprécie à sa juste valeur ce cadeau de la vie qu'est la santé ? Est-ce que je la considère comme un capital à faire fructifier par une saine alimentation, un bon régime de vie et le respect des limites de mon corps ? La santé m'est prêtée et je dois en prendre soin. Après tout, c'est elle qui me permet de faire toutes mes activités.

---

**Je me réjouis**
**et j'éprouve de la gratitude**
**pour la santé**
**que j'ai aujourd'hui.**

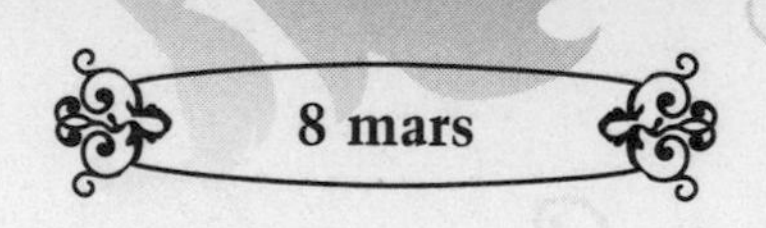

## JE PRENDS MA PLACE COMME FEMME AUJOURD'HUI

Nous célébrons aujourd'hui la Journée internationale des femmes. Il importe de la souligner. C'est l'occasion pour moi de réfléchir sur ma situation personnelle de femme. Des questions me viennent sur mon sens de la dignité, sur mon besoin d'être respectée dans les différents domaines de ma vie, sur ce qui fait de moi un être capable de contribuer à l'avancement d'une cause juste et sur ce que signifie pour moi cette question: «Qu'est-ce?» Ce ne sont pas là des questions théoriques, mais des interrogations qui donnent un sens à ma vie, non seulement aujourd'hui mais toute l'année.

---

**Ma vie est-elle une réponse à ma recherche d'identité en tant que femme?**

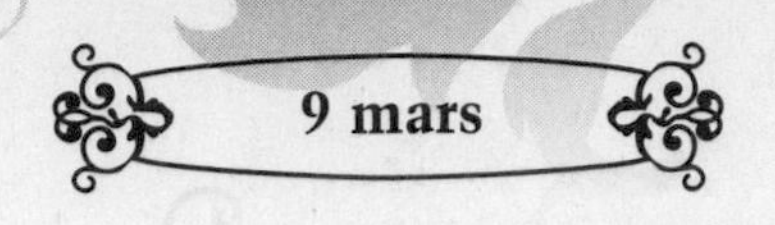

9 mars

# J'UTILISE UN NOUVEAU MOYEN DE COMMUNICATION

On parle beaucoup aujourd'hui de nouveaux moyens de communication comme Internet, les téléphones cellulaires et autres. Beaucoup de gens se promènent sur la rue avec un téléphone sans fil. On peut faire ses opérations bancaires sans sortir de chez soi. Cependant, dans tout cela, on insiste plus sur le moyen que sur la communication. Je connais un autre moyen de communication: deux tasses de café posées sur une table de cuisine. Je crois que cette méthode moderne de communiquer peut parfois donner de bons résultats. La proximité de mon interlocuteur rend le contact plus direct et l'enrichit du langage corporel. Les yeux sont très expressifs. La communication peut se faire de différentes façons, mais elle a davantage de chances d'être plus efficace lorsqu'elle est directe.

---

**J'apprécie le contact direct avec une autre personne et j'essaie d'avoir un bon échange avec quelqu'un aujourd'hui.**

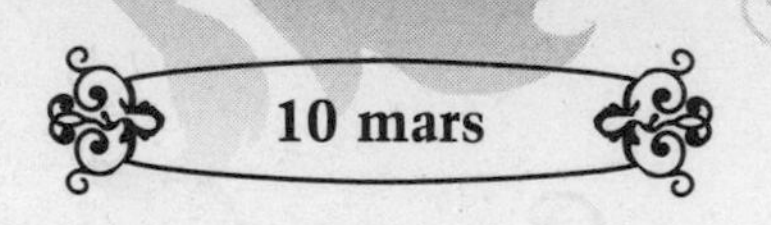

## 10 mars

# JE SUIS À L'ÉCOUTE DE MES CINQ SENS

Mes cinq sens me renseignent sur ce qui se passe autour de moi; c'est la perception. J'ai parfois tendance à ne pas faire attention aux renseignements qui me parviennent parce que j'ai l'esprit occupé à autre chose. En négligeant mes perceptions, je deviens distraite. C'est pourquoi je cherche l'objet que j'avais à la main il y a deux minutes ou que je vérifie trois fois si j'ai bien éteint le four. J'essaie plutôt d'être bien présente à ce qui se passe autour de moi en recevant consciemment les messages de mes sens. Ainsi je suis davantage dans la réalité et moins dans ma tête.

---

**Je reste consciente des messages de mes sens pour être présente à ce qui se passe autour de moi.**

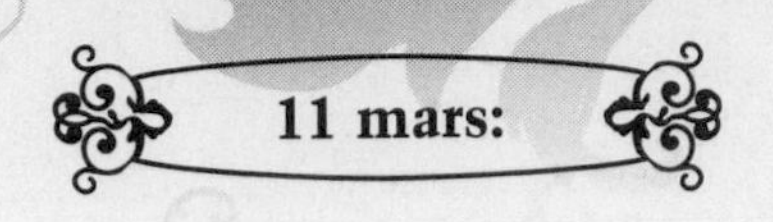


# JE PRATIQUE LA PATIENCE

J'aimerais que tout se règle ou se réalise dans l'immédiat et je deviens irritée si je dois attendre que quelque chose se fasse ou arrive à son terme. C'est mon désir de tout contrôler, y compris le rythme auquel la vie se déroule, qui reprend le dessus. Pourtant, ce n'est pas ainsi que la vie fonctionne et, bien souvent, j'ai plutôt à m'adapter à ce qui se passe autour de moi. Faire preuve de patience, c'est accepter qu'il y ait des situations que je ne peux changer, dans ma vie de couple ou ailleurs. Et c'est alors que les choses s'arrangent. Je découvre que la patience me mène bien plus loin que l'agitation stérile.

---

**La patience,**
**c'est l'acceptation**
**mise en pratique chaque jour.**

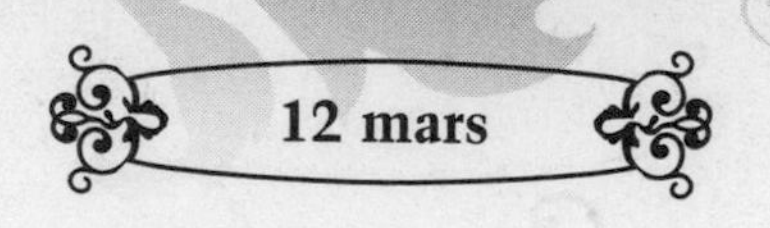

12 mars

## JE SUIS DIGNE D'ÊTRE AIMÉE

Comme tout le monde, j'ai des caractéristiques personnelles extérieures et transitoires, comme mon apparence physique, ma richesse ou ma position sociale. Mais ce ne sont là que des manifestations de mon être véritable, et non de ma véritable personne. Et c'est pour cette véritable personne je suis digne d'être aimée. J'ai la conviction qu'il ne peut y avoir de conditions à cela. Je ne rechercherai donc pas l'amour en tentant d'impressionner les gens par l'extérieur, mais en étant telle que je suis vraiment. Les gens honnêtes et vrais m'accepteront et m'aimeront telle que je suis.

---

**L'intérieur est ce qui conditionne vraiment les relations entre les personnes et chacun est digne d'être apprécié et aimé.**

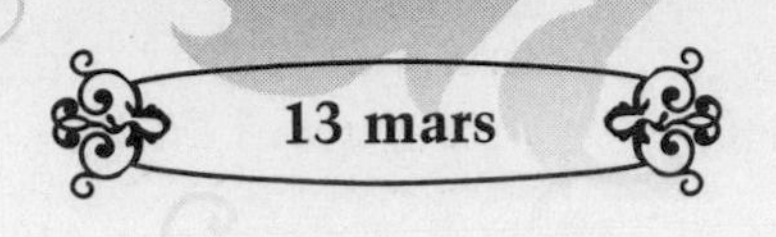

13 mars

# JE ME DÉTACHE DU JUGEMENT DES AUTRES

Si je suis vulnérable au jugement des autres, je me rends la vie misérable et je souffre inutilement. Car je ne suis nullement dans l'obligation de me soumettre à ce jugement. J'ai le choix de ne pas continuer dans ce sens. Lorsque je me soumettais ainsi à l'opinion d'autrui, je niais mes véritables besoins et je me livrais à mille contorsions pour plaire à tous et chacun. Aujourd'hui, je me suis libérée de ce qui n'était qu'un esclavage. Je fais de mon mieux pour me libérer d'une autre sorte de servitude: le jugement que je porte sur les autres. En jugeant l'autre, je place une distance entre lui et moi, et je me sépare de lui.

---

**Le jugement empêche des relations authentiques de s'établir entre les autres et moi; je me détache donc du jugement.**

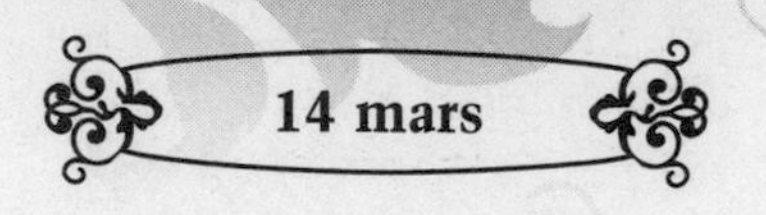

14 mars

## JE NE CRAINS PAS LES CHANGEMENTS DANS MON COUPLE

Depuis que j'ai entrepris de changer et de devenir vraiment moi-même, mon couple a changé lui aussi. Mon conjoint est parfois dépaysé devant les changements qu'il constate. Il s'était habitué à une manière d'être et à une routine qu'il ne retrouve plus toujours dans notre couple. Et il s'interroge. Il ne retrouve plus la même compagne qu'il avait choisie et il se demande parfois s'il est de trop dans ma vie. Je fais de mon mieux pour le rassurer et lui faire comprendre ce qui se passe en moi. Je l'informe de mon évolution et je demeure soucieuse de ne pas creuser de fossé entre lui et moi.

---

**Le changement fait partie de la vie; c'est un ami qui nous accompagne et non un ennemi qui nous menace.**

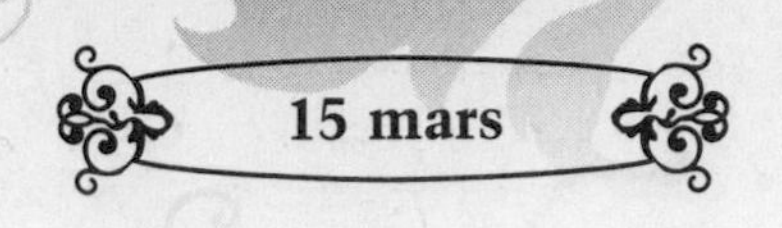

15 mars

# JE FAIS FACE AUX CONFLITS

Les conflits sont comme la pluie: on déplore souvent leur fréquence. Il arrive qu'un différend surgisse à la maison, au travail ou avec des amis. Je fais face alors à la difficulté au lieu de fuir l'explication qui devrait mettre fin à ce différend. Ma fuite viendrait seulement de la peur, d'une peur qui n'est rien d'autre qu'un épouvantail, qu'une illusion. En affrontant cette peur, je découvre qu'elle n'est pas réelle et qu'elle ne peut pas m'affecter. Je me décide donc à aborder la personne avec qui je vis ce conflit afin de le régler. Le plus souvent, cette attitude porte en elle-même sa récompense.

---

**Les conflits sont faits pour être réglés, et non pour traîner éternellement et m'empoisonner la vie.**

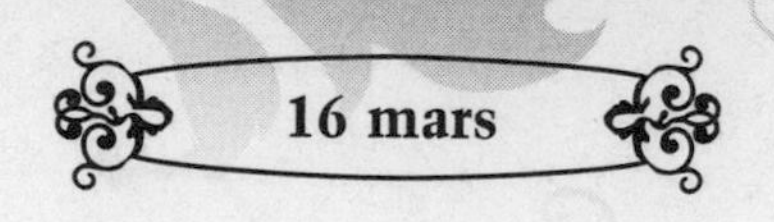

16 mars

# J'ESSAIE DE COMPRENDRE MON CONJOINT

Avant de me faire une idée définitive sur ce que pense mon conjoint ou sur sa manière d'agir, je fais un réel effort pour le comprendre. J'essaie de me mettre à sa place et de ressentir ce que peuvent être ses sentiments. Je ne me fie pas seulement à ma compréhension rationnelle dans mes rapports avec lui. Je parle avec lui de ce qui me dérange, au lieu de me réfugier dans le silence. Je tente d'être plus proche de lui. Ainsi, il sera aussi plus proche de moi. C'est seulement après avoir vérifié mes impressions auprès de lui que j'en viendrai à me former une opinion au sujet de ses attitudes ou de ses comportements.

---

**Le désir de comprendre mon conjoint conduit à une plus grande intimité.**

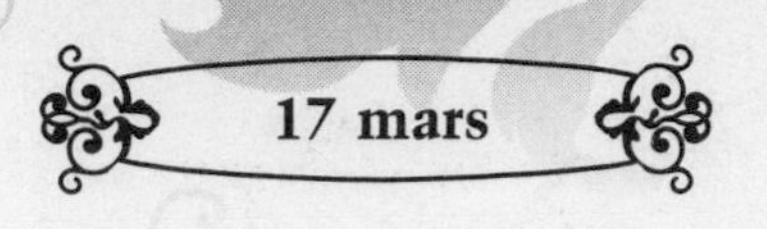


# JE SUIS RESPONSABLE DE MES ACTES

Il m'arrive souvent de faire des erreurs dans ma façon de procéder. Cela vient en général de ma trop grande précipitation à agir, sans examiner toutes les circonstances ou les conséquences de mes actes. J'ai conscience de ma responsabilité, et il me revient de corriger mes erreurs dans la mesure où c'est possible. Je suis responsable, mais non coupable: j'évite le piège de la culpabilité. J'essaie plutôt d'en retirer quelque chose de positif: de mes erreurs j'ai des choses à apprendre à mon sujet. Ainsi, la prochaine fois c'est avec une attitude plus vigilante et davantage d'assurance que j'agirai.

---

**En acceptant la responsabilité**
**de mes actes,**
**je me les approprie**
**et je me rapproche de moi.**

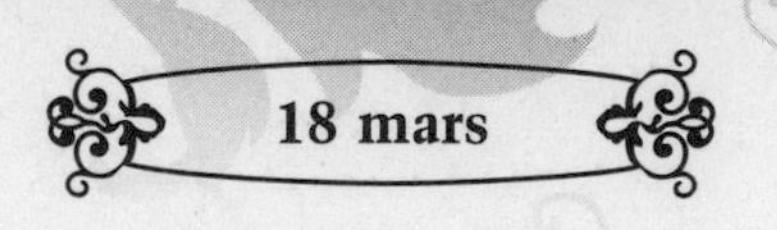

## 18 mars

# J'APPRÉCIE MA BEAUTÉ PHYSIQUE À SA JUSTE MESURE

Indépendamment de mon âge, de la façon dont je m'habille, dont je me maquille, des endroits que je fréquente, des soins esthétiques que je me donne ou non, je suis une belle femme. Si je suis habitée par une paix intérieure, si je ne suis pas stressée, préoccupée ou angoissée, cela transparaît. Et c'est la sorte de beauté qu'il m'intéresse de dégager. Cela n'exclut pas que je prenne un soin particulier de mon apparence extérieure; cela fait partie des soins que je donne à ma personne si je m'aime. Mais je ne compte pas sur l'effet du maquillage, de la coiffure ou des vêtements pour masquer ce qui se passe à l'intérieur de moi.

---

**Mon corps est naturellement beau; je n'ai qu'à en prendre soin.**

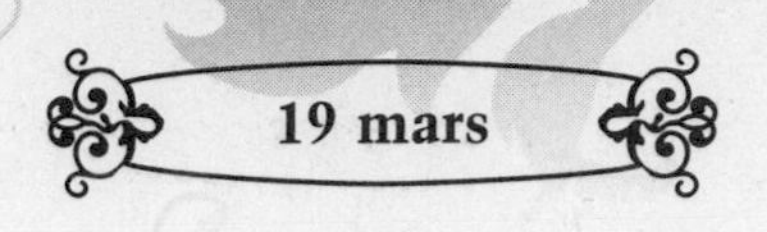



# J'ÉVITE LES ATTENTES

Lorsque j'agis, je ne pose plus la question de savoir si mes actes donneront les résultats que j'en attends. Les attentes et les espoirs mettent trop souvent en jeu un investissement émotif mal utilisé. De la déception, de la souffrance et du ressentiment peuvent suivre et ce sont des résultats dont je n'ai plus besoin dans ma vie. Je fais plutôt confiance à la vie et je demande que ce qui est vraiment bon pour moi se produise. Le vrai résultat c'est que ma tension nerveuse a beaucoup diminué. Et c'est là un résultat réel, non une attente. Je reconnais alors simplement qu'il y a des limites à ce que je peux faire, et que la vie se chargera bien du reste.

---

**Je choisis de demeurer dans la réalité en évitant de me créer des attentes à la suite de mes actes.**

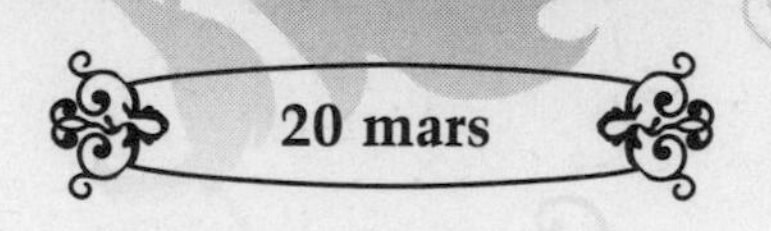


# JE M'INSTALLE UN COIN TRANQUILLE

À la maison je me suis installé un coin tranquille. C'est un endroit où je me retire régulièrement pour me mettre en retrait et faire une pause. C'est l'endroit où je peux penser, méditer, lire, prier ou ne rien faire. Je m'y installe tôt le matin pour un bref moment et j'y retourne le soir quand toute la maisonnée est couchée. Je trouve important de me réserver l'utilisation d'un lieu physique où moi seule peux aller. L'agitation de l'extérieur ne m'y rejoint pas. Prendre mes distances vis-à-vis de l'extérieur me permet de m'éloigner des problèmes de chaque jour. Ils prennent alors une autre dimension et ils perdent de leur urgence et de leur importance.

---

**Un coin tranquille pour moi toute seule m'aide à me retrouver avec moi-même et me fait mettre une distance entre l'extérieur et moi.**

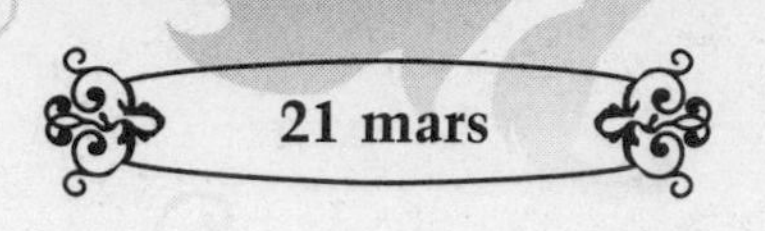

21 mars

# JE NE SUIS JAMAIS SEULE

À certains moments, j'ai tendance à me sentir seule au monde. Parfois, mon conjoint est retenu au loin à cause de son travail. Ou encore personne ne m'a téléphoné depuis quelques jours. Dans de tels moments, je me rappelle que ma Puissance supérieure est toujours en moi et m'accompagne. Seulement, elle se fait discrète et attend que je la contacte. Il en est de même avec les gens que je connais et avec qui je partage des intérêts communs. Il n'en tient qu'à moi de les appeler pour que la magie de notre contact opère à nouveau. Souvent, ce ne sont pas les autres qui sont loin de moi: je me suis juste éloignée d'eux. Il m'est alors plus facile de refaire contact et de rompre cet isolement.

---

**Le sentiment d'isolement est une illusion qui ne repose que sur une erreur de jugement de ma part; il n'en tient qu'à moi de la corriger.**

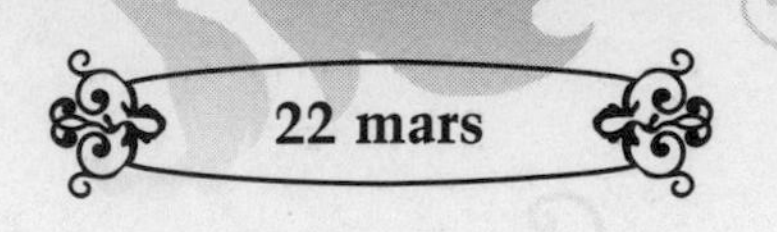

22 mars

## JE SOULIGNE L'ARRIVÉE DU PRINTEMPS

Selon le calendrier, aujourd'hui commence une nouvelle saison. Le PRINTEMPS est enfin arrivé! Il serait aisé d'écrire quelques lignes remplies d'images faciles sur cette nouvelle saison. Mais il reste vrai que les changements de saison apportent un rythme différent dans ma vie. L'arrivée du printemps me suggère que plein d'énergie nouvelle me sera donnée. Les jours allongent et le soleil nous éclaire plus longtemps. Une renaissance vient arracher la nature à la passivité de l'hiver. Le changement me rapproche de la nature, qu'il est si facile d'oublier dans l'agitation du quotidien et dans le mode de vie urbain où nous baignons.

---

**L'arrivée du printemps
me rapproche de la nature
et des rythmes de la vie
qui battent partout
autour de moi et en moi.**

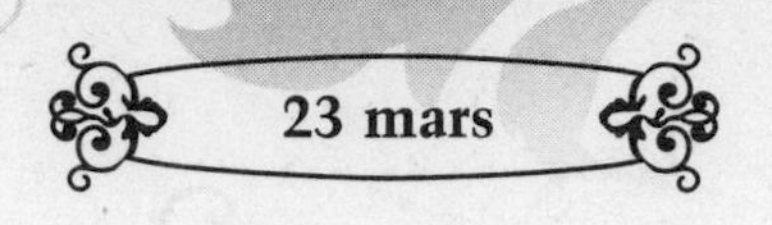

23 mars

# JE CHOISIS UN NOUVEAU PASSE-TEMPS

La routine et le brouhaha du quotidien ne me laissent pas une grande marge de manœuvre pour me livrer à des activités nouvelles que j'aimerais pratiquer mais dont le manque de temps m'a toujours éloignée. J'ai souvent rêvé de m'initier à des activités comme la photographie ou la musique, par exemple. Mais des occupations multiples m'ont toujours servi d'excuses pour ne pas m'y impliquer sérieusement. Maintenant, je me donne le temps de pratiquer l'une de ces activités et je réalise l'un de mes vieux rêves. Je cherche la meilleure méthode de concilier cette activité avec ma vie quotidienne et j'accomplis les démarches nécessaires.

---

**Je me permets de réaliser l'un de mes vieux rêves et je cesse d'en remettre la réalisation à plus tard.**

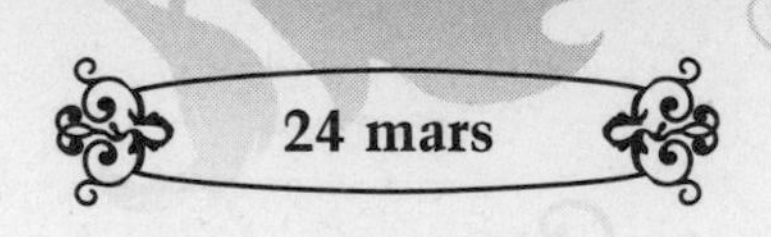


# JE M'ACCEPTE TELLE QUE JE SUIS

M'arrive-t-il de me regarder et de ne pas m'accepter, de ne pas m'aimer, de ne pas être fière de moi ? Bien sûr que je connais de tels moments. Lorsque cela se produit, c'est que, habituellement, je vis dans la déception, la culpabilité ou un sentiment d'échec: quelque chose n'a pas fonctionné comme je le voulais ou ne s'est pas produit. Je me trouve devant un vide, devant une absence et je réagis mal. Pourtant, je suis toujours la même personne que quand tout va bien. Je me recentre alors sur moi-même et je demande à ma Puissance supérieure de remplir le vide qui vient me déranger et que je suis impuissante à combler. Une courte prière m'aide habituellement à retrouver la paix. En parler à quelqu'un qui me connaît bien peut aussi m'aider.

---

**Les circonstances extérieures ne m'empêchent pas de m'accepter telle que je suis.**

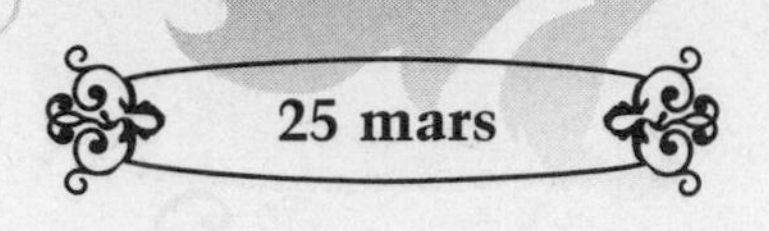


# J'AIDE QUELQU'UN DANS LE BESOIN

La vie met parfois sur mon chemin quelqu'un qui connaît des difficultés. Je crois que cette personne n'est pas placée sur ma route justement par un hasard aveugle. Alors je m'arrête et je prends le temps de m'occuper d'elle. Si mes occupations du moment sont telles que je ne peux lui accorder que cinq minutes, ce n'est pas grave. Je n'ai pas à régler ses problèmes à sa place. Je suis là pour lui donner un peu d'attention et lui faire comprendre qu'elle n'est pas isolée avec ses problèmes. Un mot d'encouragement et un peu d'écoute sont souvent tout ce dont elle a besoin pour continuer sa route.

---

**J'accueille la personne qui a besoin d'un mot d'encouragement tout en demeurant respectueuse de mes propres besoins.**

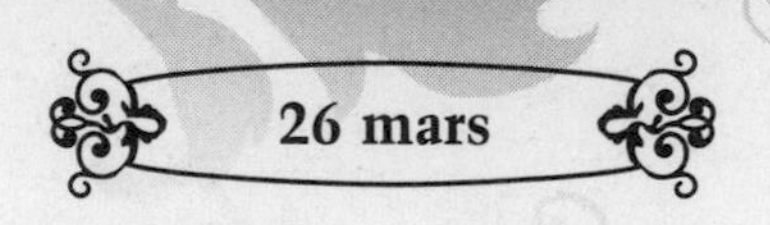



# JE FAIS QUELQUE CHOSE DE SPÉCIAL POUR MON CONJOINT

Dans l'agitation de la vie de tous les jours, il m'arrive souvent d'oublier que mon conjoint est là, qu'il a des besoins et qu'il aimerait que je m'occupe de lui davantage. Aussi, je fais un effort, aujourd'hui pour lui manifester mon affection d'une façon spéciale. Je lui prépare un plat qu'il aime, ou je lui suggère une activité qui sort de l'ordinaire. Je lui dis quelle personne spéciale il est pour moi. Je place dans sa vie un petit quelque chose qui rend sa journée différente. Je m'intéresse à ce qu'il fait. Je mets mon imagination à contribution pour me rapprocher de lui.

---

**J'ai une pensée spéciale pour mon conjoint aujourd'hui, même si la journée n'est pas une occasion extraordinaire.**

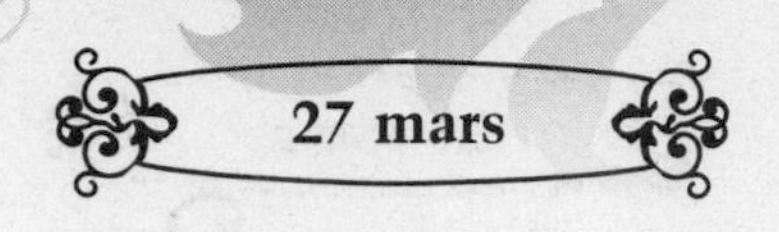

27 mars

# J'ÉVITE LA PRÉCIPITATION

En agissant avec précipitation, je manque souvent de justesse dans mes décisions. J'agis alors sous le coup d'une impulsion ou d'une émotion. Dans de telles circonstances, je ne tiens pas compte de l'ensemble de la situation qui m'occupe et ma décision est donc biaisée. En prenant du recul et en me donnant le temps de réfléchir, je place une distance entre mon émotion et moi et ce que je déciderai alors a plus de chances d'être équilibré et dans le juste milieu. Je demande à ma Puissance supérieure de m'aider à prendre mon temps lorsque j'ai une décision importante à prendre.

---

**La précipitation m'amène à prendre des décisions souvent erronées; la sagesse se déplace toujours en prenant son temps.**

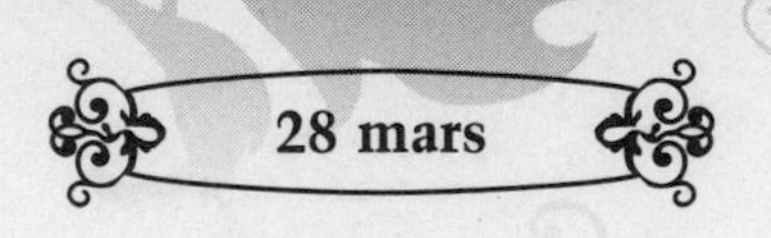

28 mars

## QUELLE EST MA VÉRITABLE MOTIVATION ?

Lorsque je fais un geste, j'ai parfois à m'interroger sur ma véritable motivation. J'ai le plus souvent un motif juste d'agir comme je le fais, mais il arrive aussi que ma motivation dépende d'intentions moins limpides. Puis-je dire qu'il ne m'arrive jamais de manipuler l'autre, mon conjoint par exemple, dans le but d'arriver à des fins que je ne lui révèle pas ? Si c'est le cas, c'est un défaut dont je dois me corriger. Être franche et ouverte lorsque je désire quelque chose me rapprochera de mon conjoint et fera de lui un complice. Cette complicité n'est-elle pas préférable ?

---

**Si le geste que je fais**
**n'est pas libre**
**de tout motif ultérieur,**
**je ne suis pas libre**
**moi non plus.**

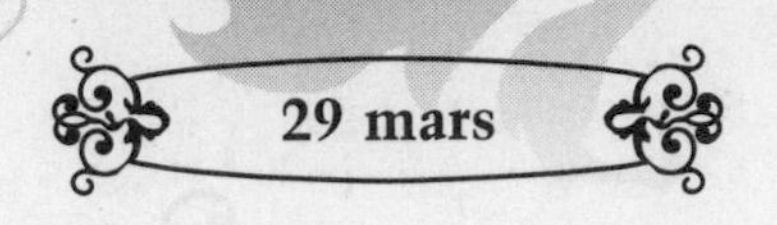

## 29 mars

# SUIS-JE SUSCEPTIBLE?

Quand quelqu'un me fait une remarque qui sous-entend que j'ai quelque chose à améliorer chez moi, comment est-ce que je réagis ? Suis-je facilement dérangée par de telles remarques ? Prennent-elles une gravité inhabituelle si elles sont formulées par mon conjoint ? Si j'ai une réponse positive à formuler à ces questions, je suis probablement susceptible. La solution véritable à ce problème ne réside-t-elle pas dans l'amour ? Si je suis susceptible, j'ai probablement davantage besoin de me sentir aimée en de tels moments. Ma susceptibilité devient alors une sorte de baromètre de mon état intérieur. Admettre non pas mon défaut, mais ce manque d'amour, devient la solution pour que je me sente mieux.

---

**Ma susceptibilité m'indique où j'en suis en progrès intérieur d'aujourd'hui.**

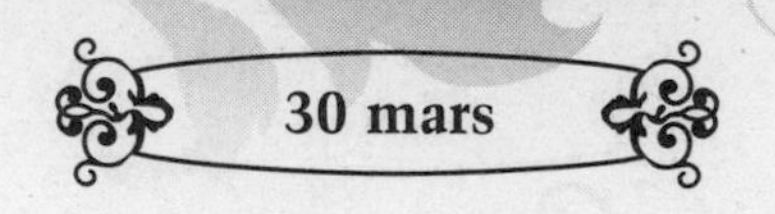

30 mars

# JE RECHERCHE LE BIEN-ÊTRE POUR AUJOURD'HUI

Mon bien-être intérieur ne dépend de rien ni de personne. Ni la prospérité, ni l'abondance matérielle, ni la présence d'un conjoint ne suffisent à me procurer un véritable bien-être intérieur. Celui-ci naît dans un sentiment de paix intérieure, de sérénité, indépendamment des circonstances extérieures de ma vie. Il m'arrive de ressentir ce sentiment durant de courtes périodes; ce n'est donc plus un état d'être inaccessible. Je me retrouve dans cet état dans la mesure où je vis détachée de ce m'entoure, dans la mesure où je cesse de vivre dans la peur de perdre des biens matériels ou la présence d'une personne chère.

---

**Le bien-être dépend moins de ce que j'ai que de ce que je suis prête à perdre.**

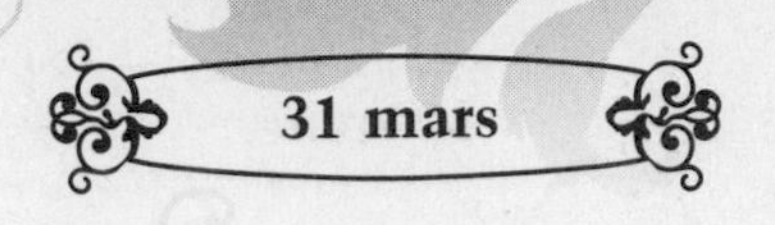

31 mars

## JE SUIS UN ÊTRE SPIRITUEL

Je suis dotée d'un corps, d'une intelligence et d'une capacité émotionnelle. Je suis également un être spirituel. Il m'est facile de m'émerveiller devant la beauté ambiante. Je peux ressentir de l'espoir face aux difficultés de la vie et déjà entrevoir ce que seront des jours meilleurs. Me soucier du bien-être d'une autre personne et lui tendre la main en cas de besoin m'est possible. Il m'arrive souvent de lire le monde et la vie comme un livre écrit par une Puissance supérieure à moi-même. Je puis entrer en contact avec les autres et avec cette Puissance et éprouver de l'amour. J'essaie de développer cet aspect de ma personne.

---

**Une spiritualité vivante m'habite et me permet d'espérer un équilibre dans ma vie.**

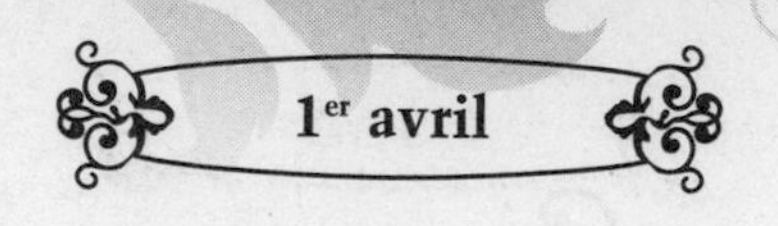

1er avril

# JE CHANGE CONSTAMMENT

Je suis toujours en train de changer. Bien des choses se modifient dans ma vie. Ma façon de penser et d'agir est autre. Mes activités et mes attitudes sont différentes. J'ai changé dans mes désirs, mes rêves et mes ambitions. Je deviens un agent actif de changement chez moi, au lieu de regarder passer la vie ou de la subir passivement. En devenant consciente du changement, je cesse de lui résister, ce qui enlève beaucoup de tensions dans ma vie. Devenir consciente du changement en moi, c'est devenir consciente de qui je suis vraiment.

---

**Est-ce que je résiste au changement ou si je me mets à l'écoute de ce qui change en moi ?**

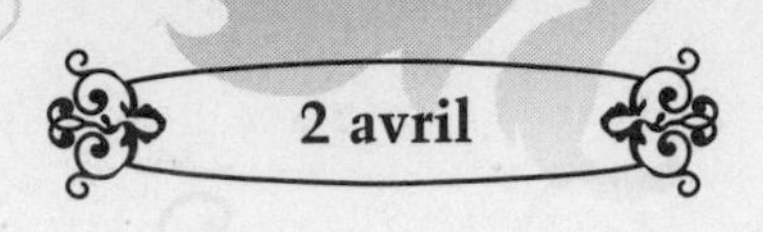

2 avril

# JE SUIS MOI-MÊME

Aujourd'hui, je prends le risque d'être moi-même, de vivre et de me présenter aux autres telle que je suis. J'accepte de n'être pas parfaite. Je sais que certaines personnes ne m'aimeront pas telle que je suis, mais c'est un risque que je suis maintenant prête à courir. J'en suis venue à cette conclusion après avoir constaté combien il avait été épuisant de porter un masque dans le but de satisfaire tout le monde sauf moi. Et je passais toujours en dernier à mes yeux. Maintenant, je n'ai plus à vivre comme les autres voudraient que je sois: je n'ai qu'à être moi-même.

---

**Je trouve mon identité
en moi-même
et je ne laisse plus aux autres
le soin de me dire
comment être.**

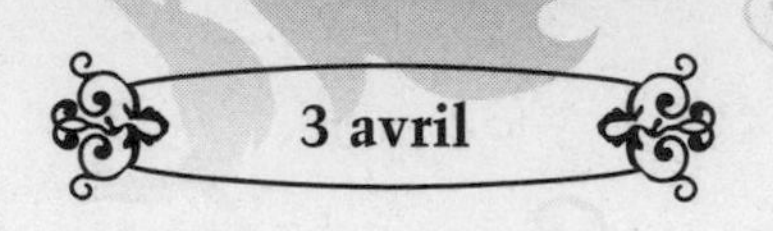


# J'AI BESOIN DES AUTRES

J'ai besoin des autres dans toutes sortes de circonstances. Bien sûr, j'ai besoin qu'on m'aide à porter mes paquets si je suis surchargée, mais c'est à d'autres situations que je pense. J'ai besoin que les autres m'aident à prendre conscience de mes qualités et de mes défauts pour ensuite m'améliorer. Et c'est quand les autres suscitent en moi de fortes réactions que je comprends que j'ai besoin d'eux: qu'ont-ils à m'apprendre sur moi-même? Trouver en moi la réponse à ces questions m'amène à évoluer. En ce sens, aussi, les autres sont importants pour moi.

---

**Les autres peuvent
m'apprendre beaucoup
à mon sujet,
surtout
quand ils me dérangent.**

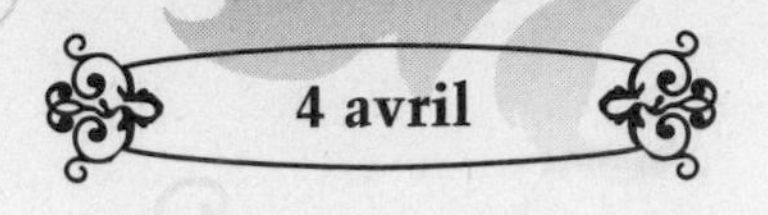

# 4 avril

## JE SAIS QUE TOUT COMMENCE PAR SOI

Souvent les autres — le monde, la société, mes amis ou mon conjoint — ne sont pas comme je le voudrais. Tous devraient changer afin d'être selon mes désirs. Mais quand je m'arrête pour y penser, je réalise que le changement véritable commence par soi. J'ai d'abord à changer mes perceptions sur ceux qui m'entourent. J'ai ensuite à changer mes attitudes. En changeant ainsi, je deviens un agent de changement dans mon milieu, un attrait pour les autres. Et, alors, ceux-ci changeront. Toute tentative pour changer les autres, sans d'abord me changer moi-même, est non seulement épuisante, mais illusoire.

---

**En changeant moi-même, je peux vraiment contribuer à changer le monde autour de moi.**

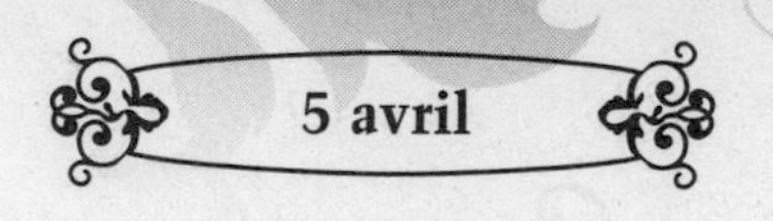

5 avril

# JE SUIS DÉJÀ AIMÉE

Il m'arrive parfois de me sentir rejetée et de croire que personne ne m'aime. Pourtant, au même moment, si je regarde clairement ce qui se passe dans ma vie, je vois bien que j'ai un conjoint, des proches, des amis et des parents qui m'aiment et qui apprécient ma compagnie. Alors, pourquoi voudrais-je davantage d'affection, davantage d'attention, davantage d'amour ? Qu'est-ce que je saurais en faire si je suis incapable d'apprécier ceux qui m'entourent déjà ? Je me tourne donc vers tous ces gens qui m'aiment et m'entourent et je m'ouvre à leur amour. Je vis alors mes rapports avec les autres d'une autre manière et je retrouve l'amour qui était toujours là.

---

**Je ne cherche pas l'amour**
**à l'extérieur;**
**il est déjà dans ma vie.**

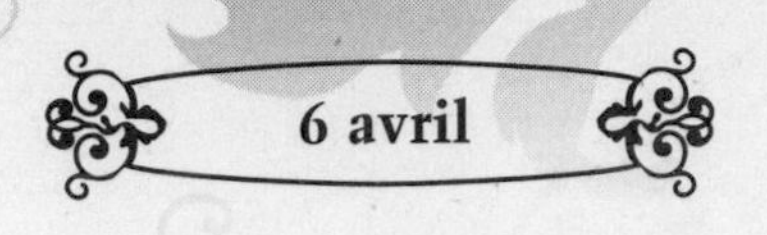

6 avril

# JE VIS MA VIE INTENSÉMENT

La vie est une aventure merveilleuse; pour en profiter pleinement, je la saisis à pleines mains et je la vis dans toute sa richesse, avec toute l'intensité dont je suis moi-même capable. Si je limite mes demandes envers la vie, j'en recevrai ce que je lui aurai demandé: peu. Si je lui demande beaucoup, j'en recevrai d'autant plus. Et cette abondance m'est accessible dès maintenant. Le plus difficile est de me déprogrammer afin de perdre cette illusion que je dois me contenter de peu et que toutes sortes d'obstacles m'empêchent de jouir de la vie: mon âge, ma condition sociale, etc.

---

**La vie m'offre de tout en abondance; je n'ai qu'à en profiter sans limiter mon appétit.**

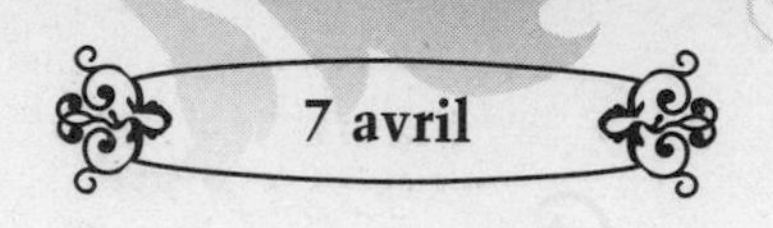


# JE NE SUIS PAS RESPONSABLE DES CHOIX DE MON CONJOINT

Parfois, mon conjoint fait des choix qui me mettent mal à l'aise. À sa place, il me semble que j'aurais agi autrement. Et j'ai aussitôt tendance à endosser la responsabilité de ses choix, croyant que, si de mauvaises conséquences en résultent, ce sera de ma faute, croyant que c'était mon devoir de le mettre en garde et de lui dicter les bons choix. Il est bien certain que, s'il me demande mon avis, je vais le lui donner de bonne grâce. Mais je n'ai pas à intervenir constamment dans ses choix, ni à me sentir responsable de ceux-ci. Je me dégage de ce carcan de responsabilité mal placée et je laisse l'autre vivre sa vie et assumer ses choix et, peut-être, ses erreurs.

---

**Je ne suis responsable que de mes choix et je demande à ma Puissance supérieure de partager cette responsabilité avec moi.**

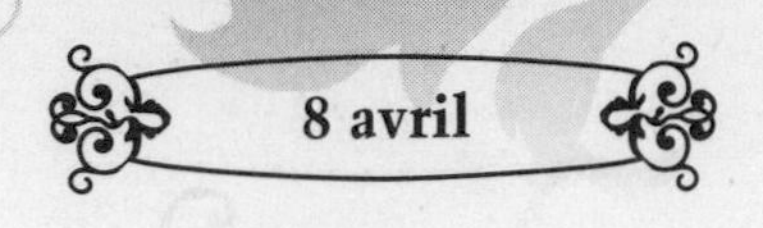

8 avril

## JE FAIS PREUVE DE COMPASSION

Je rencontre parfois des gens qui éprouvent beaucoup de difficultés et qui sont isolés dans leur souffrance. Dans la mesure où cela m'est possible, je me tournerai aujourd'hui vers une telle personne et je lui apporterai mon soutien. Je n'essaierai pas de résoudre ses problèmes à sa place, mais je ferai preuve de compassion envers elle pour qu'elle ne se sente plus isolée dans son coin. Je lui adresserai un sourire, une bonne parole; je lui offrirai quelque chose de précieux: mon écoute. Je serai généreuse. Ainsi, j'aiderai quelqu'un à sortir de son isolement pour rejoindre la famille humaine.

---

**Je fais preuve de compassion**
**envers quelqu'un**
**qui souffre;**
**je sais aussi faire preuve**
**de compassion**
**envers moi-même.**

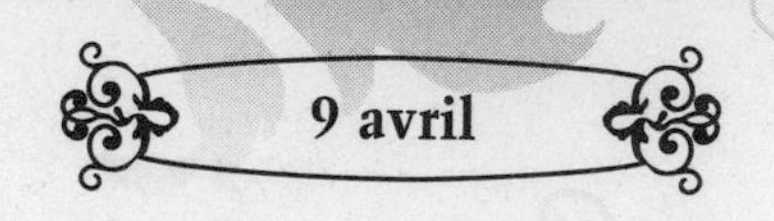

9 avril

## QUE PUIS-JE CHANGER?

Si je suis insatisfaite d'une situation dans laquelle je me trouve, elle doit changer. J'évite alors de m'attendre à ce que les autres changent pour moi. Je regarde plutôt ce que je peux changer dans ma vie pour ne plus être dans une situation qui m'est pénible. Je prends conscience des données de mon problème et je recherche ce qu'il est en mon pouvoir d'y changer. J'agis ensuite en conséquence. Ce que je ne puis changer, je demande à ma Puissance supérieure de s'en occuper. Mais je ne reste pas immobile à attendre que les autres changent.

---

**Est-ce que je me perçois comme un agent actif de changement dans ma vie ?**

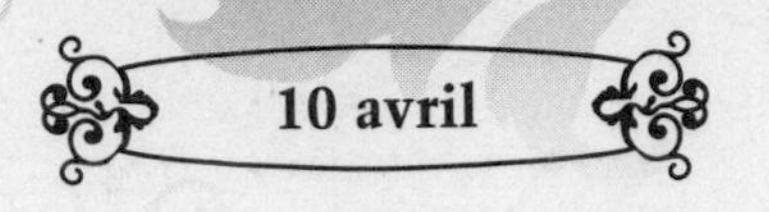

## 10 avril

# JE RESPECTE LE DROIT DE MON CONJOINT À PENSER AUTREMENT

Lorsque mon conjoint ne pense pas la même chose que moi, je reconnais qu'il a droit à ses propres opinions et même à ses erreurs. L'important n'est pas que l'un ou l'autre ait raison; ce qui compte, c'est que nous soyons capables d'échanger nos points de vue et de vivre selon ceux-ci, sans nous sentir menacés dans nos divergences d'opinion. C'est que je ne suis pas responsable des opinions de mon conjoint. Par contre, je suis responsable des miennes. Et je n'ai pas à en prouver la valeur ou la justesse en démolissant celles de l'autre. Si c'est le cas, je vis de l'insécurité face à mon couple; de quoi ai-je alors peur?

---

**Chacun a le droit de vivre selon ses opinions; suis-je responsable devant mes opinions?**

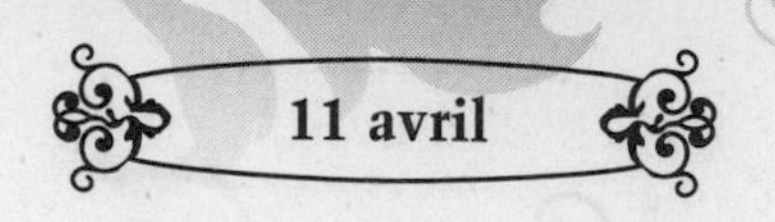
11 avril

# J'ÉVITE LA CRITIQUE

La critique a l'effet d'un acide sur les rapports entre les gens. Elle limite mon attention et mon intérêt à ce qui devrait être, à mon avis, corrigé chez autrui. Donc, l'esprit de critique déforme la réalité des rapports humains. Quand je suis occupée à critiquer ce qui est encore imparfait, je ne vois pas les efforts que fait l'autre pour s'améliorer. Je me prive ainsi d'une occasion de l'encourager. Me concentrer sur les défauts ou les imperfections de l'autre est aussi une excellente méthode pour détourner mon regard de ce qui ne va pas en moi: comment pourrai-je me connaître si je passe mon temps à critiquer les autres?

---

**Je remplace l'esprit de critique corrosif par le baume de l'amour.**

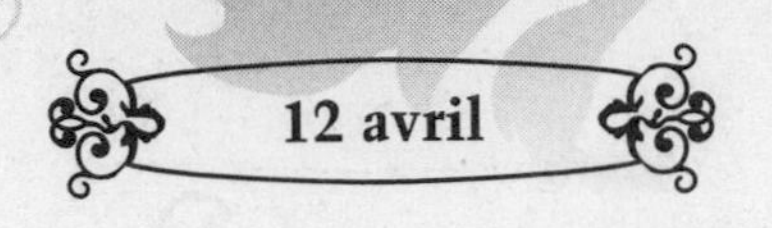

12 avril

# J'AGIS AVEC PERSÉVÉRANCE

Lorsque je fais un geste, je me garde de croire qu'il va changer ma vie à tout jamais. Ce n'est, en général, pas si simple. Ce qui peut changer ma vie, c'est une habitude. Et une habitude consiste à répéter fréquemment le même comportement. J'ai donc à agir avec persévérance quand je dois changer mes habitudes de vie afin de les remplacer par de meilleures. Agir une fois afin de corriger un accès d'impatience ne me rendra pas patiente jusqu'à la fin de mes jours. Ce nouveau comportement devra être répété souvent afin de devenir une habitude. Je demande à ma Puissance supérieure de m'encourager à la persévérance dans le changement.

---

**Je persévère afin d'en arriver**
**à des changements**
**pour le mieux dans ma vie;**
**un de ces changements,**
**c'est que je finirai**
**par devenir persévérante.**

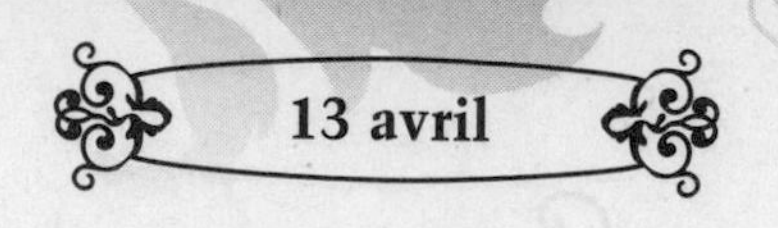

13 avril

# JE PRENDS LE TEMPS QU'IL FAUT

Quand j'ai à agir, mon premier réflexe est de me dépêcher et de faire vite. Je confonds alors la précipitation et l'efficacité; et si je suis efficace, peut-être que mon conjoint, que les gens vont m'aimer davantage. Pour prévenir cet excès, peut-être vais-je tomber dans le travers contraire: agir avec tellement de prudence que je ne ferai rien. Et si je suis prudente, peut-être que les gens vont m'aimer davantage, que mon conjoint saura apprécier ma prudence. Le bon sens ne demande-t-il pas de prendre le temps qu'il faut pour faire ce que j'ai à faire? Le bon sens me demande aussi de me concentrer sur ce que j'ai à faire, et non de le faire pour des motifs obscurs.

---

**La précipitation et l'indécision sont deux excès et je ne trouverai le bien-être ni dans l'un ni dans l'autre.**

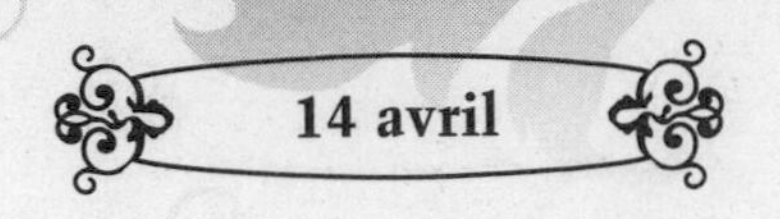

# 14 avril

## JE SUIS RECONNAISSANTE

Lorsque j'y regarde de près, il y a dans ma vie de multiples raisons d'éprouver de la reconnaissance. Ma santé ne me cause pas de soucis et mon corps fonctionne bien. J'ai une relation satisfaisante avec mon conjoint et avec mes proches. Je puis compter sur la loyauté de plusieurs amis. Je vis dans le confort et, non seulement je ne manque pas de l'essentiel, mais j'ai même du superflu. Mon intérieur gagne en équilibre chaque jour. J'ai la possibilité d'aider d'autres personnes. Lorsque je suis dans la nature, je suis capable de ressentir un sentiment d'harmonie et d'unité. Pour tout cela, j'éprouve de la reconnaissance envers une Puissance supérieure à moi-même qui me donne tout ce qu'il me faut.

---

**Aujourd'hui,**
**la reconnaissance fait partie**
**de ma façon de vivre.**

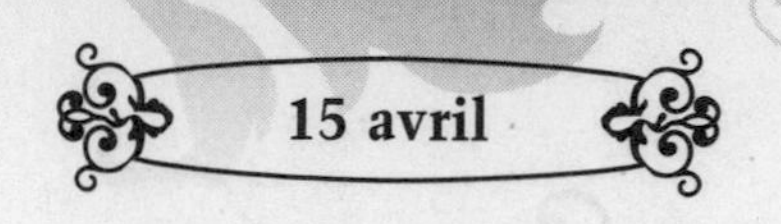

15 avril

# J'APPRÉCIE TOUT CE QUI EST BON AUTOUR DE MOI

Lorsque je regarde autour de moi, je suis souvent surprise de trouver de la beauté dans des choses simples et ordinaires. La richesse et la variété des teintes dans une plante, la grâce d'un animal domestique, le côté spectaculaire d'un amoncellement de nuages juste avant l'orage sont autant de merveilles qui me surprennent et provoquent mon admiration. Et je suis maintenant capable de me décentrer de ma personne et de mes problèmes pour pouvoir apprécier pleinement cette féerie. Cette ouverture d'esprit est un cadeau de la vie que j'essaie d'apprécier à sa juste valeur et d'utiliser le plus souvent possible. Dans ma vie de couple, cette aide m'est précieuse.

---

**J'apprécie d'être capable de m'émerveiller devant la beauté de tant de choses simples.**

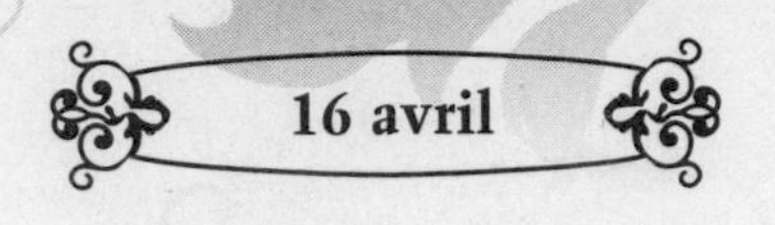

## 16 avril

# J'ACCEPTE LA VÉRITÉ À MON SUJET

Commencer à me voir telle que je suis n'est pas une tâche de tout repos; pendant longtemps, j'ai fait de mon mieux pour éviter de me connaître. Signe de mon progrès personnel, j'ai commencé à me connaître. Plus loin dans mon évolution, j'en suis graduellement venue à accepter la vérité à mon sujet. Maintenant, je commence à m'aimer dans cette vérité, telle que je suis. J'étais dans l'ignorance en ce qui me concerne; maintenant, la lumière de la vérité se montre. L'important, c'est que je m'aime tout en me connaissant; c'est qu'alors je me serai pardonné ce que je n'aime pas de moi. Il me restera à le changer.

---

**Pour commencer à m'aimer, il me faut accepter la vérité à mon sujet.**

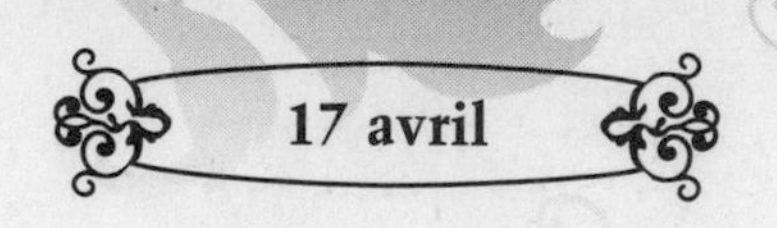


# J'APPRENDS A ME PARDONNER

Bien souvent lorsque je vis de la rancoeur ou de l'amertume envers quelqu'un, je revis les émotions négatives qu'une situation difficile a susctitées dans le passé. Un geste de pardon envers la personne qui m'a offensée devient nécessaire pour être libérée de ces émotions. Mais pour être vraiment en paix avec ces souvenirs, j'ai aussi à me pardonner de m'être laissé entraîner dans une telle situation et de l'avoir subie. Alors seulement le souvenir de ce moment difficile cesse de venir me hanter. Il devient un souvenir dépourvu de toute charge affective et j'en suis libérée.

---

**C'est dans le pardon et l'amour dirigés vers moi que je trouverai la libération de situations passées difficiles.**

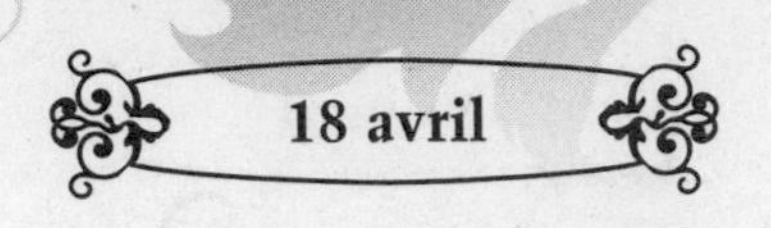

18 avril

## JE DEMEURE EN CONTACT AVEC MES SENSATIONS

Mon expérience de la vie commence par les sensations et les perceptions que j'éprouve. En restant reliée à mes sensations, je suis consciemment en contact avec moi et le monde réel qui m'entoure. Le contact avec le sol, la sensation des vêtements sur ma peau, la température de l'air ambiant, les sons, les couleurs et les odeurs sont autant de messages qui me renseignent sur mon environnement et qui confirment la réalité de mon existence dans le présent. Lorsque je remarque la couleur de ma clé, le claquement de la serrure et la sensation des clés dans la paume de ma main, je n'ai plus à me demander cinq minutes plus tard si je n'aurais pas oublié de fermer la porte à clé en sortant. Toutes ces sensations reviennent.

---

**Les sensations que j'éprouve sont des signes rassurants de ma présence dans le monde.**

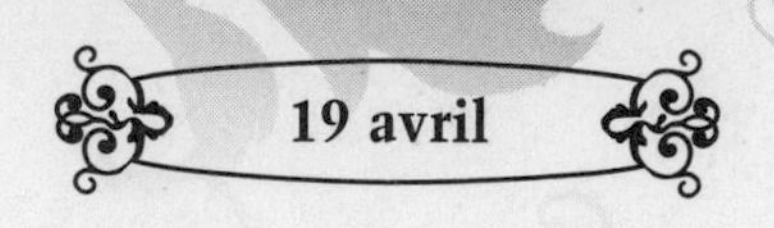

19 avril

## JE RESTE CENTREE SUR LE MOMENT PRESENT

Maintenant est le seul moment qui existe vraiment et où j'existe et je ressens vraiment. Il y a le souvenir d'instants passés comme il y a la vision de moments à venir. Mais dans les deux cas, ces moments ne sont pas réels parce que les émotions qu'ils suscitent en moi ne sont pas liées à mon expérience présente. Les seules émotions que je ressens vraiment sont les émotions liées à ce qui se passe maintenant dans ma vie. Le reste est du domaine de l'illusion. Si je suis vraiment en contact avec moi, ce sont les seules émotions que j'accepte de vivre pleinement. Et alors, ma joie ou ma souffrance seront bien réelles; elles ne seront pas des illusions.

---

**Je reste centrée sur ce que je vis aujourd'hui afin de ne pas me perdre dans l'illusion.**

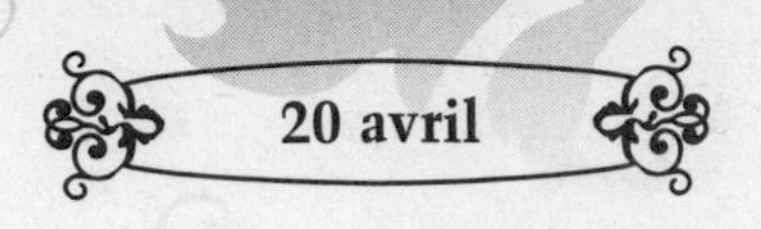

# JE ME REPOSE

Je sais prendre une pause pour me reposer lorsque cela est nécessaire. Je sais que physiquement, émotivement et mentalement j'ai parfois besoin d'un temps d'arrêt. Si je suis à l'écoute de moi-même, j'en percevrai la nécessité lorsqu'elle se fera sentir. Un manque de tolérance, la fatigue physique, l'incapacité à me concentrer pendant une longue période sont autant de signes qui me renseignent sur mon besoin de repos. Autrefois, je n'étais pas à l'écoute de ce besoin, mais aujourd'hui, je sais qu'il est important et que je dois agir en conséquence si je veux conserver mon bien-être.

---

**Étant davantage en contact avec moi-même, je perçois mon besoin de repos et je donne à mon être la pause qui lui est nécessaire.**

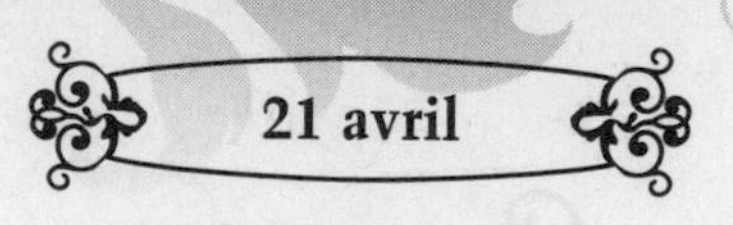


# JE RECHERCHE L'ÉQUILIBRE

Je suis en équilibre quand aucune partie de ma personnalité ne me domine, quand chacune d'elles fonctionne en harmonie avec les autres; tous mes besoins sont alors comblés. Mais cet équilibre ne va pas de soi puisque j'ai passé une bonne partie de ma vie dans le déséquilibre et le désordre. Maintenant, je sais que cette harmonie m'est bénéfique et je la recherche. J'évite donc de donner trop d'importance à l'une ou l'autre des facettes de ma personnalité, ce qui suppose que je me connais mieux et que je suis à l'écoute de ce qui se passe en moi. Je fais de la présence de l'équilibre dans ma vie et dans mon couple une priorité.

---

**La recherche de l'équilibre
est une preuve d'amour
que je me donne
et que je donne aux autres.**

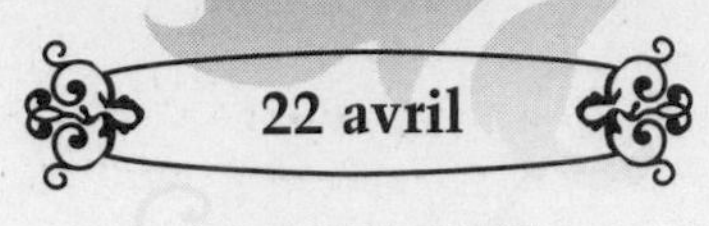

## 22 avril

# JE CULTIVE MES TALENTS

J'ai reçu certains talents, et je suis convaincue que chaque personne en a également reçu. Je m'efforce de développer ceux dont j'ai été gratifiée, puisqu'ils font partie de ma personnalité et qu'ils m'indiquent dans quels secteurs d'activité je peux apporter une collaboration positive aux autres et en retirer de la satisfaction pour moi-même. Ces talents me permettent de donner ma couleur à la contribution que j'apporte à mon couple et au monde dans le cours de ma vie. Développer mes talents est une responsabilité que j'ai vis-à-vis de moi-même et des autres.

---

**Je suis fière des talents que j'ai reçus et de mon aptitude à les développer.**

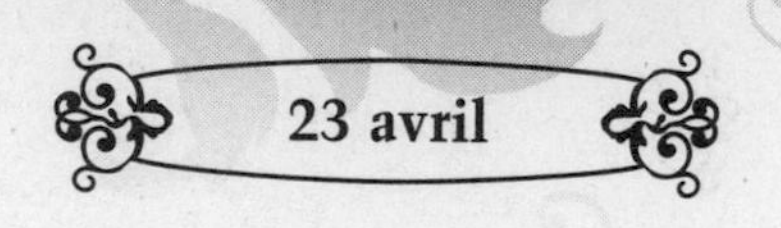

23 avril

# JE RECHERCHE LA JOIE

La joie est pour moi une émotion importante. Elle fait reculer et garde au loin la dépression et le malheur. Elle me protège de ma tendance à m'apitoyer sur mon sort et elle rend les rapports avec les autres beaucoup plus agréables. La joie change le regard que je porte sur les événements, les choses et les gens. Pouvoir ressentir de temps à autre une joie paisible et tranquille est une bénédiction qui me réconcilie avec le monde. C'est pourquoi je recherche les occasions d'éprouver une joie réelle et profonde et la possibilité de partager cette joie avec mon conjoint, mes proches et mes amis.

---

**La joie est une émotion qui me réconcilie avec l'Univers et qui me fait progresser.**

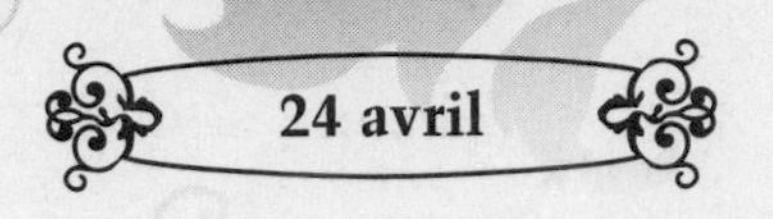


# JE DEMEURE CONSCIENTE QUE JE FAIS DES ERREURS

Je ne suis pas parfaite et il m'arrive souvent de faire des erreurs de jugement dans mes choix personnels et dans ma vie de couple. Cela est naturel et normal. Il me faut ne pas oublier que je suis ainsi. L'important est que je sois consciente d'avoir fait une erreur et que j'aie le désir de la corriger. En examinant fréquemment mes comportements et mes attitudes, j'en arrive à déceler facilement mes mauvais choix et mes erreurs. Puis, j'essaie d'en tirer parti et de m'améliorer. Je délaisse les sentiments de honte et de culpabilité, puisque ceux-ci me bloquent dans mon évolution personnelle.

---

**Je suis sujette à l'erreur, mais je suis aussi capable d'apprendre de celle-ci.**

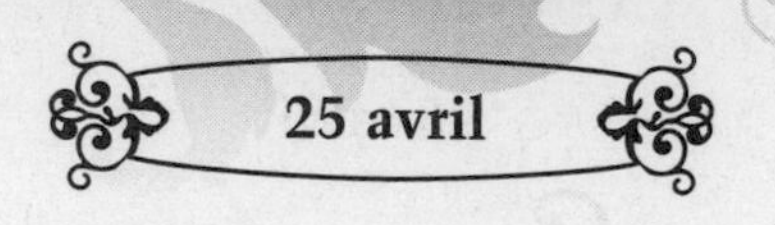

25 avril

# AUJOURD'HUI, JE SUIS MOI-MÊME

Dans mes contacts avec les autres, je n'essaierai pas aujourd'hui, de paraître différente de celle que je suis vraiment. Je ne tenterai pas d'entretenir chez les autres des illusions à mon sujet. Je dégagerai autour de moi une image réaliste et authentique de ce que je vis. Avec mon partenaire de vie, je serai moi-même et je lui dirai ce que je pense et ce que je ressens. Si je ne vais pas bien, je le lui dirai, mais sans chercher à attirer la pitié ni me faire plaindre. Si je vais bien, je l'exprimerai sans détour, mais sans ostentation, et je partagerai mon bien-être afin de le garder.

---

**Aujourd'hui,**
**je choisis l'équilibre**
**entre ce que je vis**
**à l'intérieur**
**et ce que je dégage**
**à l'extérieur.**

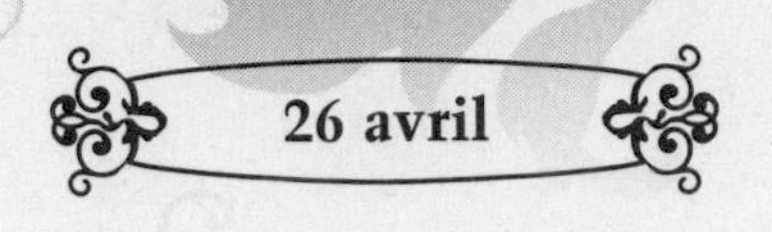

## J'ESSAIE D'ÊTRE UN EXEMPLE POUR MES PROCHES

Autour de moi gravitent plusieurs personnes avec qui je suis fréquemment en contact: mon partenaire de vie, mes enfants, ma famille immédiate, mon cercle d'amis. Tout comme ces personnes exercent une influence sur moi, j'ai également une certaine ascendance sur elles. Dans ma recherche pour mieux vivre et devenir la personne que je suis vraiment, ces relations sont importantes. Et c'est auprès de mon entourage que les changements que je connais deviennent vraiment durables. La qualité de mon contact s'approfondit et devient une habitude. Ma nouvelle manière de vivre avec les autres peut devenir un exemple pour eux: ils en voient les résultats tangibles et ils pourraient désirer m'imiter.

---

**J'agis de mon mieux
et je suis consciente
que je peux devenir un exemple
pour ceux qui me connaissent.**

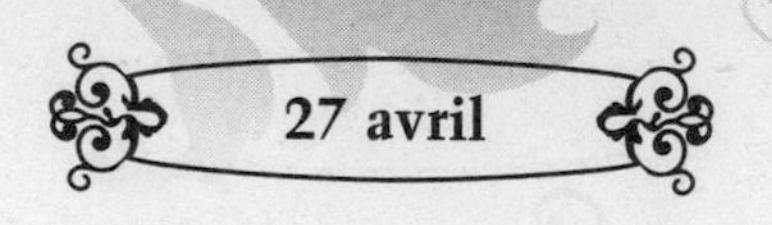

# 27 avril

## JE ME DONNE
## DE NOUVEAUX DÉFIS

Ne pas rester rivée aux mêmes habitudes ni aux mêmes routines me permet de voir ma vie avec des yeux neufs et jeunes. C'est particulièrement important dans ma vie de couple. C'est pourquoi je me donne de nouveaux défis, de nouvelles activités à entreprendre, de nouveaux buts à atteindre. Je propose souvent à mon conjoint de se joindre à moi. Ainsi, notre vie commune demeure intéressante et ouverte à la nouveauté. Nous restons jeunes en vivant ensemble, ce qui donne plus de solidité à notre couple. Nos nouvelles entreprises font de notre vie commune une aventure agréable au lieu qu'elle se cantonne dans une routine sans surprises.

---

**De nouveaux défis**
**gardent notre couple jeune:**
**ils en font un lieu**
**de croissance.**

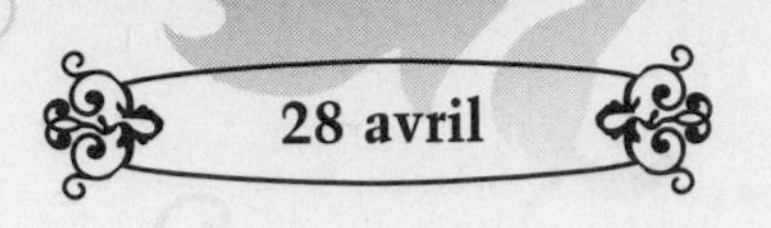


# J'APPRENDS DE LA NATURE

La vie est un changement constant et une bonne façon d'en prendre conscience est de demeurer en contact avec la nature. Lorsque je me promène dans les parcs ou les bois, je peux confirmer la véracité de cette affirmation. Au fil des saisons, le même arbre, le même étang, le même lit de fleurs prennent des aspects différents. Les couleurs, les teintes, les nuances ne sont pas les mêmes. Même l'éclairage change. Les formes et les volumes aussi sont différents. Et tout cela se fait dans l'harmonie et le calme. J'observe la nature pour en apprendre davantage sur la vie.

---

**La nature est un extraordinaire professeur, toujours patient et toujours disponible pour me montrer comment la vie évolue et change.**

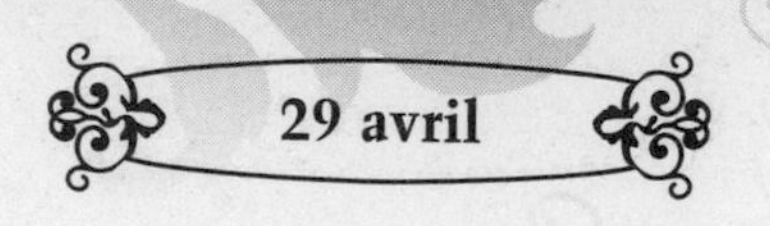

## 29 avril

# LA VIE EST FAITE DE PETITES VICTOIRES

Un grand changement chez moi a été ma façon de penser. Avant, je faisais dépendre le succès de ma vie de changements spectaculaires et importants qui viendraient tout transformer. Maintenant, ce que je recherche, c'est de remporter chaque jour de petites victoires. Régler un petit problème de la vie quotidienne en appliquant une nouvelle façon de penser et d'agir est devenu ma manière d'être. Remplacer la rancune par le pardon ou m'effacer quand j'aimerais être au premier plan sont autant de petites victoires sur mes anciennes habitudes de vie. Ces victoires comptent pour aujourd'hui, mais elles bâtissent de nouvelles habitudes de vie pour l'avenir.

---

**Je m'habitue**
**à une nouvelle façon de vivre;**
**chaque changement,**
**même minime,**
**est une victoire.**

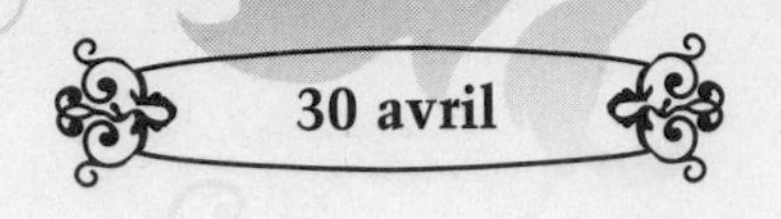

# 30 avril

## JE RETROUVE LA CONFIANCE EN MOI

Il me semble parfois que certaines tâches sont au-dessus de mes forces et que je serai incapable de les accomplir. Dans de tels moments, je n'ai aucune confiance en moi. Alors que faire ? Si je suis aux prises avec un moment de découragement passager, les choses vont s'arranger. Mais si vraiment je ne trouve aucune force en moi, alors je me tourne vers ma Puissance supérieure et je lui demande de m'accompagner dans ce que j'ai à faire. Cette combinaison d'une aide spirituelle et de mes capacités personnelles fait que je serai capable de relever les défis qui se présentent à moi. Aucune difficulté n'est alors démesurée.

---

**La confiance en moi résulte de ma juste compréhension du fonctionnement de l'Univers.**

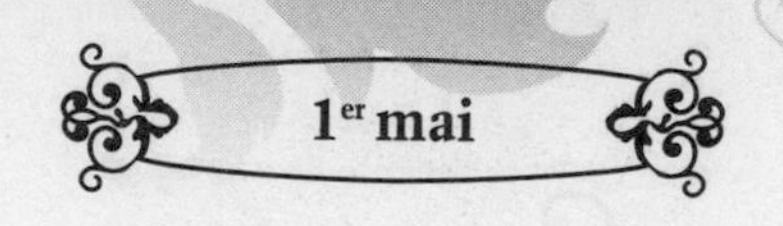


## QUELLE EST MA VÉRITABLE MOTIVATION ?

Il est bien rare que mes actions ne soient pas dictées par un motif quelconque. La question est de savoir si cette motivation est juste ou non. Si j'agis sans espoir d'en retirer un bénéfice, sans rechercher une gratification matérielle ou psychologique, en conformité avec mes valeurs et sans conditions, alors je peux dire que ma motivation est juste. Tout le problème est donc d'être consciente de ma motivation véritable lorsque je fais un geste. Ceci me demande de mettre de l'honnêteté dans ma réflexion concernant mes actes et d'être en contact conscient avec moi-même.

---

**En étant à l'écoute de mes véritables motivations, j'apprends à mieux me connaître.**

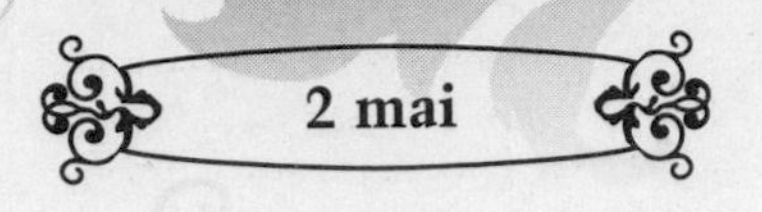

## 2 mai

# JE DEMEURE CONSCIENTE DE MA VALEUR PERSONNELLE

Je réalise souvent ma valeur en tant que personne. Mais ces éclairs de lucidité à mon endroit sont entrecoupés par des moments de ténèbres et de doute. J'essaie de ressentir ce sentiment de ma valeur personnelle le plus fréquemment possible, pour en venir à en développer une véritable habitude. Je n'oublie pas que c'est dans ces moments de doute que je suis la plus vulnérable au découragement et au pessimisme. En croyant en la personne que je suis, je peux agir en conformité avec ma croyance et ma vie n'en sera que plus intéressante et enrichissante. En cas de doute, je recherche réconfort auprès de mon conjoint et de mes proches et le contact avec ma Puissance supérieure.

---

**En restant fidèle à ma croyance en ma valeur personnelle, je me rapproche de mon identité véritable.**

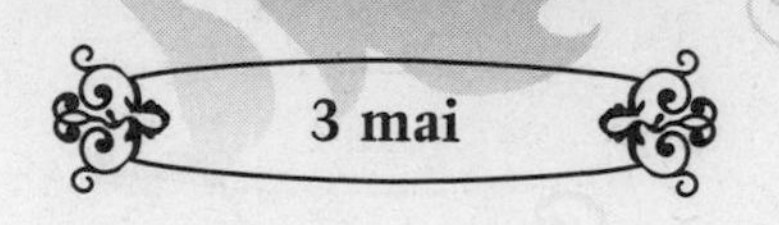


# AUJOURD'HUI, JE PRENDRAI SOIN DE MOI

Je me tourne avec amour vers moi et je fais ce que personne ne peut réussir aussi bien: je prends soin de moi. Je prends soin de mon corps en me traitant bien, en comblant mes besoins corporels et en reconnaissant ma beauté. Je cultive mon esprit par des lectures appropriées qui augmentent mes connaissances, aiguisent ma curiosité et mon intérêt et m'habituent à plus de profondeur dans ma réflexion. Je veille à ma dimension affective et émotionnelle en acceptant de vivre et de ressentir pleinement mes émotions et en restant à l'écoute de mes besoins. Je ne néglige pas ma dimension spirituelle: je nourris mon contact conscient avec ma Puissance supérieure par la prière et la méditation, par une rencontre fréquente avec la nature.

---

**Je n'hésite pas à prendre soin de moi dans tous les aspects de ma personnalité.**

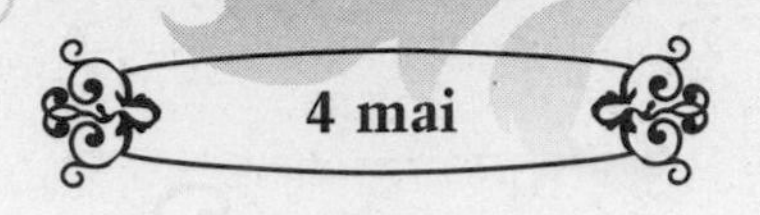

## 4 mai

# COMMENT J'AIDE CEUX QUE J'AIME

Auparavant, je croyais qu'aider les autres voulait dire leur donner la solution magique à tous leurs problèmes, tout en me rendant responsable de ceux-ci. Je sais maintenant que j'étais dans l'illusion: je croyais utiliser un pouvoir que je ne détenais pas. Aujourd'hui, je me contente de donner à mes proches en quête d'aide mon amour et ma compassion, et je laisse à la vie le soin de résoudre leurs problèmes et d'amoindrir leur souffrance. Je comprends que ma volonté, mon désir maladif de contrôler n'ont rien à voir avec ce qu'ils vivent. Je me rapproche simplement de la personne qui a besoin de moi en l'accueillant avec sa souffrance.

---

**L'accueil, l'amour, l'écoute
et la compassion me rapprochent
de ceux qui souffrent.
Ainsi, je me sens plus humaine,
je me rapproche de moi
et je m'aide.**

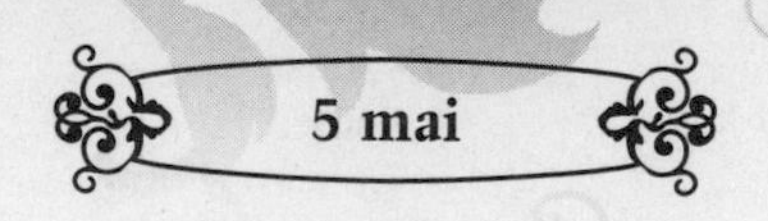

5 mai

# J'APPRENDS À ME CONNAÎTRE EN M'OUVRANT AUX AUTRES

Je n'ai plus peur de parler de ce que je ressens et de ce que je vis avec mon conjoint ou des gens en qui j'ai confiance. Ces personnes proches apprennent alors à me connaître, mais le plus étonnant est que, moi aussi, je me découvre dans ce processus. J'apprends que je suis capable de prendre des risques. Je fais à mon sujet des liens que je ne soupçonnais pas. Je me rends compte que je ne suis plus seule à vivre ce qui m'arrive. J'éprouve ma profondeur. Je réalise que je peux m'accepter tout aussi bien que la personne qui m'écoute. Je vois également dans quels domaines la vie suscite des difficultés que je dois affronter.

---

**Le contact avec les autres me permet d'entrer en contact avec moi-même.**

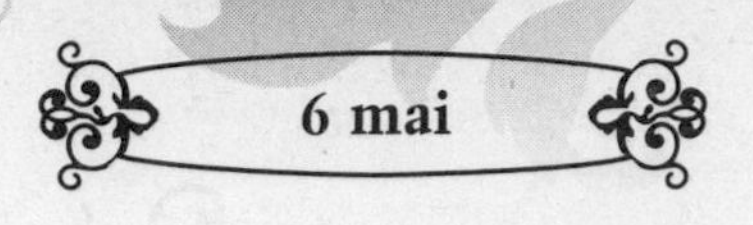



# J'APPRENDS À DIRE «MERCI»

Remercier n'était pas mon fort auparavant. J'agissais comme si tout m'était naturellement dû et il ne me venait pas à l'esprit que mon conjoint puisse me donner quelque chose parce qu'il le voulait bien. Aujourd'hui, je comprends que tout ne m'est pas dû et que recevoir un cadeau demande une réponse venant du cœur et exprimant de la gratitude. Si quelqu'un me rend un service ou m'offre quelque chose, c'est une faveur qui m'est faite et je l'en remercie. J'apprends aussi à dire «merci» pour les cadeaux que la vie me donne, à être reconnaissante pour tout ce qui se passe dans mon existence.

---

**Je remercie pour tout ce qui vient enrichir ma vie et je suis généreuse dans ma gratitude.**

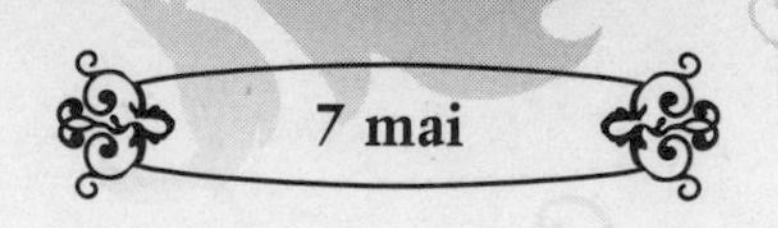

# 7 mai

## J'ÉVITE LA CRITIQUE

Il est facile de critiquer mon partenaire de vie. Lorsqu'il m'arrive de tomber dans ce travers, c'est signe que quelque chose ne va pas bien chez moi: je ne suis pas en bonne santé intérieure. Lorsque cette attitude me menace, je prie afin qu'on m'inspire une autre manière de voir. Puis je passe à l'action en tentant de trouver quelque chose de positif à dire plutôt que de formuler une critique. Cette tendance à critiquer disparaît alors, au moins temporairement. Je deviens capable d'apprécier chez mon conjoint quelque chose de positif et de le lui exprimer.

---

**Lorsque j'emprunte la voie de la critique, je deviens sourde et aveugle aux qualités de l'autre.**

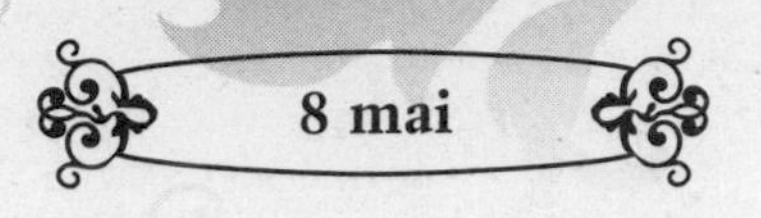


# JE PARLE EN BIEN DE MON COUPLE

Une façon de réparer le tort que j'ai pu causer à mon conjoint et à mon couple dans le passé est d'en parler en bien lorsque l'occasion se présente. J'en viens ainsi à mettre de l'équilibre dans mes attitudes puisque cela me donne l'occasion de chercher ce qui est bon et positif chez lui et dans notre relation. Ainsi, ma parole sert maintenant à faire du bien. En agissant ainsi, je me rapproche de lui et je me rapproche aussi de moi-même puisque je deviens plus consciente de mes attitudes et de mes responsabilités.

---

**En parlant en bien**
**de mon conjoint**
**et de mon couple**
**je réapprends à vivre**
**en couple.**

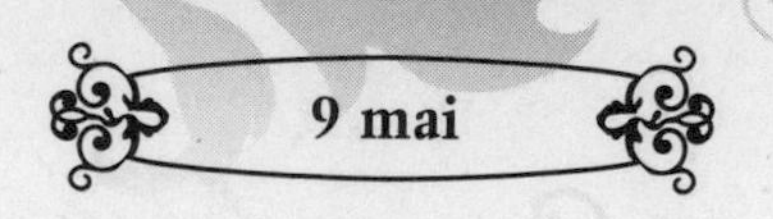

9 mai

# MON BONHEUR EST À L'INTÉRIEUR DE MOI

J'ai déjà cru que, si j'avais une nouvelle maison, une nouvelle voiture, un nouvel emploi ou de nouveaux amis, le bonheur s'ensuivrait immédiatement. Pourtant, je n'ai jamais trouvé le bonheur dans ces circonstances extérieures. Et je confondais la satisfaction résultant de l'acquisition de ces nouveautés avec le bonheur. Aujourd'hui, mon bonheur dépend plutôt de la paix que je vis à l'intérieur de moi. Et cette paix génère un sentiment de sécurité. Je me sens en pleine possession de mes moyens dans le monde, dans mon couple, dans mon emploi et avec mes amis. Cette sécurité me convainc que j'ai ma place dans un univers ordonné, un univers qui a un sens et un but.

---

**Je ne fais plus dépendre mon bonheur de circonstances extérieures et j'en trouve la source à l'intérieur de moi.**

10 mai

## JE NE RÉAGIS PLUS, J'AGIS

Autrefois, ma façon de répondre à ce qui se passait dans ma vie était de réagir: je ne faisais que répondre passivement aux événements, sans faire preuve d'initiative personnelle, sans manifester de préférences ou de goûts. Aujourd'hui, je fais de mon mieux pour agir, pour m'engager activement en fonction de mes buts, de mes valeurs et de mes préférences. Je le fais avec maturité et avec bonté, pour autant que je le peux. J'agis pour mon bien-être et mon bonheur, et ceux de mes proches. Et ma vie de couple ne s'en porte que mieux: en m'affirmant par mes actions, ce que je veux vraiment est plus clair.

---

**J'agis de façon active et responsable, au lieu de réagir passivement et de tourner comme une girouette aux quatre vents.**

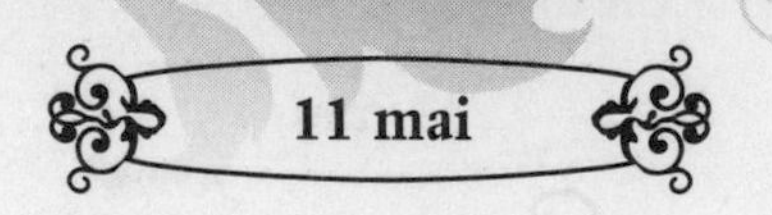

11 mai

# JE FAIS ATTENTION À LA MANIÈRE DONT JE ME PARLE

Je me parle très souvent intérieurement, et la façon dont je le fais témoigne de la vision que j'ai de moi. Lorsque je n'ai pas une très haute opinion de moi-même, je me parle sèchement, avec dureté, sans chaleur. Lorsque tout va bien et que mon opinion de moi est positive, je suis plus douce avec moi et je me parle avec plus de gentillesse. Mais mon discours intérieur ne devrait-il pas toujours être coloré d'amour, de respect et de dignité? La manière dont je me parle reflète mes états d'âme, mais la manière dont je me considère ne devrait pas être dénuée d'amour pour moi.

---

**Je me parle avec amour et douceur si je m'aime vraiment; si j'en suis incapable, peut-être ai-je quelque chose à changer en moi.**

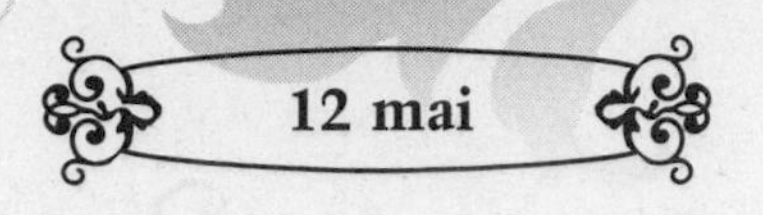

# JE M'OUVRE AUX AUTRES

Quelques personnes vraiment spéciales font partie de ma vie et elles sont spéciales par ce qu'elles m'apportent. Elles dégagent autour d'elles une sorte de paix qui devient contagieuse. En demeurant en contact avec elles, je deviens à mon tour empreinte de calme et de sérénité. Mais pour que cet échange se produise, je dois m'ouvrir à ces personnes et ne pas craindre de leur révéler celle que je suis vraiment. Ce faisant, je renonce à croire que je peux tout par moi-même et que je n'ai pas besoin des autres. Je deviens alors partie d'une nouvelle famille, qui vit selon de nouvelles valeurs.

---

**Je me réalise graduellement
en m'ouvrant aux autres
et en leur révélant qui je suis;
en m'ouvrant aux autres,
je m'ouvre aussi
à moi-même.**

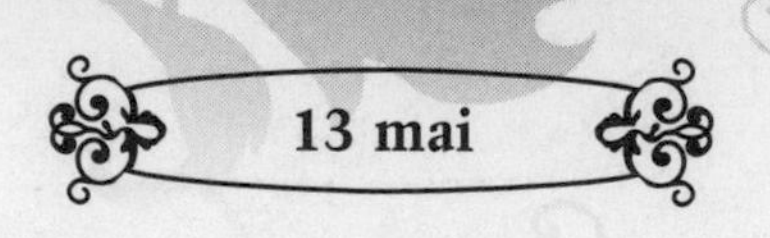


# J'AI LE CHOIX

Le propre du désespoir, c'est de croire que je suis dépourvue de liberté de choix et que je dois subir passivement tout ce qui m'arrive. En réalité, je crois que différents choix s'offrent à moi: j'ai le choix de dire oui ou non, ou de ne pas choisir dans une situation qui m'est pénible. Mais cette liberté de choisir n'existe vraiment que lorsque je suis consciente de ces différents choix et de leurs conséquences. Une autre condition qui facilite un choix libre est de le faire avec honnêteté, en considérant toutes les possibilités, même celles qui ne font pas mon affaire. Oui, j'ai la faculté de choisir ce qui est le meilleur pour moi.

---

**J'ai le choix**
**dans les circonstances de la vie:**
**je n'ai pas à subir passivement**
**ce qui m'arrive.**
**Suis-je prête à exercer**
**ma liberté de choisir**
**ce qui est bon pour moi?**

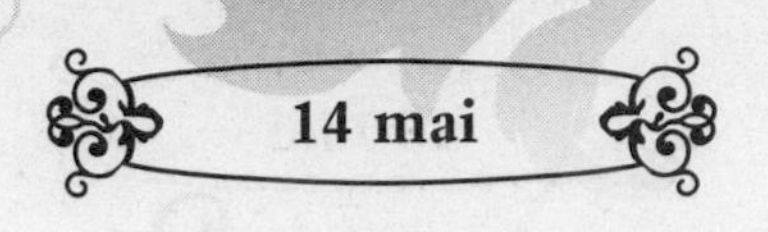

14 mai

# JE NE CÈDE PAS À LA HONTE

Il m'arrive souvent de faire des erreurs, c'est normal et c'est quelque chose que je ne puis changer. Ma façon de réagir face à mes erreurs est une autre histoire. Il m'arrivait souvent dans le passé de me sentir inadéquate ou honteuse parce que je m'étais trompée. Je me sentais alors sans valeur personnelle. Maintenant, lorsque je fais une erreur je la reconnais honnêtement et j'en assume la responsabilité. Si je peux la réparer, je le fais; si je dois m'excuser, j'agis en ce sens. Mais le sentiment de ma valeur personnelle demeure intact et je sors de cette expérience avec une meilleure compréhension de mes limites et le sentiment d'avoir fait ce qu'il fallait, d'avoir été adéquate dans mon erreur.

---

**La honte m'empêche de croître et de me développer en me forçant à nier ma valeur.**

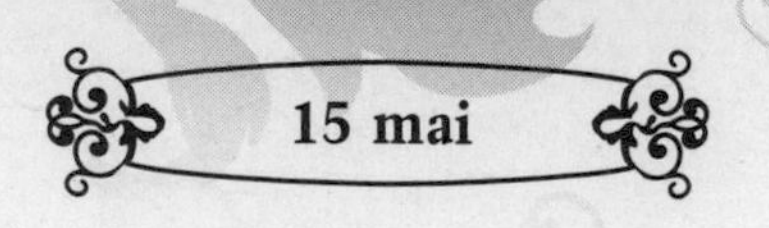

15 mai

## MON COUPLE ME MET EN VALEUR

Un des grands avantages de ma vie de couple, c'est qu'elle vient chercher ce qu'il y a de meilleur en moi. En me posant des défis, ma relation avec mon conjoint me demande souvent d'être au mieux de ma forme ou de me dépasser. La même chose se produit avec mon partenaire: lui aussi donne le meilleur de lui-même. Il est important pour moi de vivre avec quelqu'un qui me demande beaucoup parce que cela me garde hors de la routine et de la stagnation. C'est aussi une manière qu'a mon conjoint de m'aimer, lorsqu'il reconnaît que je suis capable d'être vraiment la personne que je suis.

---

**Ma vie de couple me pose-t-elle des défis qui mettent en valeur mon potentiel?**

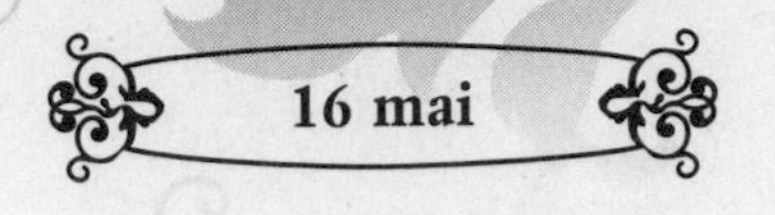

16 mai

# JE RECHERCHE LE BIEN EN MOI COMME CHEZ MON CONJOINT

Au lieu de me comparer à mon conjoint et de me concentrer sur les différences qui peuvent nous séparer, je recherche ce qu'il y a de bien et de positif chez lui comme chez moi. Ainsi, une sorte de langage commun nous réunit et les facteurs potentiels de division perdent toute importance. En choisissant de me concentrer sur nos qualités respectives, je ne le juge plus et je ne me juge plus non plus. J'apprends à apprécier l'autre sans me déprécier moi-même. Tout cela fait partie de mon progrès. Cette habitude de rechercher le bien finira par se répercuter dans mes relations avec les autres.

---

**En recherchant le bien,
je me rapproche des autres
et de moi-même.**

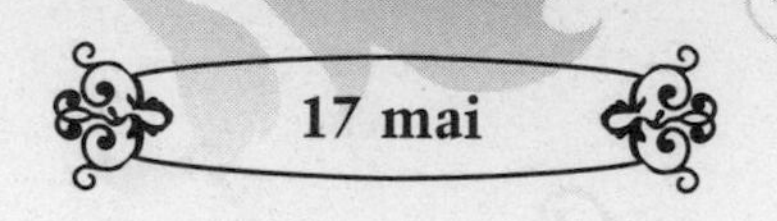


# J'ÉVITE DE REMETTRE À PLUS TARD

L'envie de remettre à plus tard ma tâche d'aujourd'hui est pour moi une tentation facile. Mais je sais que je me sentirai ensuite sous tension tant que je n'aurai pas complété ce boulot. J'éprouverai aussi de la culpabilité d'avoir retardé mon travail le plus possible. Je sais également qu'en agissant immédiatement pour faire ce qui doit être fait, j'en ressentirai de la satisfaction, de la fierté et serai en paix. Je pourrai alors passer à autre chose ou me détendre. Devant chaque tâche à accomplir, j'ai toujours le choix de passer à l'action ou de la retarder le plus possible.

---

**En remettant à plus tard ce que je peux faire maintenant, je choisis la tension et le malaise intérieur.**

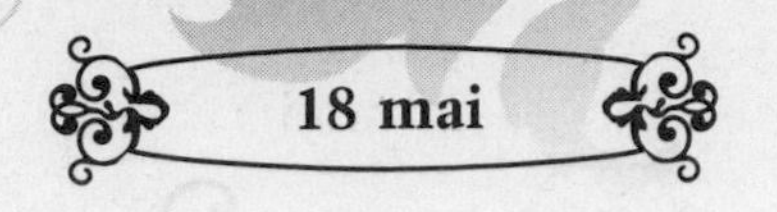


# JE DEMANDE À ÊTRE LÀ OÙ EST MA PLACE AUJOURD'HUI

En me levant chaque matin, je confie ma journée, mes pensées et mes actions à ma Puissance supérieure. Je lui demande aussi de pouvoir me trouver là où je dois être aujourd'hui. Ainsi, je consens à vivre selon sa volonté à mon endroit pour cette journée. Cette demande me place dans une perspective spirituelle où je trouve la paix et la sérénité. En effet, je n'ai plus l'impression de vivre isolée dans ce monde et de vouloir accomplir des actes qui semblent n'avoir aucun but. J'accepte ainsi de ne plus conduire ma vie à ma manière. Je ne suis plus seule dans un monde dépourvu de sens.

---

**Demander d'être là où je dois être aujourd'hui me fait croire en un monde où j'ai ma place.**

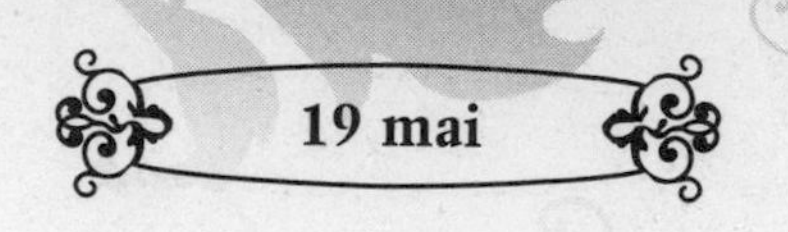

19 mai

# JE ME DISCIPLINE DANS MA VIE

Il est difficile de croire que la discipline personnelle puisse être bénéfique et désirable. Ce mot évoque plutôt la contrainte, l'obligation, la perte de liberté, et suscite la rébellion. Mais, pourtant, il me faut de la discipline pour changer mes habitudes de vie: vivre un jour à la fois, être à l'écoute de mes réactions, ne pas me laisser entraîner dans des scénarios mentaux. Au début, c'est par un effort conscient de ma volonté que j'ai à choisir ces nouveaux comportements, qui deviennent peu à peu des habitudes qui remplacent mes anciennes. La discipline me libère alors d'anciens comportements dysfonctionnels en me proposant de persister dans une nouvelle façon de vivre.

---

**La discipline consentie dans ma vie cesse d'être une contrainte pour devenir un facteur de libération.**

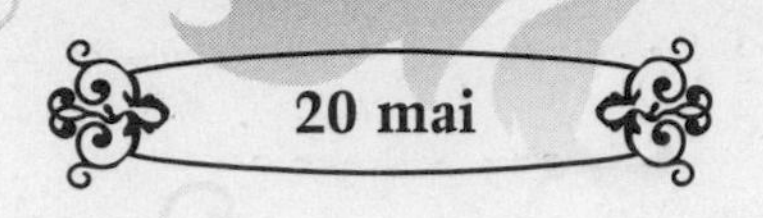

## 20 mai

# JE CHOISIS MON COUPLE

Il y a déjà plusieurs années, j'ai choisi de vivre ma vie avec celui qui est mon conjoint. Mon choix d'alors, je l'ai souvent refait au cours des années. Et je le fais encore aujourd'hui. Je pense à ma relation de couple comme à une partie de ma vie qui se renouvelle constamment et je ne me sens pas esclave de mon choix d'autrefois. Je ne me suis pas enfoncée dans la routine et l'habitude de mon couple et, encore aujourd'hui, je découvre des choses nouvelles à mon sujet et au sujet de mon conjoint. C'est à cette condition que je me sens libre dans ma vie de couple et que je prends la décision de continuer à y vivre.

---

**Je choisis de rester**
**dans mon couple**
**parce que je m'y sens libre:**
**la possibilité de rester**
**et celle de quitter**
**sont des options réelles.**

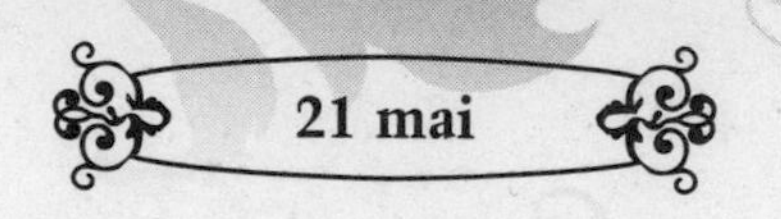

21 mai

# JE NE RESTE PAS DANS LA CONFUSION

L'incapacité à comprendre clairement où j'en suis et ce que je vis, l'impossibilité de discerner les différentes options qui s'ouvrent à moi s'appelle la confusion. Il m'est difficile de fonctionner de façon autonome dans ces moments. C'est pourquoi je ne reste pas dans un tel état et, aussitôt que j'en ai conscience, je prends les moyens pour en sortir. Je m'adresse à ma Puissance supérieure pour lui demander la clarté d'esprit nécessaire. Je discute de mon état avec mon conjoint. Je contacte des gens dont le bon jugement m'inspire confiance pour leur bon jugement et je leur demande conseil. Je passe ensuite à l'action pour changer mes attitudes mentales.

---

**La confusion de l'esprit m'empêche de fonctionner adéquatement et je prends le moyen de m'en sortir.**

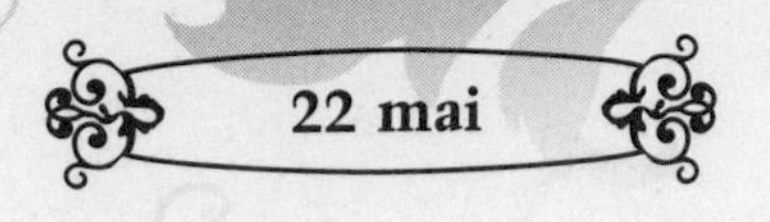

22 mai

# J'AI BESOIN DE RECONNAISSANCE

J'ai besoin d'être reconnue comme une personne à part entière, unique et irremplaçable. Et ce besoin est normal: chaque être humain l'éprouve. J'ai souvent agi de façon à combler ce besoin en faisant des efforts surhumains pour mériter la reconnaissance des autres: rendre service, être active dans des organismes, prendre les problèmes des autres sur mes épaules, etc. Je n'avais pas compris que la reconnaissance ne se mérite pas. C'est quelque chose qui passe inconditionnellement entre deux êtres humains. C'est le cas avec mon conjoint, par exemple. C'est que je suis alors acceptée telle que je suis, sans conditions préalables.

---

**Le besoin d'être reconnue**
**ne se mérite pas:**
**il m'est offert**
**inconditionnellement**
**par des gens qui m'acceptent**
**telle que je suis aujourd'hui.**

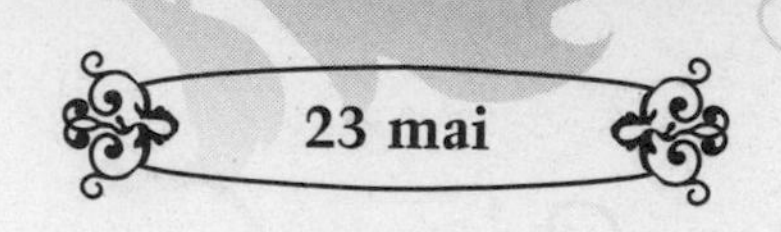

## 23 mai

# SUIS-JE PERFECTIONNISTE?

Le perfectionnisme est une forme de maladie. Vouloir que tout soit absolument parfait, que rien ne prête le flanc à la critique ou au jugement est l'essence de cette maladie de l'esprit et de l'âme. Et cela consiste moins en un désir d'amélioration et une recherche de perfection qu'à une fuite de la critique. Si je succombe à cette maladie, je deviens quelqu'un d'inefficace, paralysée par la peur que tout ne soit pas parfait. J'essaie plutôt de faire de mon mieux aujourd'hui, tout en acceptant mes imperfections comme faisant partie de ma nature humaine et les critiques comme un moyen de m'améliorer.

---

**J'évite de tomber<br>dans le perfectionnisme;<br>je me donne le droit<br>d'être parfaitement imparfaite<br>dans mes pensées,<br>mes sentiments<br>et mes comportements.**

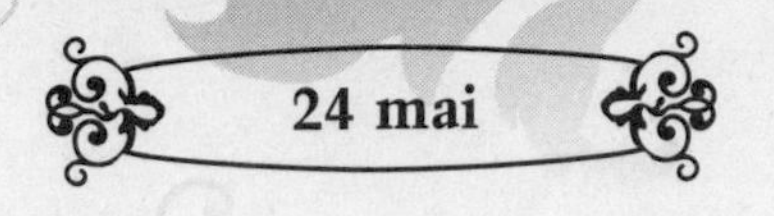

24 mai

## JE NE SUIS JAMAIS SEULE

Même si parfois je trouve qu'il n'y a personne autour de moi et que mes rapports avec les autres, même avec mon conjoint, sont au point mort, je suis dans l'erreur. Les sentiments d'abandon et de tristesse que j'éprouve alors ne sont pas réels, même s'ils m'atteignent réellement. J'ai toujours le choix de retrouver la présence de ma Puissance supérieure, qui est toujours là, mais dont la présence se fait toujours discrète. Ressentir cette présence dissout les sentiments d'isolement et de tristesse et les remplace par la paix intérieure. Savoir que cette présence est toujours disponible pour moi m'aide grandement à passer à travers les moments de doute et d'isolement.

---

**Je me souviens
que ma Puissance supérieure
m'accompagne toujours,
même lorsque je me coupe
de sa présence.**

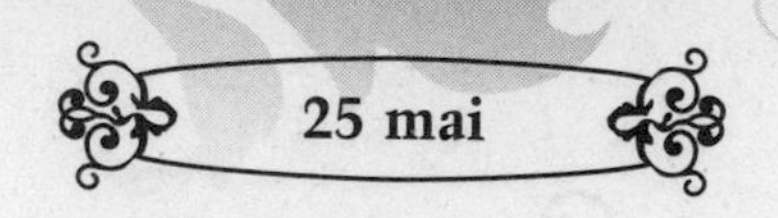

25 mai

## LA CONFUSION M'EMPÊCHE D'AVANCER

Lorsque je vis de la confusion, il me semble que rien n'avance dans ma vie. Mes choix et leurs conséquences ne m'apparaissent pas clairement, mes décisions sont prises lentement quand elles ne sont pas remises indéfiniment. J'hésite à parler à mes amis. Je demeure tout à fait impuissante devant cette confusion. C'est alors que je demande à ma Puissance supérieure de m'indiquer une autre manière de voir les choses qui me concernent. C'est ce qu'il me reste de mieux à faire. L'alternative n'a aucun sens puisqu'elle ne mène à rien. La recherche du discernement fait partie de mon évolution.

---

**Pour combattre la confusion qui peut s'installer en moi, je demande à ma Puissance supérieure une autre façon de voir la réalité.**

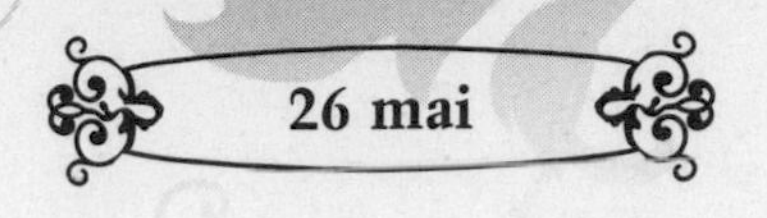

26 mai

## JE ME LAISSE AIMER DE MON CONJOINT

J'avais souvent de la réticence à accepter les marques d'affection et d'amour que mon conjoint me manifestait. Je le trouvais envahissant, dérangeant. Ou bien je ne me sentais pas digne de son attention. Maintenant, j'apprécie qu'il désire me manifester encore son amour avec autant de conviction. J'éprouve de la reconnaissance d'être ainsi aimée par quelqu'un, même si c'est bien imparfaitement. Il nous arrive d'avoir des désaccords ou même des disputes, mais nous vivons tout de même une relation suffisamment profonde pour que ces différends puissent être résolus avec amour.

---

**Il est valorisant de se sentir aimée d'une autre personne; j'accepte de laisser l'amour entrer dans ma vie.**

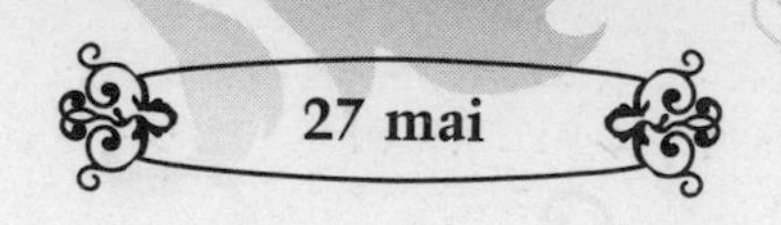

27 mai

## JE N'AI PAS LA SOLUTION À TOUS LES PROBLÈMES

Lorsque je crois que la solution d'un problème ne dépend que de moi et que si j'y travaille suffisamment fort je la trouverai, je ne réussis qu'à me faire des soucis inutiles. Dans cet état d'esprit, je fais de mon mieux pour tout prévoir et pour être préparée à n'importe quelle éventualité. Pourtant, dans de tels moments je ne suis pas heureuse. Je trouve, en fait, difficile d'assumer une telle responsabilité. Il est beaucoup plus simple que j'admette être dépassée par certains problèmes. Je demande alors à ma Puissance supérieure de s'en occuper à ma place et de mettre sur mon chemin la solution à ce problème, et il est rare que je sois déçue.

---

**Il est beaucoup plus simple d'admettre à ma Puissance supérieure que je n'ai pas la solution à tous les problèmes et que j'ai parfois besoin de son aide.**

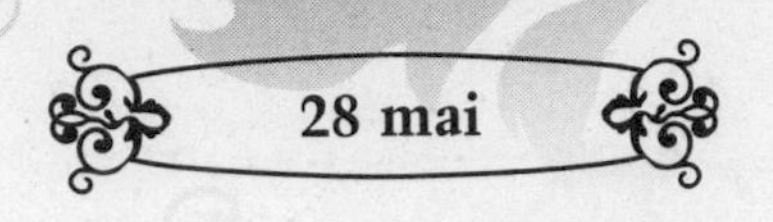

28 mai

## JE TROUVE DES MOTIFS DE GRATITUDE

Depuis que j'ai commencé à changer, les sentiments négatifs de découragement, d'abandon, d'égoïsme prennent moins de place dans ma vie. Je les remplace par l'expression de ma gratitude envers tout ce qui est bon dans ma vie. J'éprouve et j'exprime de la gratitude pour plusieurs raisons. Pour la santé et l'équilibre de ma personne. Pour la capacité d'éprouver par moments un sentiment d'unité avec l'Univers et avec la vie. Pour les quelques relations enrichissantes que je vis, surtout pour mon couple. Pour ma capacité retrouvée d'être active et positive dans ma vie. Par la gratitude que je ressens, je reconnais que j'ai reçu tout cela de ma Puissance supérieure.

---

**La gratitude
que je ressens chasse
les sentiments négatifs
de mon expérience de la vie.**

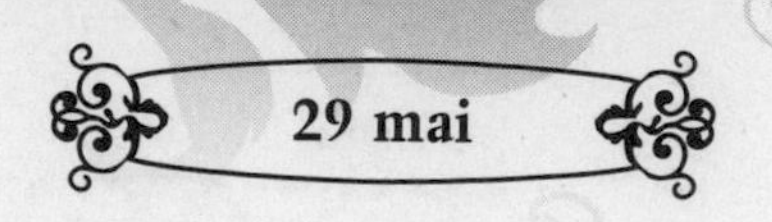

29 mai

## JE PRENDS DES RISQUES

Aujourd'hui, je prends des risques dans ma vie. Un risque est un changement par rapport à ce qui était. Je risque de m'ouvrir à mon conjoint telle que je me sens vraiment. Je prends le risque de choisir des choses que j'ai toujours eu envie de faire, mais que je n'ai jamais osé entreprendre. Je me risque à aller au-delà de mes certitudes confortables, mais paralysantes, et de mes habitudes de toujours. Je choisis d'expérimenter des choses nouvelles, prétendument pas de mon âge. Je choisis de risquer de me dépasser et de prendre la vie à bras-le-corps. Je sais que la vie prendra soin de moi si je ne crains pas de prendre des risques.

---

**Je choisis de prendre des risques pour aller plus loin et me rapprocher de la personne que je suis vraiment.**

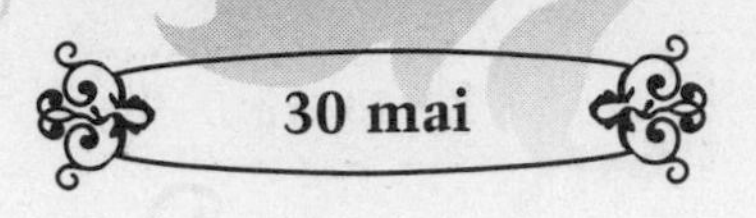

# 30 mai

## JE SUIS CRÉATIVE

Je m'efforce de développer ma créativité en recherchant une manière originale et nouvelle de faire quelque chose, au lieu de me contenter de la première solution venue, du moment qu'elle fait l'affaire. J'ai un potentiel que je n'exploite pas encore suffisamment et qui ne demande qu'à être mis en valeur. Je ne me laisse pas influencer par la peur d'être différente en recherchant une façon nouvelle de voir les choses. Je développe la confiance en mes capacités d'innover. Je recherche une façon originale de percevoir et je fais des liens entre des éléments que je n'aurais pas songé à rapprocher.

---

**En développant ma créativité,**
**je contribue**
**à mon développement,**
**mais aussi**
**à celui de l'Univers.**

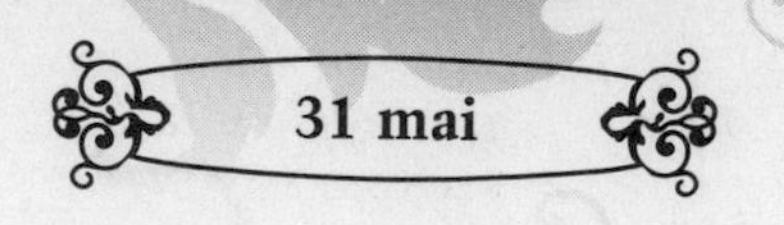

31 mai

# JE COMMENCE BIEN MA JOURNÉE

Autrefois, il m'arrivait souvent de n'être pas en forme le matin et de n'avoir pas envie de me lever, de sortir, d'aller au travail, etc. Toutes les petites tâches du matin ne m'intéressaient alors tout simplement pas. Il m'arrivait d'être saisie par la peur d'aller au dehors et de faire face à la vie. Aujourd'hui, ces attitudes m'ont quittée. Et j'en profite pour mesurer alors l'étendue des changements qui se sont produits dans ma vie. J'en éprouve de la gratitude. Aujourd'hui, je me lèverai en forme et je ferai avec joie tout ce que j'ai à faire; passerai une belle journée.

---

**J'ai maintenant le choix de bien ou de mal commencer la journée; pouvoir choisir cela me rend libre.**

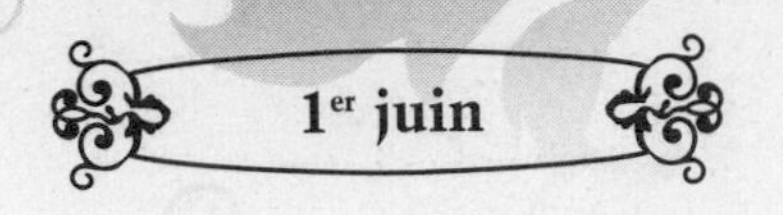

1er juin

# JE N'ABANDONNE PAS

Il y a des moments dans ma vie où je suis tentée de me demander «À quoi bon?» Je suis alors prête à abandonner tout le travail que je fais pour améliorer ma vie et acquérir de saines habitudes. Et c'est bien là qu'est la question: suis-je capable de persévérer afin de remplacer des habitudes de vie inadéquates par des habitudes saines? Là est le véritable enjeu, et non pas dans un sentiment passager de découragement. Les habitudes ne s'acquièrent pas en quelques jours. Il faut du temps pour en créer une qui viendra remplacer des comportements habituels, dont je désire me débarrasser parce qu'ils me maintiennent dans la souffrance.

---

**Je persévère dans mes efforts car je suis beaucoup plus près de mon but que je ne le crois.**

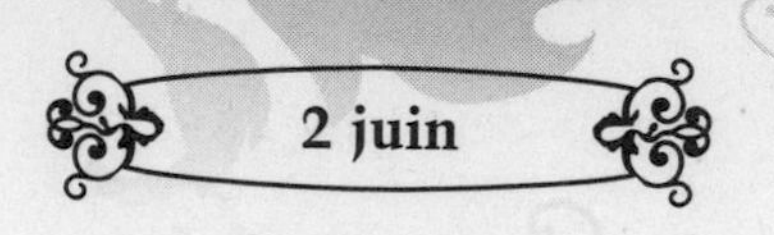

2 juin

## LA VIE REMPLACE LA MORT

Si j'observe la nature, j'y trouve plein d'exemples qui m'enseignent qu'une vie nouvelle suit la mort. La chenille meurt pour donner naissance au papillon. La graine meurt pour que naisse le fruit. Ainsi, le vieil être en moi, enveloppé dans ses habitudes, ses conceptions et sa routine, doit mourir pour que naisse l'être nouveau. Et ce remplacement ne se fait pas sans résistances ni sans souffrance. Mais c'est une condition nécessaire à mon évolution personnelle, pour que j'acquière de nouvelles habitudes de vie. Alors, une personne nouvelle prendra la place de l'autre afin qu'elle vive une vie meilleure.

---

**Je demande le courage nécessaire pour accepter que ce processus de mort et de renaissance se passe en moi.**

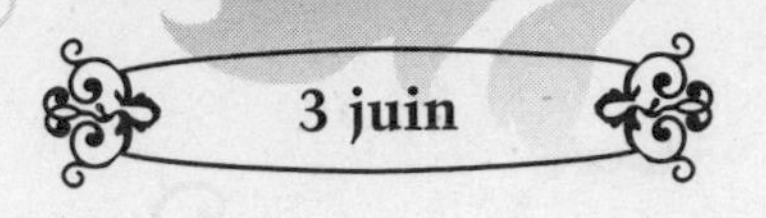

3 juin

# JE DRESSE UNE LISTE DE MES QUALITÉS

Une partie de mon évolution personnelle a consisté à prendre conscience de mon identité: Qui suis-je? Comment est-ce que je fonctionne? Qu'est-ce qui doit être corrigé en moi? Autant de questions qu'il m'a fallu approfondir. Lorsque le contact avec ma réalité intérieure s'est amélioré, j'ai commencé à réaliser graduellement que j'avais également des qualités, que j'étais capable d'actions positives et bénéfiques pour moi comme pour les autres. Il est important que je prenne conscience des aspects positifs et des forces de ma personnalité. Pour m'y aider, je dresse une liste de mes qualités, accompagnée d'exemples récents de mes bonnes actions.

---

**En faisant un bilan de mes qualités, j'augmente l'estime que j'ai de moi-même.**

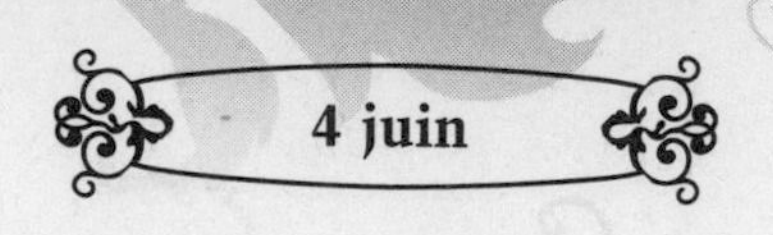

# 4 juin

## J'UTILISE BIEN MON TEMPS

Au début de ma journée, je me place dans un état d'esprit où j'envisage de bien utiliser le temps qui m'est donné. Je planifie ce qui peut l'être, je choisis ce qui est bon à faire et je m'attends à recevoir le meilleur qui puisse se produire pour moi. Je n'essaierai pas de contrôler le cours des événements. Je ne tenterai pas d'amener les autres à faire mes quatre volontés. Je serai moi-même et je ferai face aux circonstances au mieux de moi-même, tout en étant consciente de mes limites. Surtout, je ferai de mon mieux pour ne gaspiller ni mon temps ni mon énergie.

---

**J'emploie avec discernement le temps qui m'est donné aujourd'hui.**

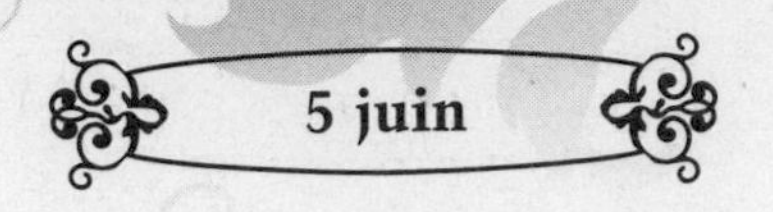

# EST-CE QUE J'APPRENDS DE MES EXPÉRIENCES?

La vie est parfois compliquée et me réserve des épreuves qu'il n'est pas toujours facile de traverser. Lorsque je vis de tels moments, est-ce que je m'efforce d'y découvrir des éléments positifs? Est-ce que j'apprends alors à mieux me connaître? Dans l'adversité, il y a toujours des leçons à tirer; lorsque je me donne la peine de les déchiffrer, l'amertume et la tristesse ont bien moins d'emprise sur moi. Ainsi, j'en viens à triompher des situations difficiles, au lieu d'y rester et de m'y enliser.

---

**Est-ce que je sais tirer profit des moments difficiles de ma vie?**

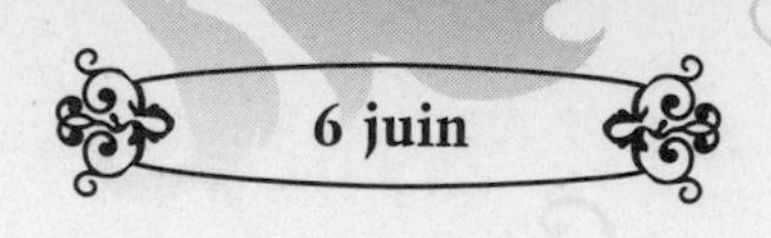

## MES LIMITES PHYSIQUES

Comme tout le monde, des limites physiques me sont imposées par mon corps et mon histoire biologique personnelle. Je dois les accepter pour autant que je demeure incapable de les dépasser. Je ne crois pas que me demander l'impossible puisse être le but de ma vie. Mais à l'intérieur de mes limites, je peux aller beaucoup plus loin que je ne le crois: là est mon véritable dépassement. Est-ce que je profite au maximum de mes capacités, de mes sensations, de mes possibilités de déplacement? Si tel n'est pas le cas, je dois faire plus d'effort dans ce domaine en particulier.

---

**J'accepte mes limites physiques, mais je ne les utilise pas comme excuse pour être moins active que je ne le pourrais.**

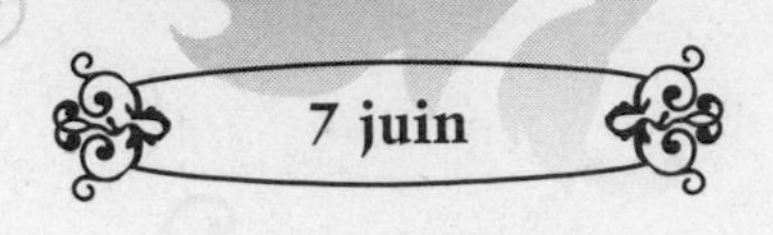

# JE PROFITE DU PRINTEMPS

Le printemps tire déjà à sa fin et peut-être ne l'ai-je même pas vu passer. Cette saison de renaissance exubérante dans notre climat est quand même là pour me rappeler le mouvement de la vie dans la nature. La venue du printemps signifie aussi un changement de rythme pour moi. L'hiver, avec ses courtes périodes de soleil et ses basses températures, m'avait habituée à une certaine lenteur. Maintenant, les journées allongent et la quantité de lumière à laquelle je suis exposée augmente. Cela joue sur mon état d'être et me porte à être davantage active, à agir avec plus d'entrain.

---

**Le printemps me rappelle que je suis aussi soumise au rythme des saisons. Est-ce que j'en profite suffisamment ?**

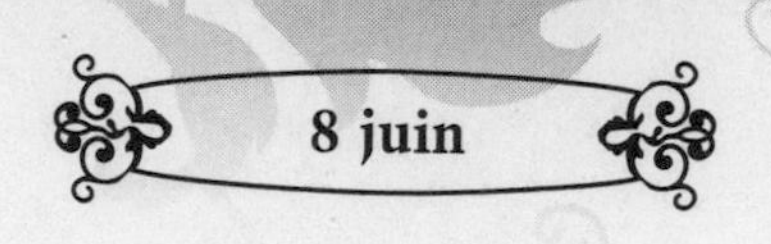

8 juin

## AI-JE TENDANCE À M'ISOLER?

Encore aujourd'hui, il m'arrive parfois, lorsque je ne vais pas bien, d'avoir recours à l'isolement. J'évite alors tout contact avec mon conjoint, mes proches et mes amis. Je n'appelle ni ne visite personne. Aussitôt que je me vois céder à ce comportement, je fais de mon mieux pour réagir. Je regarde d'abord en moi pour trouver ce qui ne va pas vraiment, puisque cette tendance à l'isolement n'est qu'un symptôme. Si je peux agir sur ce qui ne va pas en moi, je le fais. Sinon, je prie afin d'en venir à voir les choses autrement. Je n'hésite pas à en parler avec mon conjoint ou avec d'autres personnes à qui j'ai l'habitude de me confier. Mais je sais que l'isolement est mauvais pour moi et je ne le laisse pas me dominer.

---

**Je m'examine sérieusement si j'ai tendance à m'isoler car je suis en réalité aux prises avec quelque chose de plus profond et de plus grave.**

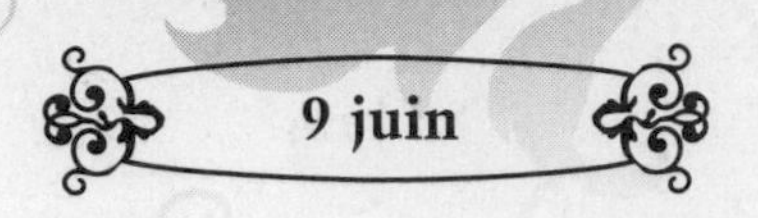

9 juin

## JE VIS BIEN MA VIE

J'ai une responsabilité devant ma vie: la vivre le mieux possible, le plus intensément et le plus entièrement possible. J'ai aussi une responsabilité devant la vie des autres: les laisser vivre la leur comme ils l'entendent. Cela s'applique à mon conjoint, à mes proches, à mes parents, surtout quand je les connais bien. Je ne suis pas là pour leur faire vivre leur vie ou pour les contrôler. Mon but est de faire de ma propre vie une réussite. Si je m'y consacre pleinement, il ne me restera en fait plus de temps pour essayer de contrôler la vie des gens autour de moi. En renonçant à exercer une influence dominatrice dans la vie des autres, je me libère d'un grand poids: je n'ai plus à m'occuper que de moi.

**Je ne suis responsable que de ma propre vie.**

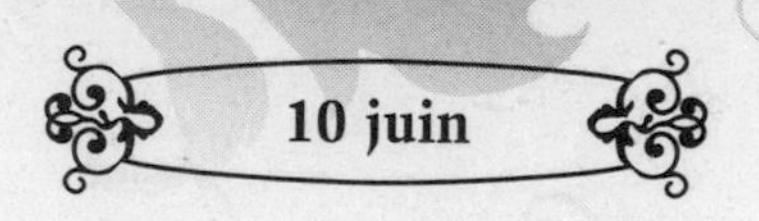

10 juin

# JE PLEURE LORSQUE C'EST NÉCESSAIRE

Lorsqu'un sentiment de grande tristesse m'envahit, il est normal que j'éprouve le besoin de le dominer. C'est en pleurant que je le fais. Cela libère des tensions en moi et m'apporte un soulagement. En pleurant, lorsque c'est nécessaire pour garder un équilibre dans ma vie émotionnelle, j'accepte alors d'être authentique vis-à-vis de moi-même au lieu de réprimer un comportement légitime. Je renonce à un faux sentiment de honte ou à un comportement répété qui m'interdisaient de le faire. Je vis alors plus pleinement mon humanité.

---

**Je n'hésite pas à pleurer lorsqu'un véritable sentiment de peine m'envahit.**

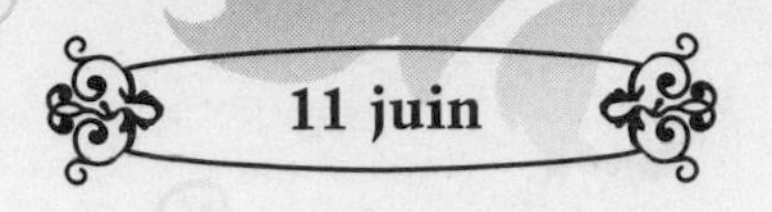

## JE NE DÉVELOPPE PAS D'ATTENTES DANS MON COUPLE

Une bonne manière d'entrer dans le cycle de la déception, de la frustration et de la dépression est de nourrir des attentes de la part de mon conjoint ou une situation de notre vie de couple. Si je fais ce choix, je risque toujours de nourrir des espérances irréalistes ou exagérées. Quand la réalité reprendra ses droits et que je constaterai les résultats, je serai forcément désappointée. Je développerai de la colère à l'endroit de mon conjoint ou envers moi-même et je me retrouverai dans un cycle de déception d'où il est très difficile de sortir. Afin de m'éviter cela, je sais qu'il vaut mieux ne pas avoir trop d'attentes.

---

**En renonçant aux attentes, je m'évite bien de la souffrance inutile.**

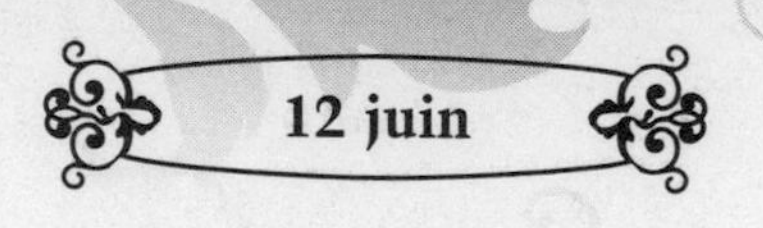

12 juin

# JE PRENDS CONSCIENCE DE MA VALEUR PERSONNELLE

Être en contact avec ma valeur personnelle me fait ressentir un profond sentiment de bien-être. Je n'ai pas été habituée à me voir comme un être unique, doué de qualités et de forces, et il m'a fallu développer cette nouvelle façon de me voir. Lorsque je vis avec une opinion saine de moi et de mes capacités, cela me fait du bien. L'important, c'est que cette vision positive revienne malgré des périodes de doute. Cette nouvelle vision de moi vient du choix que j'ai fait de mieux me connaître et d'entrer en contact avec la personne que je suis véritablement. C'est un choix que je ne regrette pas puisqu'il m'a amenée à prendre conscience de ma valeur personnelle.

---

**J'apprends à m'aimer en apprenant à me connaître.**

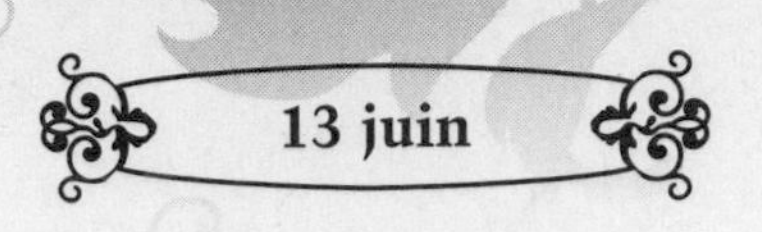

13 juin

## JE PRATIQUE LA DÉTENTE

La fatigue, le stress et le surmenage sont des ennemis personnels qui m'éloignent de ce que je veux vraiment être. Ils nuisent à ma concentration, perturbe ma paix intérieure et me font perdre mes moyens d'action. Je demeure donc attentive à ne pas entreprendre trop de choses en même temps. Je me réserve des périodes de repos et de détente pendant lesquelles je pratique une autre activité. Je veille aussi à dormir suffisamment et à me reposer au besoin. Je trouve le contact avec la nature particulièrement reposant; aussi, lorsque je me sens stressée, une promenade dans un parc ou à l'extérieur de la ville m'aide à me détendre.

---

**La détente est importante pour me garder en équilibre.**

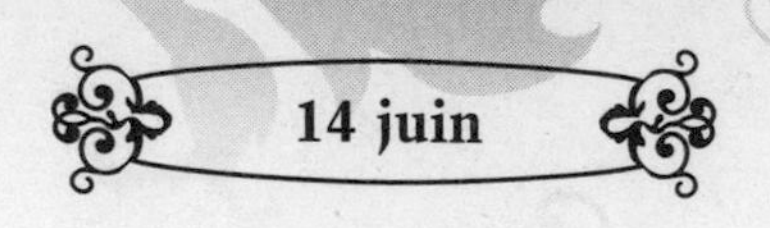

14 juin

# J'APPRÉCIE LE SILENCE AMBIANT

Lorsque le silence et le calme remplissent le lieu où je me trouve, je ne réagis plus par l'inconfort ou la panique. J'apprécie maintenant qu'il y ait des moments de tranquillité ambiante. Je peux me retrouver avec moi-même, méditer, ou simplement me relaxer. Je ne me sens plus dérangée par cette ambience; j'en profite plutôt comme d'un moment rare qui m'est offert pour me retrouver avec moi-même. Ce contact conscient avec moi est important car il favorise mon évolution. En me rencontrant, j'apprends à m'accepter et à vivre telle que je suis. Auparavant, je ne cherchais qu'à me fuir, et m'étourdir dans l'agitation fébrile était un bon moyen de le faire.

---

**Un moment de silence est bon pour moi: il me permet d'entretenir avec moi-même un contact conscient.**

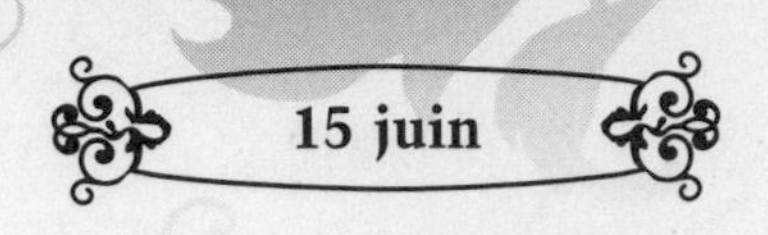

15 juin

# J'UTILISE MA VOLONTÉ EFFICACEMENT

J'ai souvent essayé de contrôler des aspects de ma vie sans jamais vraiment y réussir. J'ai tenté de combattre mes défauts à coup de volonté. J'ai essayé de me forcer à être spontanée et ouverte. Rien de tout cela n'a marché pendant très longtemps. Maintenant je réalise que changer ma personnalité par l'entraînement de ma seule volonté est un exercice futile. En fait, je ne crois pas qu'il soit possible de la changer, mais seulement de l'améliorer en y remplaçant quelques habitudes de vie par d'autres, meilleures. Et les changements profonds qu'ils impliquent, comme la persévérance, je les laisse à l'action de ma Puissance supérieure. Ma volonté consiste simplement à me diriger dans ce sens.

---

**Ma volonté peut m'aider ou me nuire, selon que je l'emploie ou non avec discernement selon les lois de la vie.**

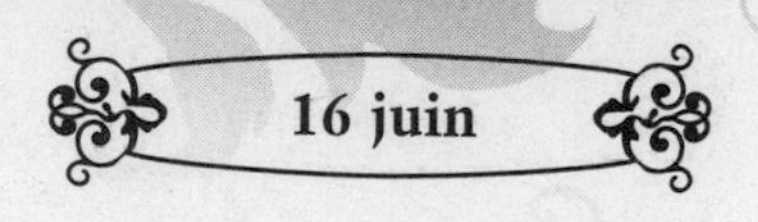

16 juin

# JE M'AFFRANCHIS DES LIMITES DE LA PEUR

La peur malsaine, non fondée, illusoire est une peur dont le but n'est pas de me mettre en garde contre un danger imminent. Elle est plutôt là pour me paralyser, m'empêcher de changer et d'évoluer. C'est une peur qui limite mon action en m'empêchant de croire en mes possibilités, en mes qualités, en ma capacité de ressentir de la paix intérieure. Sous son emprise, je perds toute possibilité d'action. Est-ce cela que je désire ? Ai-je été créée pour vivre ainsi ? Pas vraiment. Aussi, je demande à ma Puissance supérieure de me délivrer de la fausse peur en la remplaçant par la certitude que la vie me demande d'évoluer et de changer. C'est ainsi que je me libère des limites imposées par la peur.

---

**Je remplace la peur par la confiance en la vie.**

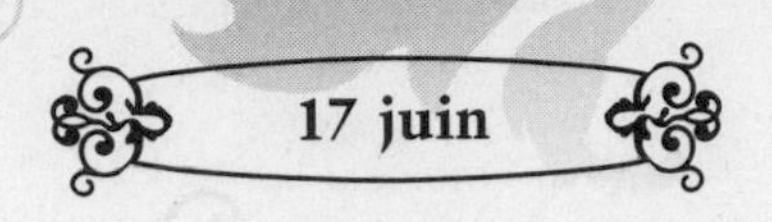

17 juin

## JE SUIS RECONNAISSANTE POUR MA VIE DE COUPLE

Une des belles choses qui me soient arrivées dans la vie est d'avoir établi une relation avec mon conjoint et de vivre une vie de couple épanouissante avec lui. Lorsque j'ai tendance à tenir cet aspect de mon destin pour acquis, je me rappelle que c'est un cadeau de l'au-delà dont j'ai à prendre soin, que j'ai à faire fructifier. Je serais imprudente de tenir ma vie de couple comme acquise une fois pour toutes. Je demeure donc consciente de ce fait et j'éprouve de la reconnaissance pour cette bénédiction. Je m'investis dans cet aspect de mon destin.

---

**La meilleure façon d'être reconnaissante pour ma vie de couple est d'en prendre soin et de l'enrichir.**

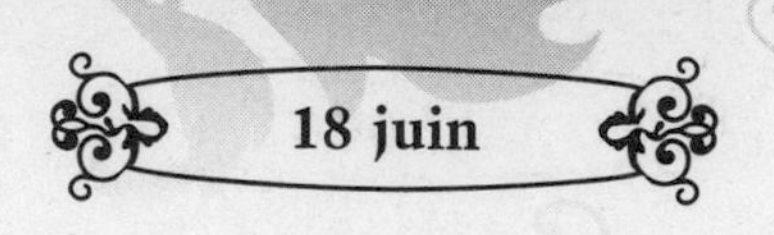

18 juin

## JE PRENDS LE RISQUE D'AIMER

Aimer est un risque. J'accepte de m'ouvrir et de me rendre vulnérable devant celui que j'aime. Je suis consciente que je peux être facilement blessée dans un tel contexte. Je peux y vivre du rejet. C'est un saut dans l'inconnu, puisque je ne contrôle pas les résultats de cet aspect de ma vie. Mais en prenant ce risque, je me branche sur ce qu'il y a de plus humain en moi, ma capacité d'entrer en véritable relation avec un autre être humain et de vivre en intimité avec lui. En découvrant l'autre, je me découvre moi-même; en aimant l'autre, je dois apprendre à m'aimer moi-même.

---

**Je demande le courage de faire confiance et d'aimer.**

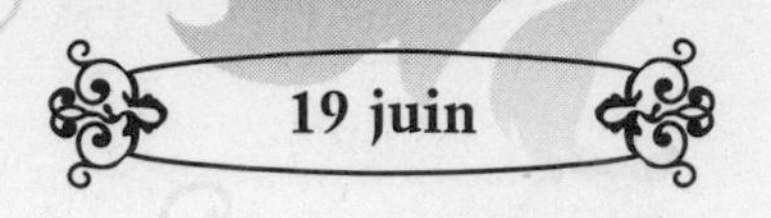

19 juin

## JE ME DÉCOUVRE EN CROISSANT

La croissance personnelle dans laquelle je me suis engagée consiste moins à accumuler des connaissances nouvelles à mon sujet qu'à entrer en contact avec des aspects de moi-même qui m'étaient jusqu'ici voilés par mon manque d'intérêt et le brouhaha du monde extérieur. Ces découvertes que je fais sur moi proviennent des expériences que j'accepte de vivre et qui m'amènent à entrer en contact plus profond et plus intime avec ma propre réalité intérieure. J'apprends tout simplement à mieux me connaître et il n'y a rien de magique là-dedans. Tout cela était en moi; il me fallait seulement entrer en contact conscient avec moi-même pour le réaliser.

---

**La croissance personnelle
est moins une découverte de soi
qu'une rencontre
avec mon vrai moi
par l'expérience.**

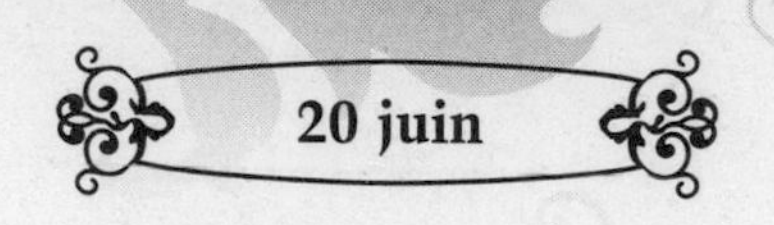

20 juin

## EST-CE QUE JE BLÂME MON CONJOINT POUR CE QUI NE VA PAS ?

Il arrive souvent que les choses n'aillent pas à mon goût, dans l'un ou l'autre des domaines de ma vie. Si cela se passe au travail, j'ai parfois tendance à en mettre le blâme sur l'un ou l'autre de mes collègues. S'il s'agit de ma vie de couple, je peux avoir tendance à en blâmer mon conjoint. Mais est-il important que quelqu'un soit responsable quand quelque chose ne va pas ? Tant que je persiste à rendre l'autre responsable d'une telle situation, je me sépare de lui en établissant une différence entre nous. Ne vaut-il pas mieux me demander ce que je peux faire pour améliorer la situation et mettre de l'harmonie s'il en manque ?

---

**Chercher un responsable pour ce qui ne va pas m'empêche de m'engager dans la solution du problème.**

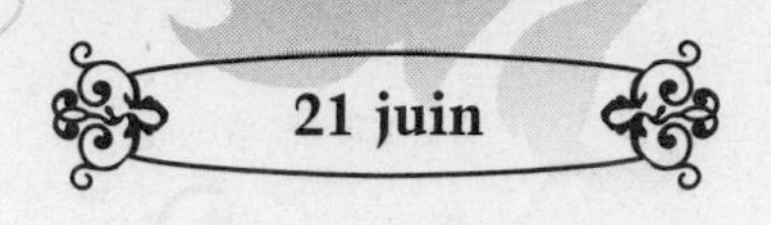

# J'ACCUEILLE L'ARRIVÉE DE L'ÉTÉ

Une nouvelle saison s'amène aujourd'hui: l'été. C'est une période de l'année où il est facile de faire des activités avec mon conjoint, avec ma famille ou avec des amis: sorties, baignades, repas en plein air. Cela me permet de communiquer davantage avec les autres. Mais je dois aussi me rappeler de ne pas m'étourdir dans les sorties et les activités. L'été me remet en contact avec la nature et me permet d'observer la croissance de la vie. Ce contact est une leçon pour moi et me rappelle de bien vivre mon contact avec la création qui m'entoure.

---

**L'été est une saison où j'ai à apprendre sur la place que j'occupe dans la nature.**

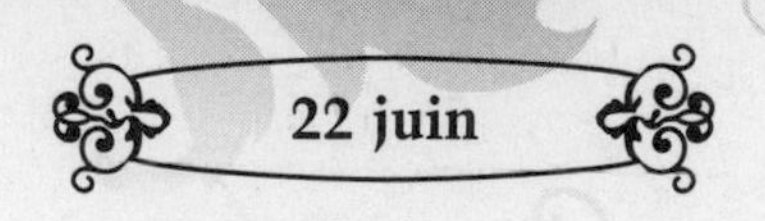

22 juin

# JE ME CONCENTRE SUR AUJOURD'HUI

Si j'ai tendance à oublier qu'aujourd'hui est la seule journée qui compte, je risque de me perdre à nouveau dans la journée passée qu'était hier ou dans un temps à venir qui s'appelle demain. Les regrets, la tristesse ou même la joie d'hier ne sont pas réels: je ne fais alors que me complaire à revivre des choses déjà vécues et j'en oublie de vivre le présent. Rêver aux chimères de demain, qui ne sont pas encore arrivées, me coupe également de mon présent. Dans les deux cas, je ne fais que survivre pendant que la vie passe tout autour de moi sans que j'y participe.

---

**Est-ce que je fuis la vie qui jaillit tout autour de moi en me réfugiant dans la nostalgie d'hier ou les chimères à venir de demain?**

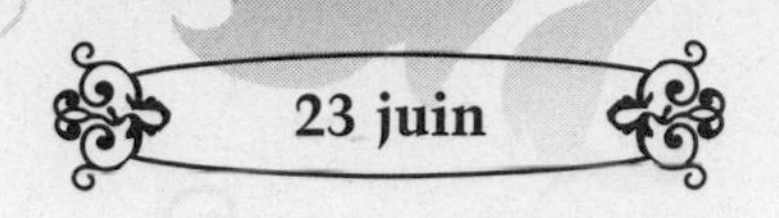

23 juin

# JE RENONCE À TOUJOURS AVOIR RAISON DANS MON COUPLE

Je pense parfois que si je n'ai pas toujours raison, je suis inefficace et je n'occupe pas ma place dans ma relation de couple. Je manque alors de confiance en moi et en ma capacité d'être une compagne adéquate à part entière. Je tombe dans l'erreur à mon sujet et je choisis des attitudes et des comportements qui conduisent à la souffrance et au déséquilibre dans mon couple. Il n'est pas nécessaire que j'aie toujours raison et je n'en serai pas moins une compagne idéale. Reconnaître que je me suis trompée est déjà une façon d'avoir raison puisque c'est une façon qui privilégie le bien-être de mon couple et me fait renoncer à ce qui n'était qu'une illusion.

---

**Je n'ai pas besoin de toujours avoir raison pour ressentir ma valeur personnelle.**

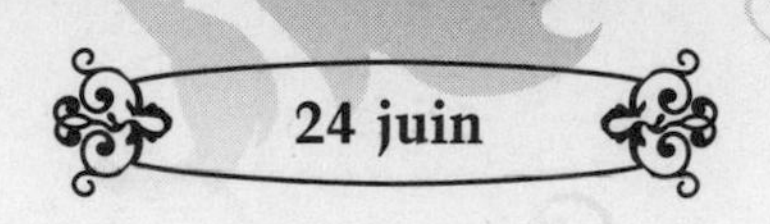

24 juin

## AUJOURD'HUI EST UN JOUR DE FÊTE

Dans ma ville, dans mon quartier, on célèbre aujourd'hui la fête nationale. C'est une occasion de prendre conscience de mon appartenance à la société dans laquelle je vis. C'est pour moi le thème important de ce jour: l'appartenance. Cela signifie, dans mon évolution, le fait de ne pas être isolée, de ne pas toujours rester dans mon coin. Cela me dit que je suis capable de faire des projets avec les autres, que je peux envisager le changement dans ma vie, que les gens autour de moi sont importants. Aujourd'hui me fournit l'occasion d'en prendre conscience.

---

**Je prends conscience**
**que de multiples liens**
**m'unissent aux gens**
**qui m'entourent,**
**connus comme inconnus.**

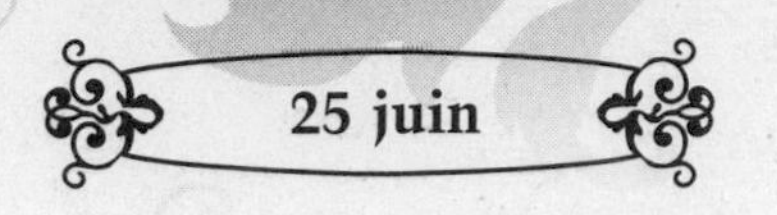



# JE FAIS FACE À UN DE MES PROBLÈMES AUJOURD'HUI

Une de mes méthodes préférées d'aborder mes problèmes était de les ignorer ou de les fuir le plus longtemps possible, jusqu'à ce qu'ils deviennent tellement gros qu'ils en étaient incontournables et ne me laissaient plus d'autre choix que de les affronter. Aujourd'hui, ma méthode demande plus de courage, mais elle me permet d'éviter de longues périodes de tension et d'inquiétudes inutiles. Elle consiste à faire face à un problème à la fois, aussitôt qu'il se présente. Je cesse de le fuir et je le règle. Si cela m'est difficile, je demande de l'aide: celle de mon conjoint, d'un ami ou d'une amie, celle de ma Puissance supérieure. Ainsi accompagnée, je trouve le courage de faire face à mon problème.

---

**Je fais face à un problème à la fois et je cesse d'en remettre la solution au lendemain.**

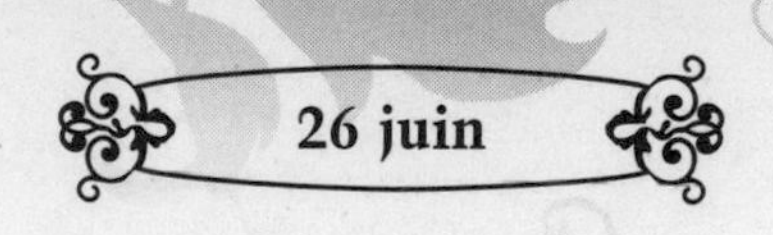


# J'ACCEPTE CE QUI EST

Ce qui est, c'est la réalité. Et la réalité est tout ce qui existe. Si je suis en contact avec autre chose que la réalité, je suis dans le domaine de l'illusion. En fuyant la réalité, j'opte pour l'illusion. Et ce choix m'a toujours menée à une souffrance absurde. Parce qu'inutile. Faire face à la réalité, même si elle est difficile, est toujours beaucoup moins douloureux que faire face au rêve et à l'illusion. Je reste en contact avec ce qui est et avec ce que je suis et je l'accepte pleinement, avec tout mon être. À partir de là, je suis à même de mieux fonctionner dans la vie.

---

**En améliorant**
**mon contact avec la réalité,**
**je bonifie ma relation**
**avec moi-même.**

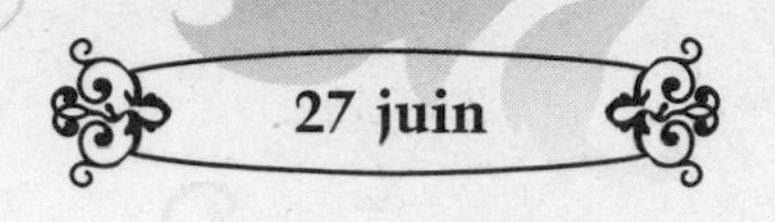



# JE CHERCHE LE BON CÔTÉ

Dans une situation désagréable ou donnant lieu à des contrariétés, je peux choisir de me concentrer sur ce qui me dérange et mal réagir dans la situation parce que je ne m'y sens pas bien. J'ai cependant un autre choix, celui de rechercher le bon côté de cette situation dérangeante. Le bon côté, c'est la leçon qui m'est destinée dans cet événement. C'est le supplément de patience, de tolérance ou d'acceptation que j'ai à mettre en pratique. C'est la révélation que ma façon de réagir demande à être ajustée. Le bon côté c'est la demande qui m'est adressée de faire confiance à la vie, malgré les apparences.

---

**Suis-je capable de reconnaître le positif, le bon côté, dans toute situation problématique qui vient me déranger ?**

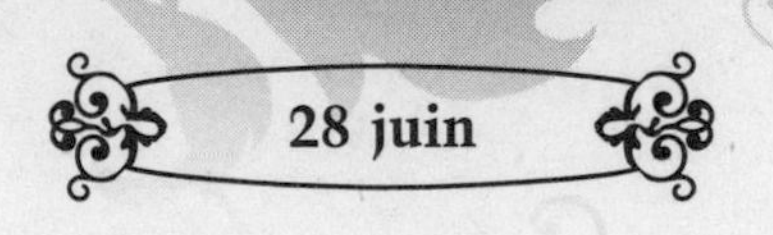

## AI-JE BESOIN DE L'APPROBATION DES AUTRES?

L'approbation des autres m'est-elle nécessaire pour fonctionner et agir? Est-ce qu'avant de faire un geste, je regarde autour de moi afin de déchiffrer des signes d'approbation chez mes proches ou même chez des inconnus? Si c'est le cas, je ne suis sûrement pas autonome. Mes attitudes, mes comportements et mes actes ont sûrement un impact autour de moi, mais pour autant que je ne lèse personne ainsi, je ne devrais pas me préoccuper des réactions des autres. Continuer à être moi-même et à évoluer est plus important que ce que l'on peut penser de moi. Je me libère de l'opinion des autres à mon sujet; je peux librement la solliciter lorsque je le juge utile, mais, autrement, je ne la laisse pas m'influencer.

---

**J'ai suffisamment d'estime pour moi pour ne pas confier à d'autres la responsabilité de mes attitudes, de mes pensées et de mes gestes.**

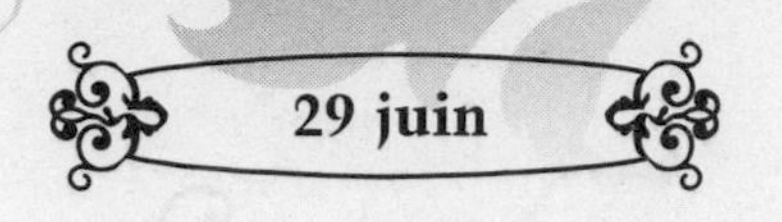

## 29 juin

# JE DEMEURE EN CONTACT AVEC CE QUE JE RESSENS

Une des conditions essentielles à mon évolution personnelle, c'est d'être en contact conscient avec ce que je ressens. Ainsi, je peux identifier clairement ce qui se passe en moi au lieu de me contenter de phrases confuses comme «je vais bien» ou «je vais mal». Si je peux mettre des mots sur ce que je ressens, j'ai déjà une forme de pouvoir sur mes états d'être: je peux choisir de changer telle ou telle chose spécifique au lieu d'avoir à me changer au complet. Si je garde ce contact avec moi-même, j'apprends comment je fonctionne et je suis davantage en mesure d'agir sur ce qui me fait souffrir dans ma personnalité.

---

**En gardant un contact conscient avec ce que je vis, j'apprends à vivre en intimité avec moi-même.**

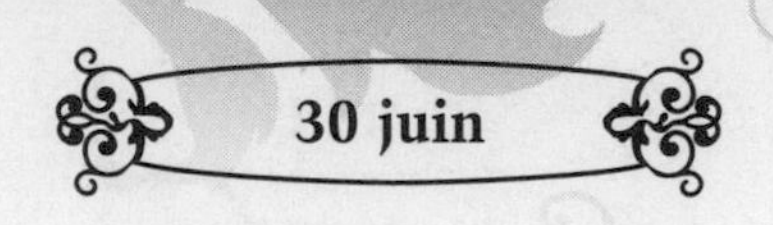

## JE ME RAPPROCHE DE MON CONJOINT

Sollicitée par toutes les activités qu'offre le tourbillon de la vie, il m'arrive parfois de me retrouver moins présente à mon conjoint. La même chose lui arrive également. Nous en sommes conscients et nous essayons de garder notre équilibre dans nos activités en n'oubliant pas que notre vie de couple demeure une priorité. Lorsque je réalise que je n'ai pas été aussi présente que j'aurais aimé l'être, je fais un geste dans le but de changer cet état de choses. Ce peut être un geste très simple, parfois même quelques mots; ce qui compte, c'est mon désir de ne pas laisser les circonstances extérieures venir modifier ma vie de couple dans un sens que je ne désire pas.

---

**Ai-je fait de ma vie de couple une priorité dans ma vie aujourd'hui ?**

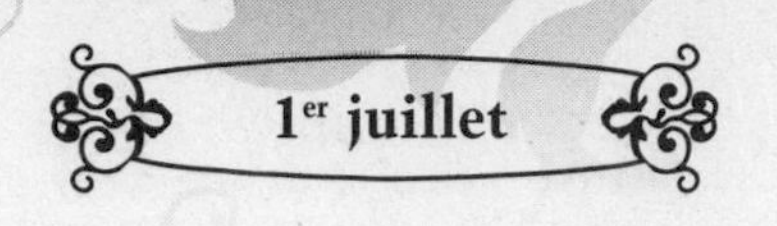
1er juillet

# JE REGARDE EN AVANT

Depuis que j'ai entrepris de changer en moi les choses qui me rendaient malheureuse et m'empêchaient de progresser, je regarde devant moi. J'observe d'abord où je mets les pieds. Je considère avec qui j'entre en contact. Je fais surtout le choix de ne plus regarder en arrière, de ne plus me complaire dans de vieilles histoires ou de vieilles misères. J'opte pour ce qui est nouveau, sain et encourageant. Je choisis de m'engager sur la voie de la paix intérieure et, pourquoi pas, du bonheur. C'est un choix qu'il ne m'est pas toujours facile de respecter, mais je le fais juste pour aujourd'hui, n'est-ce pas?

---

**Hier est déjà passé;**
**ce n'est pas dans cette direction**
**que se trouvent**
**les bonnes choses**
**dont j'ai besoin aujourd'hui.**

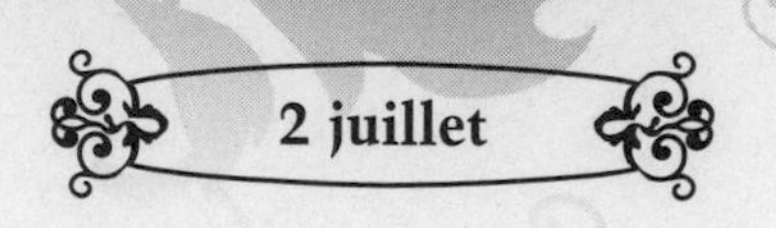

2 juillet

# MA PAIX D'ESPRIT DÉPEND DE MA FOI EN LA VIE

C'est par la pratique et l'expérience que j'en suis venue à la conclusion que ma paix intérieure est ce qu'il y a de plus important pour moi. Et que cette paix dépend de ma foi en la Vie. C'est seulement si je crois avec confiance que la vie prend toujours soin de moi avec bonté et amour que je peux conserver ma sérénité dans un monde qui me met souvent à rude épreuve. Cette foi en la vie revient à croire en ce qui est plus fort que tout ce qui pourrait me nuire. De là, vient ma paix d'esprit. Lorsque je nourris cette croyance, les difficultés s'aplanissent. Lorsque des moments de doute m'assaillent, je perds aussitôt ma sérénité et les problèmes prennent à mes yeux des proportions effrayantes.

---

**Je mets toute ma foi en la vie et je crois qu'elle prend toujours soin de moi afin que ce qui est bon pour moi me soit toujours donné.**

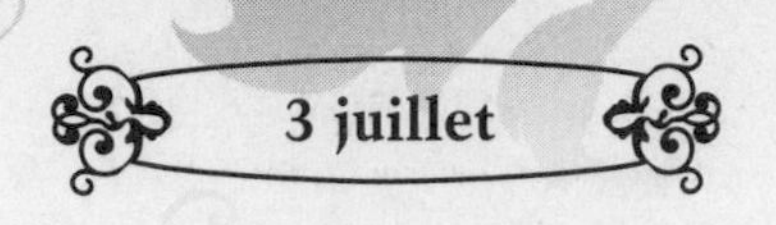

3 juillet

# JE FAIS UN GESTE ATTENTIONNÉ ENVERS QUELQU'UN

Souvent, autour de moi, se trouvent des gens malades ou isolés dans leur souffrance. Ou tout simplement enveloppés dans une solitude d'où ils ne savent s'extirper. Avoir une bonne pensée pour ces personnes est louable. Mais il est encore mieux que je passe à l'action et que je concrétise cette pensée en un geste qui exprime cette bonne intension à leur endroit. Ce peut être un mot d'encouragement, un appel téléphonique ou une invitation. Faire sentir à quelqu'un qu'on pense à lui, qu'on ne l'oublie pas est un geste qui porte en lui-même sa récompense.

---

**En portant mon attention vers une autre personne, j'ai une occasion de m'éloigner de mes sentiments négatifs.**

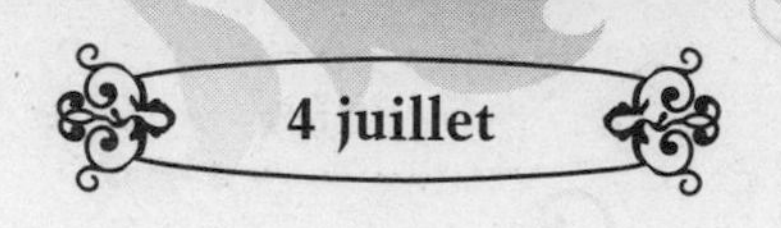

4 juillet

## AI-JE UNE VIE SEXUELLE SATISFAISANTE?

C'est une question qu'il est légitime de me poser de temps à autre. Mon conjoint se la pose sûrement lui aussi. Quoi qu'il en soit, si, chacun de notre côté, nous nous interrogeons sur le même sujet sans nous en parler, nous pratiquons un exercice fort peu productif. Si certaines choses ne me satisfont pas dans ma vie sexuelle, je dois en parler avec mon partenaire. Et il en va de même pour lui. Si tout va bien pour moi, il sera heureux de l'entendre. C'est pourquoi je n'hésite plus à parler de ma vie sexuelle avec mon partenaire. Cette dimension de notre vie est une occasion concrète de communiquer.

---

**J'améliore ma relation avec mon conjoint en abordant franchement avec lui les différents domaines de notre vie, y compris notre harmonie sexuelle et les difficultés que nous y rencontrons.**

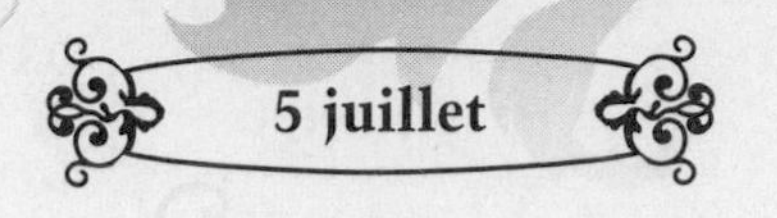


# JE ME DÉBARRASSE DE VIEILLES HABITUDES

J'ai développé au cours des années de vieilles habitudes qui me sont nuisibles. Elles sont même devenues une routine et, souvent, je n'en vois plus le caractère pernicieux. D'ordinaire, je me plains quand les choses vont mal et ne fais rien pour les changer. Je réponds plutôt par l'agressivité quand les circonstances ne sont pas à mon goût. Je sais maintenant que ces habitudes sont nocives. Je les remplace progressivement par de nouveaux comportements qui m'évitent de m'enliser dans de vieilles ornières. Ces nouvelles réactions demandent que j'y consacre du temps et de la persévérance, mais l'enjeu en vaut la peine.

---

**Je remplace des habitudes nocives par une nouvelle façon de vivre qui m'apporte davantage de paix intérieure.**

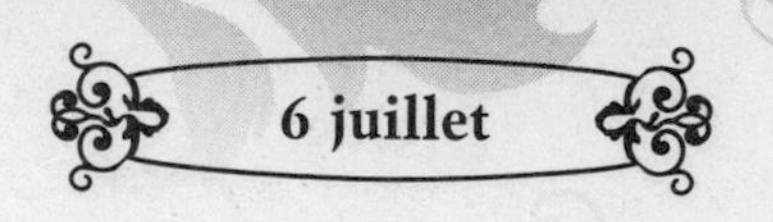

6 juillet

## EST-CE QUE JE VIS DE LA SOLITUDE?

Bien sûr que je vis des moments de solitude. Parfois, je choisis d'être seule à quitter le tourbillon de la vie extérieure et me retrouver avec moi-même. À d'autres moments, je me trouve dans une solitude non choisie qui me pèse. Ces moments peuvent survenir aussi bien au travail que dans ma vie de couple. La première chose que j'ai à faire, c'est d'admettre que c'est bien ce que je vis et de l'accepter. Puis je passe à l'action afin de changer mon état d'être. Je peux en parler avec avec mon conjoint ou avec des amis. Mais si cette solitude n'est pas désirée, j'agis pour que cela change.

---

**Je ne reste pas<br>dans la solitude<br>si je ne l'ai pas choisie;<br>je me tourne vers ceux qui<br>m'entourent.**

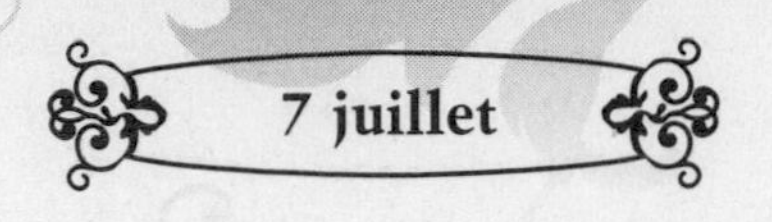

7 juillet

## J'EMPLOIE BIEN MON TEMPS

Dans le brouhaha de la vie moderne, il me semble souvent que j'ai trop à faire pour le peu de temps dont je dispose. Mais si j'utilise bien le temps qui m'est imparti, je peux faire plus de choses qu'il ne semble. Cela signifie que je peux me demander ce que j'ai à faire dans ma journée et quelle sera la meilleure façon et le meilleur moment pour l'accomplir. En planifiant un peu, j'arrive à utiliser plus efficacement le temps dont je dispose. Je peux aussi me demander s'il est nécessaire que je réalise tout ce que j'ai à faire et quel est le degré d'urgence de ces tâches. Je peux diviser une tâche importante en actions plus petites, que je fais une à une. Ainsi, je réaliserai beaucoup sans trop m'en rendre compte.

---

**J'utilise bien mon temps non pour performer davantage mais pour être à l'aise avec moi-même.**

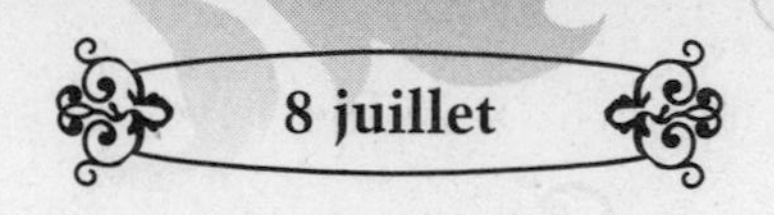

8 juillet

## J'EXPRIME MON APPRÉCIATION À MON CONJOINT

Si je me base sur mon expérience, je reconnais que je suis flattée d'entendre que l'on m'apprécie, que je suis importante pour quelqu'un. Alors j'essaie de me comporter de la sorte à l'endroit des gens qui me sont proches. J'essaie d'exprimer le plus souvent possible mon appréciation à mon conjoint, afin qu'il sache jusqu'à quel point il est important pour moi et combien j'apprécie sa présence dans ma vie. Un petit mot dit au bon moment aide à nous garder proches l'un de l'autre et nous habitue à fonctionner dans un climat plus harmonieux. Ainsi, lorsqu'un différend surgira, il nous sera plus facile de le régler.

---

**Je prends le temps de dire à mon conjoint que je l'apprécie et qu'il est important dans ma vie.**

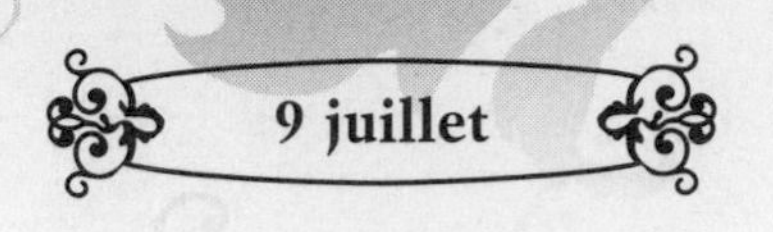


# JE REVIENS AU MOMENT PRÉSENT

Consciemment, je reviens souvent au moment présent parce que je sais combien cela est important pour moi. Quitter le présent pour laisser mon esprit vagabonder de façon futile ou débridée dans le passé ou dans l'avenir ne peut qu'être malsain. Aussi, je me reconnecte sur ce que je suis en train de vivre maintenant et je me concentre sur les sensations que j'éprouve là où je me trouve; je ramène mon esprit à ce que je suis en train de faire maintenant. Ainsi, les regrets venant du passé et les chimères de l'avenir n'ont pas de prise sur moi et je suis libre de profiter véritablement de l'instant que je suis en train de vivre.

---

**Je pratique la discipline du moment présent pour rester bien branchée sur ma réalité.**

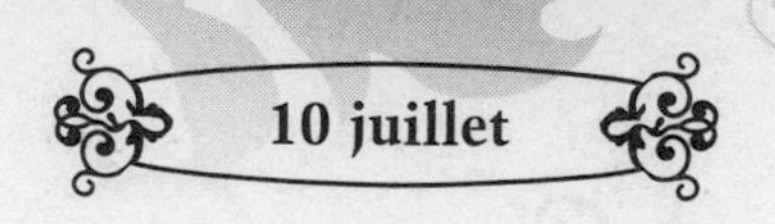


# J'ÉVITE LES EXCÈS

Il ne m'est pas toujours facile d'agir avec équilibre. Parfois, il m'arrive d'être emportée par un tourbillon d'émotions et d'en faire trop, peu importe le domaine de mes activités. Quand je vis dans un tel excès, que ce soit dans le travail, les distractions, les conversations, etc., je ne respecte pas mes limites et je m'impose une surcharge. Je cesse aussi d'être en contact conscient avec moi-même et je perds temporairement au moins mon identité. C'est pourquoi ce genre d'excès me laisse toujours un goût amer: ce n'est pas ce que je voulais vivre.

---

**Quand je vis dans l'excès,<br>je vis dans un manque d'amour<br>envers moi-même.**

11 juillet

## LES CONFLITS FONT PARTIE DE L'INTIMITÉ

Un sentiment d'intimité qui ne serait que paroles agréables et douceur ne durerait probablement pas bien longtemps. Il arrive fatalement une période dans la vie de chaque couple où les conflits commencent à faire partie de la vie courante. Et c'est bien ce qu'est un conflit: une circonstance de la vie courante, non une exception ou une anormalité. Y faire face et le résoudre à deux n'est possible que dans un climat d'intimité. L'intimité que je vis avec mon conjoint nous permet de régler ensemble nos différends. Dans un tel climat, la divergence d'opinions n'empêche pas la confiance.

---

**Une situation de conflit me permet de tester la profondeur de l'intimité que je partage avec mon partenaire de vie.**

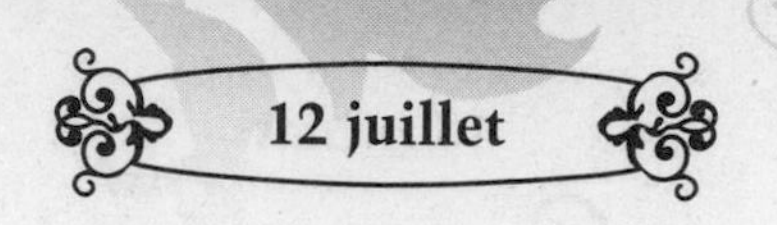


## JE NE PEUX AIMER TOUT LE MONDE

Il ne m'est pas possible d'aimer chaque personne que je rencontre. Tout d'abord, je n'ai pas l'obligation de le faire. Ensuite, avec certaines personnes je ne ressens aucune affinité. Et cela est normal. Je dois cependant me demander ce que j'éprouve réellement à l'endroit de telle ou telle personne. Si j'éprouve une antipathie envers quelqu'un, il est bon que je me demande pourquoi il en est ainsi. Si cette personne provoque en moi un tel sentiment, c'est peut-être qu'elle a une caractéristique que je ne veux pas voir chez moi, ou que je me reproche de posséder. C'est seulement en étant honnête avec moi que je peux choisir d'aimer ou de ne pas aimer quelqu'un.

---

**Je ne peux aimer tout le monde de la même façon; il y a même des gens qu'il ne m'est pas possible d'aimer.**

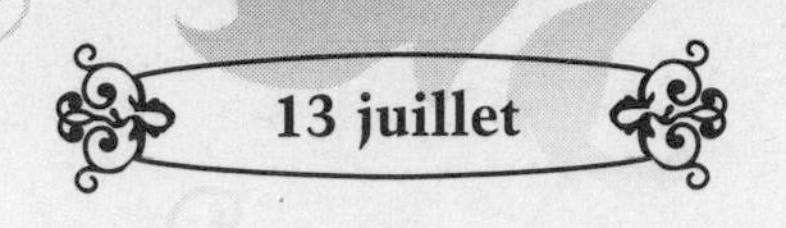

13 juillet

# J'APPRENDS À ME CONNAÎTRE HONNÊTEMENT

Il est relativement facile d'entreprendre de se connaître. Bien des gens y parviennent, tout en demeurant superficiels. C'est là leur affaire et je ne les juge pas, mais je sais que ce n'est pas ce que je veux pour moi. Entreprendre de me connaître honnêtement suppose que j'accepte de découvrir à mon sujet des vérités dont je ne serai pas fière et que je ne voudrais pour rien au monde que les autres apprennent. Cela suppose aussi que j'accepte un degré élevé d'inconfort physique, mental et émotionnel. C'est le prix que j'ai à payer. En échange, je reçois une libération: mes secrets et l'inconnu à mon sujet se changent simplement en ma vérité intérieure.

---

**L'honnêteté est la condition essentielle pour en venir à me connaître en profondeur.**

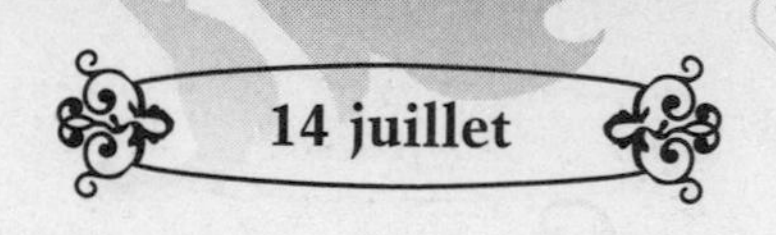

# JE FAIS MES PROPRES CHOIX

Je ne me fie plus à ce que les autres pensent de moi lorsque vient le temps de prendre une décision qui me concerne. L'opinion des autres n'est plus une véritable référence pour savoir comment agir. Par contre, je peux maintenant trouver à l'intérieur de moi les valeurs qui peuvent m'aider à prendre la meilleure décision possible. Je me connais assez pour évaluer mes propres limites. Je cherche également l'aide de ma Puissance supérieure lorsque j'ai des choix importants à faire. En des termes plus simples, je deviens plus responsable devant les décisions que j'ai à prendre dans la vie. Étant plus consciente de mes décisions, je deviens plus consciente des conséquences qu'elles auront.

---

**En même temps**
**que je deviens plus libre**
**devant mes propres choix,**
**je deviens en même temps**
**plus responsable.**

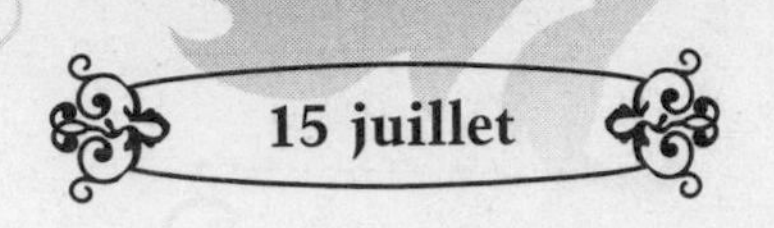

15 juillet

## JE ME DONNE DES OBJECTIFS DE VIE

Que ce soit dans mon couple, au travail ou dans mon évolution personnelle, je me fixe certains objectifs à atteindre. Non pas pour performer, mais pour donner un sens et une direction à mon action. En établissant des objectifs sérieux, je peux améliorer ma qualité de vie. Ces objectifs peuvent toucher l'un ou l'autre des aspects de ma personnalité. Sur le plan physique, je suis déterminée à me garder en forme, de bien me nourrir et de dormir suffisamment. Sur le plan mental, je choisis d'élargir mes connaissances dans des domaines où j'ai beaucoup à apprendre. Émotionnellement, je vise à vivre encore plus de sérénité aujourd'hui. Spirituellement, je recherche une meilleure qualité de mon contact conscient avec ma Puissance supérieure.

---

**Des objectifs précis viennent donner une meilleure orientation à ma recherche d'une qualité de vie améliorée.**

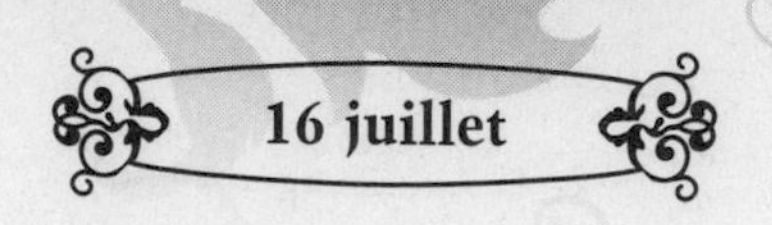

16 juillet

# JE RESTE À L'ÉCOUTE DE MON CONJOINT

La vie trépidante d'aujourd'hui ne nous permet pas souvent, à mon conjoint et à moi, de passer de longs moments ensemble. De multiples occupations viennent nous solliciter. Le danger d'être trop présents dans nos activités personnelles et pas assez l'un pour l'autre est réel. C'est pourquoi je m'efforce consciemment de demeurer à l'écoute de mon partenaire, de ses soucis, de ses motifs de satisfaction ou de mécontentement, de ses projets. L'effort que cela me demande est largement compensé par une vie de couple plus stable, plus équilibrée et plus unie.

---

**Je contribue à la solidité de mon couple en donnant à mon conjoint toute l'attention possible.**

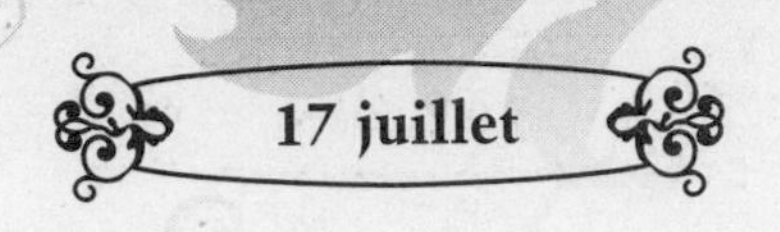

17 juillet

# JE ME PARLE AVEC DOUCEUR

J'ai compris que cela ne donnait rien de bon d'être critique, sévère et rigide avec moi. J'ai fini par le comprendre à force de l'avoir fait et d'avoir connu des souffrances inutiles à cause du manque d'amour que je mettais à être en relation avec moi-même. Maintenant, je fais de mon mieux pour me parler avec douceur et compassion, mais sans complaisance. Je suis plus tolérante envers mes erreurs ou mes oublis. Je me pardonne plus facilement. En apprenant à vivre ainsi avec moi-même, j'apprends à pratiquer les mêmes attitudes envers les autres, ce qui fait que mes relations avec les autres s'améliorent.

---

**En apprenant à mieux vivre avec moi-même, j'apprends à mieux vivre avec les autres.**

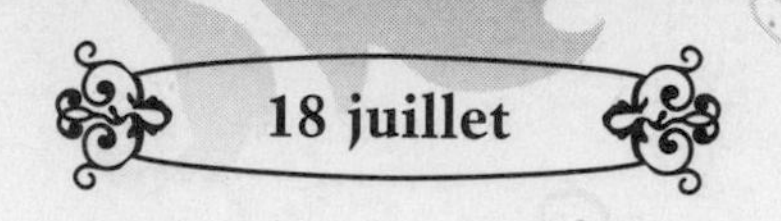

18 juillet

## J'APPRÉCIE LA BEAUTÉ DU MONDE

Regarder autour de moi et apprécier la beauté de ce que je vois est une méthode que j'utilise pour ne pas rester enfermée en moi-même et ne pas être absorbée par mes problèmes. Je trouve du réconfort à voir plein de belles choses autour de moi, dans un Univers où il y a une place pour moi. En me concentrant sur ce qui est beau autour de moi, j'apprends à vivre entourée de beauté et cela change vraiment mon état d'esprit. Cela ne veut pas dire que je ferme les yeux à ce qui peut être laid; je suis, au contraire, consciente de la différence. Mais je privilégie la présence du beau dans ma vie.

---

**Ai-je été sensible aujourd'hui à la beauté qui m'entoure?**

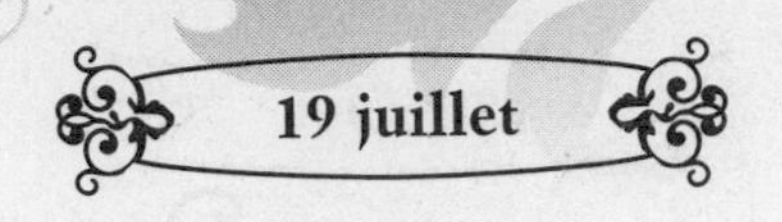


# JE RECHERCHE LA VOLONTÉ DE MA PUISSANCE SUPÉRIEURE

La véritable source de ma paix d'esprit réside dans le contact conscient que, de temps à autre, je peux avoir avec ma Puissance supérieure. C'est alors que je ressens une véritable présence dans ma vie, et me savoir aimée de cette Puissance me rassure et me calme. J'en reçois un sentiment de paix intérieure. Et la façon d'approfondir ce contact est d'aller plus loin encore, en essayant de comprendre ce qu'est la volonté de la Puissance supérieure à mon endroit. C'est en recherchant et en tentant d'exécuter cette volonté que ma vie prend une orientation et un sens clairs.

---

**La recherche de la volonté de ma Puissance supérieure à mon endroit donne un sens à ma vie.**

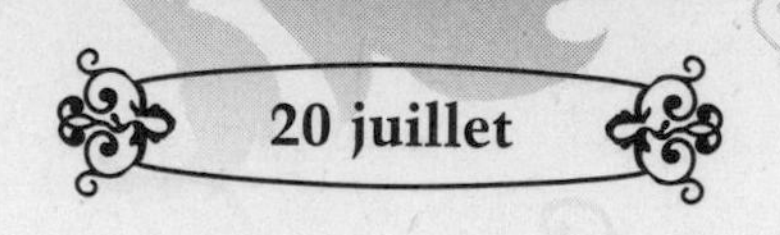

# JE DEMANDE UNE AUTRE FAÇON DE VOIR LA VIE

Une prière que je peux formuler à la Puissance supérieure est de lui demander une autre façon de concevoir la vie et de me comprendre. Ma propre vision des choses est souvent embrouillée par mes émotions, mon ignorance, mes illusions ou par les multiples manières de survivre que j'ai développées avec le temps et que je continue d'appliquer, même si elles me sont nocives. J'accepte alors de renoncer à mes conceptions et de m'entêter dans mes idées et mes préjugés. Plutôt, je demande de recevoir une façon de concevoir la vie qui fasse une place à l'amour. Une façon de voir différente ne peut que m'être bénéfique.

---

**J'admets que ma manière de voir n'est pas la meilleure parce qu'elle m'a souvent conduite à la souffrance; aussi, je demande de voir la vie autrement.**

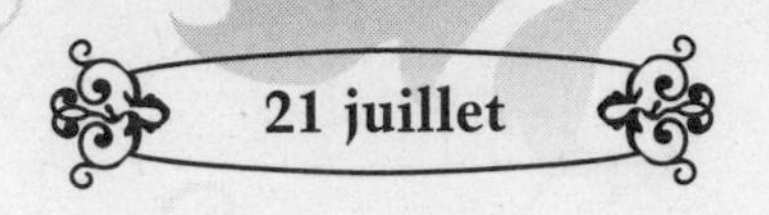

# 21 juillet

## JE FAIS CONFIANCE À MON CONJOINT

L'amour-propre ou la crainte sont des sentiments qui m'empêchent parfois de partager, avec mon conjoint, ce que je ressens vraiment. Mais je suis consciente que ce sont là des sentiments sans fondement réel et que ce que je vis est une illusion. Je fais alors un effort pour surmonter ces sentiments et accorder à mon conjoint la confiance à laquelle il a droit. Je sais, par expérience, que cette confiance est bien placée et que je serai bien reçue de lui. Chaque fois que je surmonte cette peur ou mon amour-propre en prenant un risque, je suis davantage moi-même.

---

**La confiance génère la confiance;
en me faisant confiance
aujourd'hui,
je sais que l'on me fera
confiance demain.**

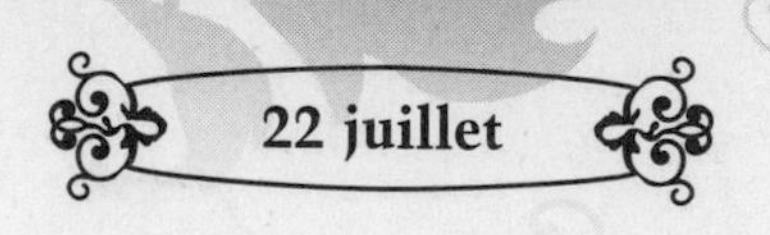


# JE PROFITE DES VACANCES

Les vacances me sont données en été pour que j'en profite au maximum. C'est un temps de repos, et aussi un temps pour faire des choses différentes, que l'activité fébrile de la vie courante ne me permet pas de pratiquer durant le reste de l'année. Durant cette période, j'évite de m'engager dans des activités qui rappellent trop le travail; ce n'est pas vraiment le bon moment. Je n'ai pas besoin d'avoir beaucoup d'argent pour pouvoir profiter de l'été: de multiples activités à coût réduit sont disponibles. J'utilise cette période pour me faire du bien et pour développer des aspects de ma personnalité auxquels j'ai rarement l'occasion de toucher.

---

**Les vacances sont une période de repos et de relaxation; est-ce que je mets vraiment ce temps à profit?**

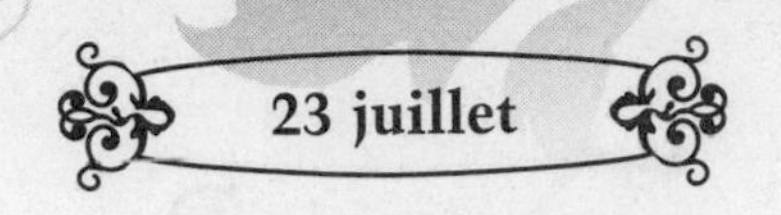

23 juillet

## JE VIS ET JE LAISSE VIVRE DANS MON COUPLE

Cette devise bien connue est pleine de sagesse et elle m'a beaucoup aidée dans ma vie de couple. En particulier, elle me permet de ramener à une grande simplicité des situations de conflit qui auraient pu devenir beaucoup plus graves. Laisser l'autre vivre ce qu'il a à vivre comme il l'entend me demande de renoncer à contrôler mon conjoint, ses attitudes et ses comportements. Vivre me demande d'être responsable vis-à-vis de ma propre vie et de la vivre de manière responsable et digne. C'est une devise qui n'a rien de permissif: au contraire, elle met l'accent sur le renoncement et la responsabilité.

---

**Une règle de vie bien simple mais qui demande persévérance et efforts: vivre et laisser vivre.**

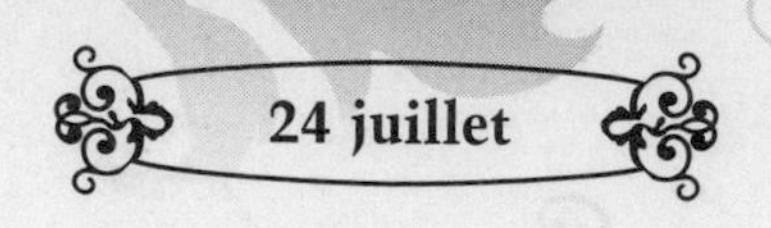

## 24 juillet

# MON BONHEUR VIENT DE MA PAIX INTÉRIEURE

Que je sois heureuse on non ne dépend plus de la réalisation de mes attentes, de mes relations ou de circonstances extérieures comme un bon travail ou l'abondance d'objets matériels autour de moi. Mon bonheur s'enracine dans ma capacité à vivre dans la paix intérieure. Ce bonheur est basé sur l'expérience que je fais de moi-même et non sur ce qui vient d'ailleurs ou des autres. Par la suite, si je me sens heureuse, cela se sentira autour de moi et mes relations avec les autres s'amélioreront, et peut-être que d'autres bonnes choses suivront. Et j'ai une part active à jouer dans l'atteinte de cette paix intérieure.

---

**Mon bonheur part de moi-même et rayonne autour de moi vers l'extérieur, et non l'inverse.**

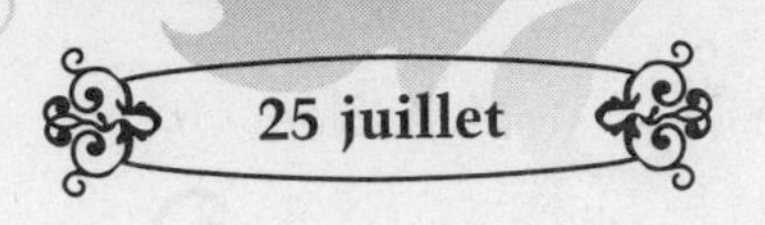


# J'ÉCRIS SUR CE QUE JE VIS

J'ai découvert que l'écriture était une méthode efficace dans ma recherche et dans mon évolution personnelle. Je prends du temps chaque jour pour écrire un court bilan de ma journée et pour noter comment je me sens. Je prends note des prises de conscience qui furent miennes et des choses que j'ai lues ou entendues et qui m'ont apporté quelque chose. Quand je ne suis pas bien et que quelque chose me tracasse, je l'écris. Mettre par écrit mes difficultés et mes problèmes m'aide à les voir plus clairement et à prendre une distance par rapport à eux. Je peux ainsi m'en détacher et me libérer de leur emprise émotive.

---

**L'écriture**
**est une méthode sûre**
**de me libérer des choses**
**difficiles que je vis;**
**elle m'aide à mettre**
**mes problèmes en perspective.**

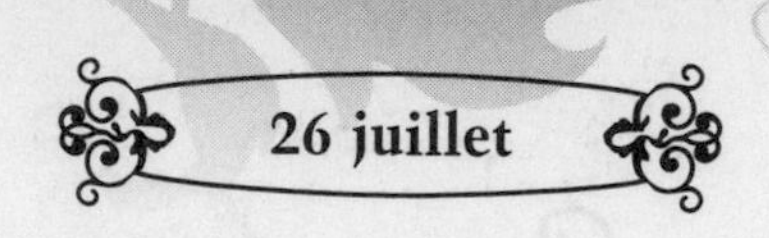


# JE PROFITE DE L'ÉTÉ

Nous sommes en pleine saison d'été et tous ses avantages nous sont offerts: le beau temps et la chaleur nous permettent des sorties, des activités avec les autres, etc. J'essaie d'être attentive aux avantages du climat et de bien en tirer profit. Je fais des choix d'activités qui me font sortir et bouger, me permettent d'être au soleil et au grand air. Ainsi, je me rapproche de la nature et de la création et j'en éprouve un sentiment de gratitude pour toute cette abondance. J'amène mon conjoint à y participer. Mon corps et mon esprit ne s'en porteront que mieux.

---

**L'été me donne l'occasion**
**de me retrouver**
**plus fréquemment**
**à l'extérieur;**
**j'en profite pour entrer davantage**
**en contact avec la nature.**

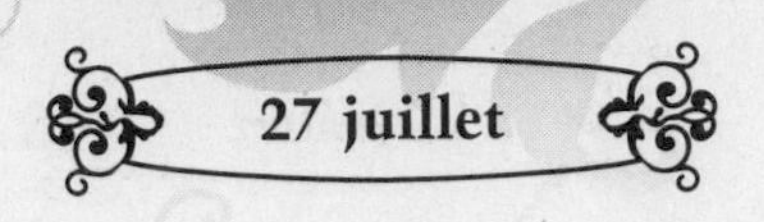

27 juillet

## J'APPRÉCIE MES AMIS

Les vrais amis sont rares et c'est vrai dans mon cas aussi. On dit qu'un véritable ami, c'est quelqu'un qui sait tout de nous et qui demeure encore notre ami. Être liée d'amitié à ce point avec quelqu'un suppose beaucoup d'intimité; or, l'intimité n'est pas facile à vivre. Être intime avec quelqu'un suppose de risquer d'être vulnérable et demande de cesser de porter des masques, comme je l'ai fait longtemps. Faire confiance à ce point va à l'encontre de tout ce que l'on m'a enseigné sur la vie dans ma jeunesse. Voilà pourquoi les vrais amis sont rares. Je les apprécie d'autant plus.

---

**Mes amis sont des personnes importantes pour moi: ils me permettent d'être moi-même.**

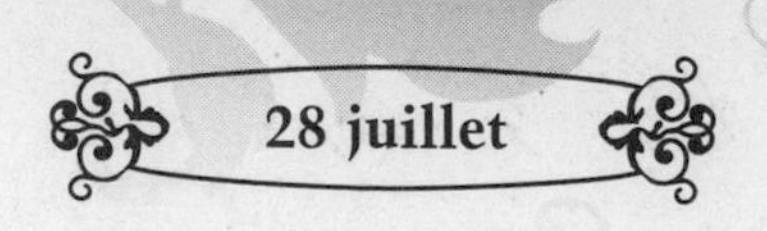

## 28 juillet

# J'ACCEPTE LES CHANGEMENTS

La vie est en perpétuel changement et me demande de m'adapter constamment à des situations nouvelles. Il n'y a pas encore si longtemps, les changements suscitaient en moi une insécurité profonde et me mettaient dans un état proche de la panique. Puis, j'en suis venue à éprouver peu à peu de la confiance en la vie et à comprendre que ma Puissance supérieure prendrait soin de moi en toutes circonstances. Cela me libère de l'insécurité. Et toutes les fois qu'une situation nouvelle se produit dans ma vie, je recherche la paix et la confiance plutôt que l'insécurité et l'angoisse.

---

**Le changement est essentiel à la vie et aller dans le même sens revient à accepter que je participe au grand mouvement de la vie.**

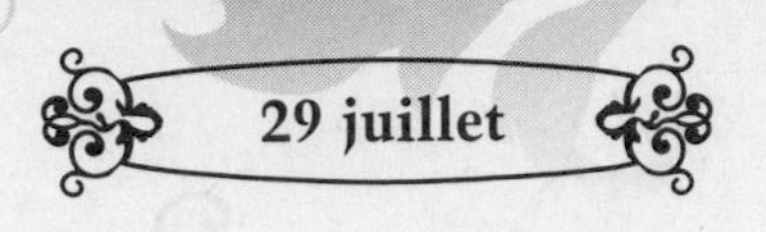

29 juillet

## JE NE FUIS PLUS MES PROBLÈMES

J'ai longtemps cru qu'éviter le contact avec les situations difficiles dans ma vie de couple, au travail ou avec mes amis me soulageait des problèmes. Mais ce n'était qu'une fuite temporaire et, tôt ou tard, mon problème revenait me hanter avec d'autant plus de force. J'ai donc cessé de fuir mes problèmes: y faire face est plus difficile, mais plus libérateur. Je demande à ma Puissance supérieure le courage qui m'est nécessaire pour cesser de fuir mes problèmes. Alors, je découvre que l'obstacle que je croyais si écrasant n'est en réalité qu'une simple difficulté: j'étais dans l'erreur.

---

**La fuite devant les difficultés de la vie ne m'en libère pas; pour devenir libre devant un problème, je dois y faire face.**

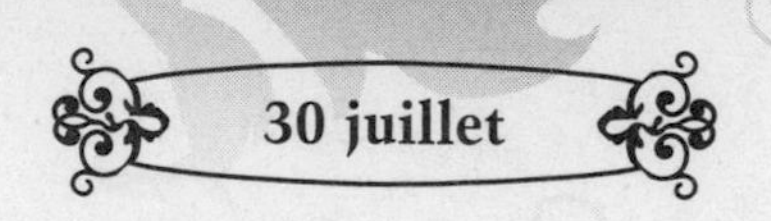

30 juillet

## JE NE ME LAISSE PAS ABATTRE PAR LES DIFFICULTÉS

Je rencontre des difficultés sur mon passage, souvent dans plusieurs domaines de ma vie en même temps. La tentation du découragement est alors grande et mène à des options faciles comme la fuite ou la dépression. Mais depuis que j'ai entrepris de me transformer, j'ai appris que la vie ne m'envoie pas de difficultés que je ne sois pas capable de surmonter avec l'aide de ma Puissance supérieure. C'est cette certitude qui me rend capable de faire face aux problèmes de la vie. Quand je suis ainsi occupée à régler mes ennuis, j'ai moins de temps pour m'apitoyer sur mon sort ou me plaindre de la dureté des temps.

---

**Je trouve dans ma foi en la Vie**
**le courage nécessaire**
**pour faire face aux obstacles**
**qui se dressent**
**sur mon chemin.**

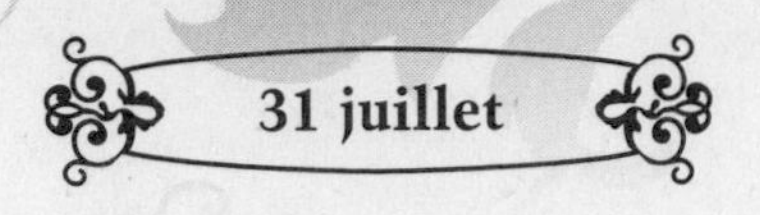

## 31 juillet

# MES LIMITES SONT CRÉÉES PAR MA PENSÉE

Souvent je n'entreprenais pas une tâche parce que je me croyais incapable de la mener à bien: la réussite n'était pas pour moi. J'établissais déjà dans ma pensée les limites à ma capacité d'action, et sans avoir vérifié par la pratique. Ce n'était pas la vie qui m'empêchait de réussir: je faisais cela très bien moi-même. Puis, j'ai découvert que je pouvais penser autrement à mon sujet: je pouvais croire que je suis capable d'accomplir bien plus de choses que je suis prête à reconnaître. J'ai mes limites, bien sûr; mais je suis capable de fonctionner avec des limites beaucoup plus grandes que celles que je m'attribue. Ma pensée peut se libérer des messages d'autrefois me niant tout talent et toute habileté.

---

**Je ne laisse pas ma pensée me limiter indûment dans mes actions vers la réussite: j'utilise plutôt mes talents au maximum.**

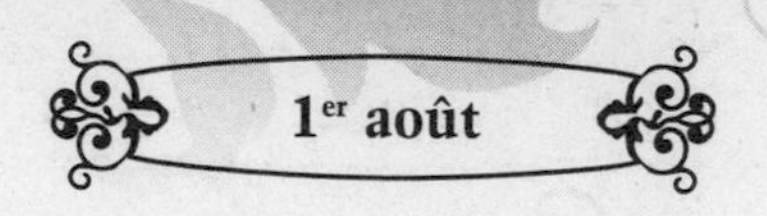


# J'ÉVITE DE TOURNER EN ROND

Il m'est facile de faire des plans, de prévoir, de dresser une liste de choses à faire. Puis, rien ne se passe et j'ai perdu toute la journée à faire autre chose ou à ne rien faire. Commence alors la ronde de la culpabilité. Pour éviter ces sentiments négatifs, je me positionne tout simplement autrement. J'évite de dresser des listes de choses à faire si je manque de temps pour les réaliser. Je me concentre plutôt sur ce qui est prioritaire et je cherche le courage de passer à l'action; ce que je n'ai pas envie de faire est probablement ce qui devrait être fait en premier. De même, pour une deuxième tâche, et ainsi de suite. Je me libère ainsi de ma tendance à tourner en rond.

---

**J'essaie de passer à l'action sur une chose à la fois devant mes tâches.**

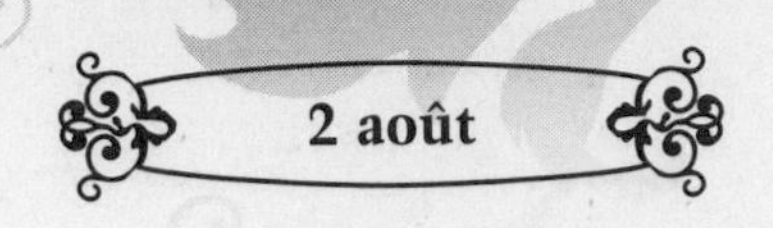

## JE ME DONNE DES ENCOURAGEMENTS

Je rencontre des moments dans la vie où, pour continuer, j'ai besoin d'un encouragement, d'une «tape dans le dos». Et rien ne vient. Si j'attends de recevoir une parole ou un geste d'encouragement, je serai déçue. C'est pourquoi j'évite le piège des attentes, parce que souvent irréalistes. À la place, je compte sur moi pour me donner les encouragements dont j'ai besoin pour continuer. J'apprends à m'apprécier à ma juste valeur. Si je ne puis le faire, comment les autres le pourront-ils? C'est ainsi que je trouverai la force de continuer.

---

**Je trouve en moi-même l'appréciation et la capacité de m'encourager dont j'ai besoin pour continuer.**

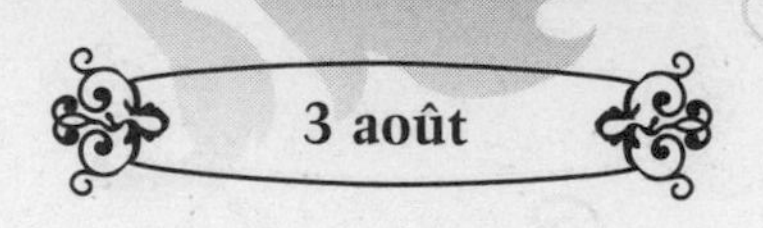

3 août

# J'APPRENDS À AIMER CORRECTEMENT

Dans la plupart des situations que je vis dans mon couple, j'ai un choix à exercer entre deux options: l'expression de l'amour ou la recherche de la puissance. Je peux choisir l'amour et colorer mes actions de compassion, d'acceptation et de chaleur. Je peux aussi choisir de contrôler l'autre et d'en arriver à mes fins par la manipulation, le chantage affectif, ou une forme de violence. J'ai toujours le choix entre ces deux options. Mais mon choix déterminera la qualité de vie qui caractérisera mon couple. Et c'est avec les conséquences de mon choix que je devrai vivre.

---

**J'ai le choix dans ma façon d'aimer pour autant que je comprends clairement les options qui s'offrent à moi et les conséquences qui en découlent.**

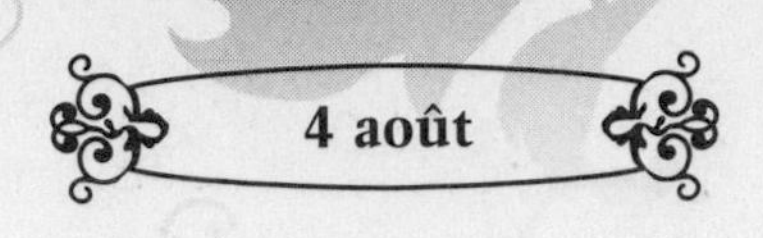

4 août

# JE CHOISIS MON STYLE DE VIE

Ma façon de vivre est influencée par des choix que j'ai faits dans toutes sortes de domaines. Je peux cependant changer mes options et en préférer d'autres qui soient plus conformes à ce que je pense maintenant. Avec quel genre de personne est-ce que j'aime être ? Quelle sorte de divertissement est-ce que je privilégie ? Comment est-ce que j'emploie mon temps ? Bien des choses ont changé dans ma vie et il est temps que je remette en question certains choix sur mon style de vie afin de le rendre plus conforme à la personne que je suis en train de devenir. Je suis la seule à savoir vraiment ce qui me convient dans ce domaine. Aussi, je n'hésite pas à faire des choix avec lesquels je me sens à l'aise.

---

**Mon style de vie correspond-il à la personne que je suis en train de devenir ?**

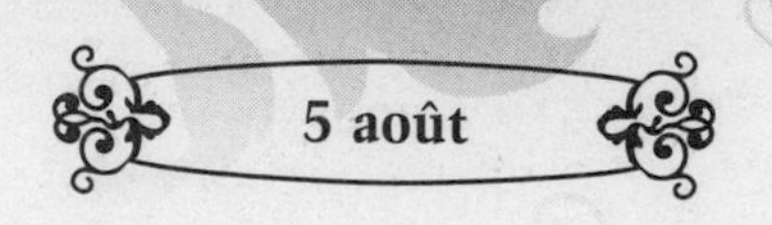

5 août

# JE ME SENS AIMÉE, JE ME SENS EN CONFIANCE

J'ai commencé à me sentir revivre quand j'ai vraiment ressenti que quelqu'un m'aimait, que j'étais importante pour lui. Ma vie prenait une signification et une profondeur autres. À partir de ce moment-là, j'ai pu commencer à comprendre qu'il y avait une place pour moi dans le monde, que mon existence avait une raison d'être. Je pouvais donc commencer à faire confiance à la vie. J'étais en relation avec une autre personne dans le but de réaliser des projets en commun. Je ne suis pas en état de dépendance depuis ce moment-là; je suis simplement mieux connectée avec moi-même et avec le monde autour de moi.

---

**Me savoir aimée donne un sens différent à ma vie et me rend capable de me sentir en confiance.**

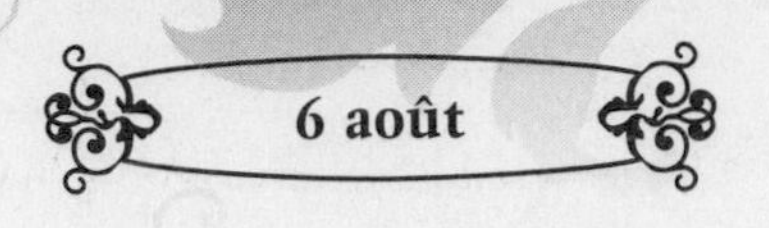

6 août

# EST-CE QUE JE SUIS LE COURS NORMAL DE MA VIE?

Les choses de la vie se déroulent normalement selon une séquence bien établie; ainsi, il faut semer avant de récolter. Il en va de même dans ma vie personnelle: les événements que je vis sont ordonnés selon une certaine séquence. Il me serait difficile d'aimer mon conjoint avant de l'avoir connu. Ou il me serait impossible de pardonner avant d'avoir vécu de la colère à l'endroit de mon agresseur. Le propre de l'évolution personnelle, c'est de reconnaître ce fait de l'existence et d'aller dans le même sens dans ma vie personnelle. Si, dans les gestes que je fais, je ne tiens pas compte de l'ordre dans lequel ils doivent se vivre, j'ai un problème.

---

**La vie devient plus facile lorsque je suis le courant; en tentant d'aller à contre-courant, je dois déployer beaucoup plus d'efforts.**

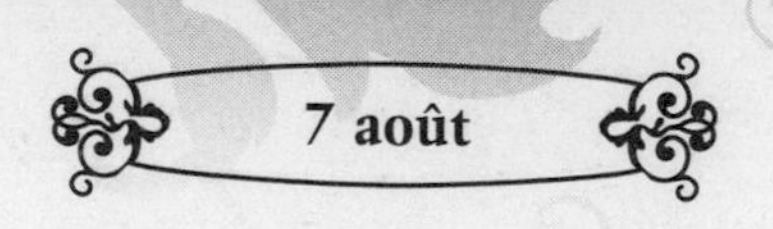

7 août

## JE ME NOURRIS BIEN DANS TOUS LES DOMAINES

Une bonne santé requiert une alimentation saine et équilibrée. Cette vérité est une évidence dans le domaine physique, mais elle s'applique tout aussi bien aux autres domaines de ma personnalité. Ainsi, je fais de mon mieux pour nourrir sainement mon esprit en choisissant mes lectures, mes émissions de télévision pour leur contenu enrichissant. Émotionnellement, j'essaie d'éviter les situations inutilement stressantes et de favoriser les situations apaisantes. Spirituellement, je prends les moyens nécessaires pour améliorer mon contact conscient avec ma Puissance supérieure: je pratique la prière et la méditation, et je rencontre des gens qui peuvent me faire progresser spirituellement.

---

**Je nourris toutes les facettes
de ma personnalité
de choses saines
et enrichissantes;
j'évite les aliments sans valeur.**

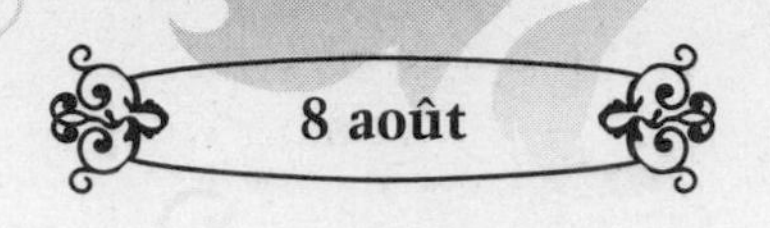

8 août

## JE SUIS ENFIN MOI-MÊME

Une des attitudes les plus épuisantes que j'aie pratiquées a été de porter un masque, de refléter une fausse image de moi-même. J'ai finalement renoncé à cette attitude, moins par vertu que par épuisement. Et me donner la permission d'être enfin moi-même a été une libération. Finis les calculs et l'évaluation des impressions des autres. Finie la manipulation de la vérité. J'ai pu enfin admettre que j'avais des défauts, et aussi des qualités. J'ai pu laisser paraître mon vrai moi sans éprouver de culpabilité. La peur d'être jugée défavorablement par les autres est en grande partie disparue.

---

**Être moi-même,
c'est me libérer d'une prison
dont j'étais l'unique gardienne.**

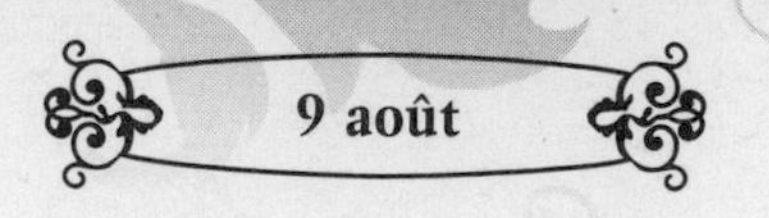


# JE NE ME LAISSE PAS INFLUENCER PAR LES ÉVÉNEMENTS

Ce qui se passe autour de moi peut m'influencer dans un sens favorable ou défavorable. Les difficultés que rencontrent mes proches, les problèmes des autres au travail peuvent provoquer en moi des sentiments de peine ou de colère qui sont difficiles à vivre. Nourrir de tels sentiments à la place des autres n'est pas de la compassion: je vis alors des sentiments non authentiques qui ne peuvent que m'affecter négativement. Il en va de même des nouvelles; je n'ai pas à réagir de façon exagérée aux nouvelles extérieures qui ne me touchent pas comme individu. Je ne suis pas obligée de réagir émotivement devant des situations qui ne me touchent pas.

---

**J'ai le choix d'être influencée ou pas par ce qui se passe autour de moi.**

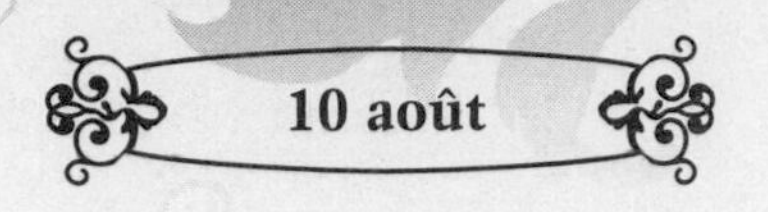



# JE FAIS CONFIANCE À MA PUISSANCE SUPÉRIEURE

Faire confiance, c'est avoir la certitude que tout ira bien dans le choix que j'ai fait. Et cette certitude me fait ressentir le calme et la paix de l'esprit. Je le sais pour l'avoir déjà expérimenté souvent. En faisant confiance, j'admets la réalité de mes propres limites et de mon impuissance personnelle à pouvoir tout régler. En m'en remettant à ma Puissance supérieure dans les situations où je ne peux rien y changer, je ne fais que reconnaître mon impuissance. Et c'est toute une libération que de le faire: finalement, je ne me sens plus responsable de toutes sortes de choses.

---

**En faisant confiance**
**à ma Puissance supérieure,**
**je me libère d'une multitude**
**de problèmes**
**qu'il ne me revenait pas**
**de régler de toute façon.**

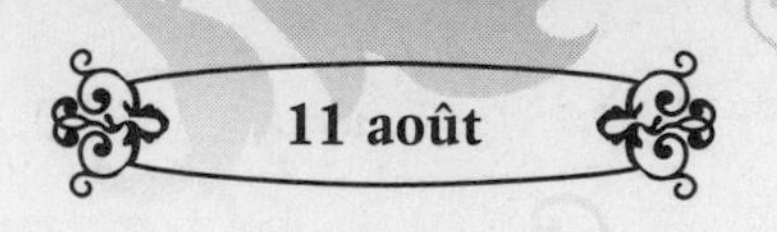

11 août

## JE PERDS UN AMI PROCHE

Il m'est arrivé récemment de perdre une personne proche de moi. Rapprochés pendant un bon moment, nos chemins se sont ensuite séparés. Cela a été une perte et j'en ai éprouvé de la peine, de la tristesse et un sentiment de manque. Mais c'est ainsi que le vie en avait décidé, pour des raisons que je ne connais pas encore, mais que je sais être justes. Cette personne qui disparaît laisse un vide et il me faudra un moment pour m'y habituer. Il faut aussi que je vive ma tristesse au lieu de la fuir. Je suis parfois tentée de me chercher tout de suite quelqu'un d'autre pour remplacer cet ami; mais je sais maintenant que ce n'est qu'une fuite devant ce que j'ai à vivre.

---

**Est-ce que j'accepte que les relations qui se trouvent sur ma route me sont prêtées ?**

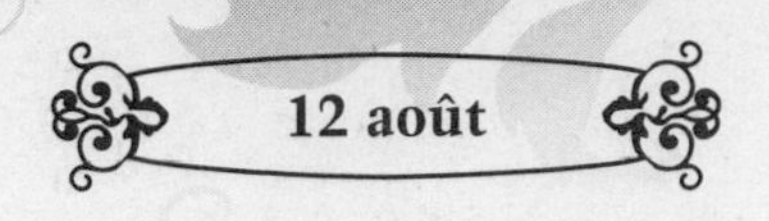

12 août

# JE FAIS PREUVE D'HONNÊTETÉ

Parfois il m'arrive de vivre des émotions intenses et d'en ressentir un malaise. Pour me libérer de ces sensations négatives, je me retourne vers moi pour être en contact et examiner ce que je vis. J'évite d'abord de blâmer les autres pour ce que je ressens. Ensuite, je regarde ce que je vis et je me demande si j'ai ou non le choix de continuer à le vivre. Si je fais preuve d'honnêteté, la réponse qui monte en moi est: «J'ai le choix d'arrêter maintenant ce carrousel émotif.» Parler de ce que je vis avec mon conjoint ou des amis m'aide à établir concrètement une distance avec ce qui m'a dérangée. Ma Puissance supérieure peut m'aider en remplaçant ma fébrilité intérieure par le calme.

---

**Pratiquer l'honnêteté dans les émotions que je vis m'aide à y mettre de l'ordre et à avoir une vie intérieure plus équilibrée.**

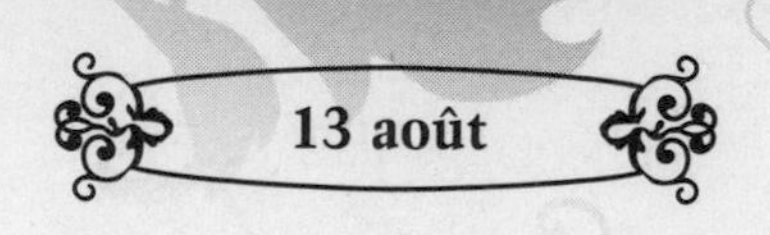


# JE RECHERCHE CE QUI EST BON CHEZ MON CONJOINT

Il arrive que des différends surgissent entre mon conjoint et moi et il est important que nous vivions nos disputes afin de les régler. Mais ces moments de discorde se produisent de moins en moins fréquemment lorsque je recherche ce qui est positif chez mon conjoint, au lieu de me concentrer sur ce qui demande à être corrigé chez lui. Je suis alors davantage à même de l'aider à changer, non par la critique mais en l'encourageant à développer ce qui est bon chez lui. Et le positif qui se développe prend graduellement la place du négatif. Cette attitude me donne aussi plus de paix intérieure, puisqu'il y a davantage d'harmonie de nos rapports.

---

**En recherchant ce qui est positif chez l'autre, je développe ce qui est positif chez moi.**

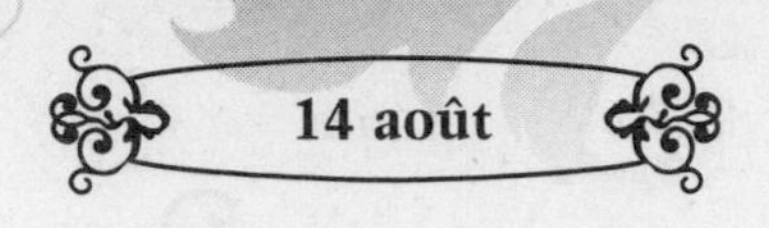

14 août

# JE DÉVELOPPE MES HABILETÉS

Chacun a été doté de certains talents qui lui sont particuliers. J'en ai aussi reçu quelques-uns; je suis en effet plus douée pour faire certaines choses. Admettre que j'avais certains talents et les identifier a été au début assez difficile, mais cet aspect de ma personnalité me devient plus familier. Il me reste à développer consciemment les talents qui me sont propres en les pratiquant chaque jour. Cela me permet de ne plus me comparer aux autres et de ne plus les envier pour leurs talents. Je travaille plutôt sur mes propres talents.

---

**J'apprends à vivre avec mon identité en développant les talents qui me sont propres.**

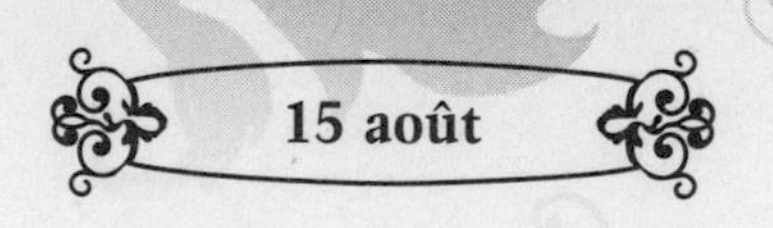

15 août

# JE CULTIVE MON JARDIN CHAQUE JOUR

Lorsque je fais pousser une plante, elle n'atteint pas sa pleine maturité instantanément; il lui faut du temps pour croître et évoluer. Il en va de même pour moi. L'être que je suis n'est pas pleinement développé et la volonté consciente que j'ai de grandir demande de la nourriture et des soins. Les différentes dimensions de ma personnalité doivent recevoir ce qui leur est nécessaire pour se développer: le pain et les soins pour le corps, pour l'esprit, pour les émotions saines et pour l'âme. Ces soins deviennent une pratique régulière, quotidienne, et non pas occasionnelle. Une attention soutenue à cette pratique, afin d'en vérifier les résultats, est également nécessaire.

---

**Je développe mon jardin intérieur par des soins réguliers prodigués chaque jour, et non pas occasionnellement.**

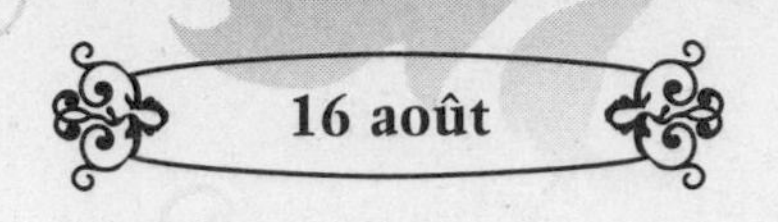

16 août

# JE METS DE L'HUMOUR DANS MES CONTACTS

L'humour est un instrument puissant pour dédramatiser ce que mes rapports avec les autres peuvent avoir de lourdeur ou de tension. Lorsque mon conjoint ou une autre personne proche est de mauvaise humeur ou triste, je prends mes distances vis-à-vis de ce qu'ils vivent en mettant un peu d'humour entre nous. Souvent cela suffit pour changer l'atmosphère et offrir à l'autre une manière différente de voir les choses. J'essaie aussi d'aborder mes propres problèmes avec humour afin de ne pas les vivre avec tout l'impact dramatique écrasant qui peuvent en découler si je ne fais pas attention. L'humour est donc une ressource pour aborder ce qui m'apparaît difficile à vivre.

---

**L'humour est une manière différente d'affronter les problèmes de ma vie et d'y trouver une solution.**

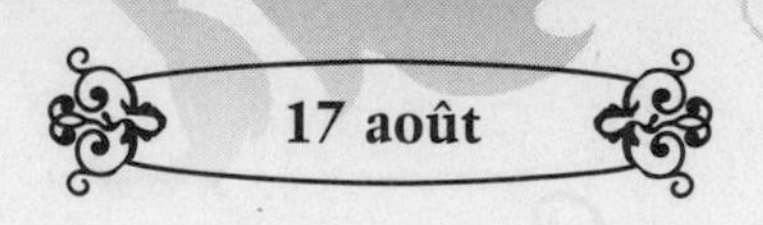

# JE FAIS CONFIANCE À LA VIE MALGRÉ MA SOUFFRANCE

Il me semble, parfois, que la vie me place dans des situations difficiles, ou même sans espoir, et qu'il me sera carrément impossible de me sortir des difficultés que je connais. Je traverse alors des moments de noirceur profonde et de désespoir dont je ne vois pas la fin. Malgré tout, si je veux être honnête, je dois considérer la possibilité que je suis peut-être dans l'erreur, que mon désespoir est une façon erronée de ressentir la situation. Être capable de voir cette porte de sortie est le commencement de la solution à mon découragement; c'est la vie qui reprend ses droits en moi et me guide vers la fin de ma souffrance.

---

**Lorsque je suis au cœur de ma souffrance, la vie me fait reprendre confiance.**

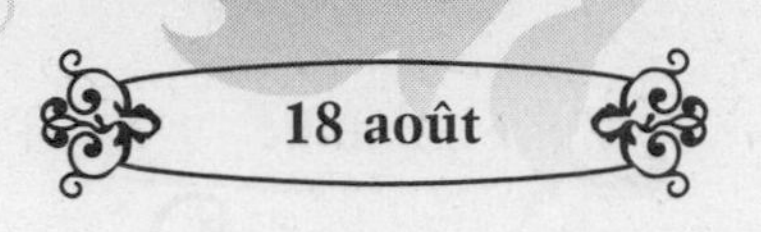


## JE ME TRANSFORME DE L'INTÉRIEUR

Si je veux vraiment que des changements se produisent dans ma vie, je recherche la source de ces améliorations en moi plutôt qu'à l'extérieur. Pour autant que je change de l'intérieur, il se produira aussi graduellement des modifications dans les circonstances extérieures de ma vie. C'est ce que j'ai remarqué dans mon évolution personnelle. Les nouveaux choix que j'ai faits ont amené dans ma vie d'autres valeurs, mais aussi de nouvelles personnes et une nouvelle façon de vivre. Il m'est parfois difficile d'accepter que les choses n'arrivent pas telles que je le voudrais, mais quelque chose arrive. Et ce quelque chose est meilleur que tout ce que j'aurais pu espérer.

---

**La puissance qui est en moi et qui me transforme de l'intérieur amènera aussi des changements dans les circonstances extérieures de ma vie**

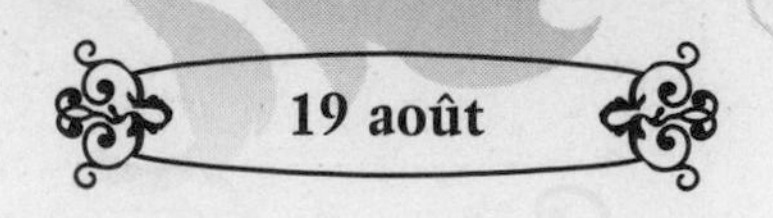


## EST-CE QUE J'AIDE LES AUTRES POUR LA BONNE RAISON?

Lorsque j'aide une autre personne, quelle est ma véritable motivation? Si je l'aide pour transmettre à quelqu'un d'autre ce que j'ai moi-même reçu dans des moments difficiles, je suis sur la bonne voie. Mais si j'agis pour répondre à une pulsion obscure qui me fait aider les autres pour me sentir mieux parce que je les ai aidés, j'ai des questions à me poser sur la valeur de ma motivation. Agir pour calmer un besoin profond et envahissant n'est pas une action réfléchie et basée sur des valeurs solides: c'est une réaction instinctive dénuée d'amour. Une action non fondée sur l'amour ne me mènera pas bien loin.

---

**Est-ce que j'aide une autre personne afin de transmettre l'amour que j'ai reçu?**

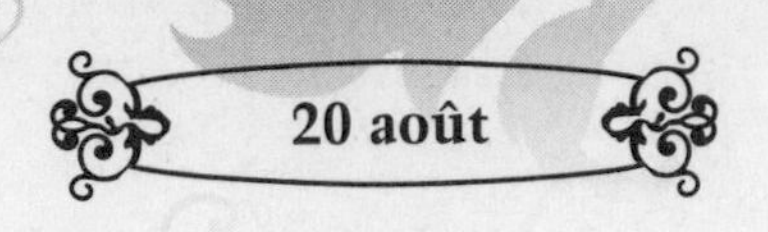


# J'ADMETS MON IMPUISSANCE DEVANT CERTAINES SITUATIONS

Dans la vie, je me retrouve parfois devant des situations qui me laissent totalement démunie. Je suis alors dépassée, je n'ai pas la force nécessaire pour m'en occuper ou je ne sais tout simplement pas quoi faire. Je sais que, dans de telles situations, l'entêtement et l'aveuglement sont mes pires ennemis. M'entêter à essayer de régler ce que je ne peux pas ou ne pas voir que je suis impuissante dans ce cas ne me mèneront qu'à la frustration et à la souffrance. Je dois alors chercher l'aide dont j'ai besoin auprès de mon conjoint ou auprès de mes proches. Plus radicalement, je recherche l'aide de ma Puissance supérieure pour m'aider à vivre avec des situations que je ne peux régler.

---

**Admettre mon impuissance personnelle devant certains problèmes me permet de revenir à ma réalité et de rechercher l'aide dont j'ai besoin.**

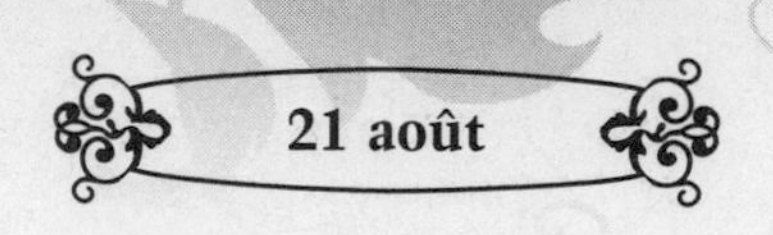

21 août

## JE ME REPOSE

Je sais prendre une pause pour me reposer lorsque cela est nécessaire. Je sais que physiquement, émotivement et mentalement j'ai parfois besoin d'un temps d'arrêt. Si je suis à l'écoute de moi-même, j'en percevrai la nécessité lorsqu'elle se fera sentir. Le manque de tolérance, la fatigue physique, l'incapacité à me concentrer pendant une longue période sont autant de signes qui me renseignent sur mon besoin de repos. Autrefois, je n'étais pas à l'écoute de ce besoin, mais aujourd'hui, je sais qu'il est important et je dois agir en conséquence si je veux conserver mon bien-être.

---

**Étant davantage en contact avec moi-même, je perçois mon besoin de repos et je donne à mon être la pause qui lui est nécessaire.**

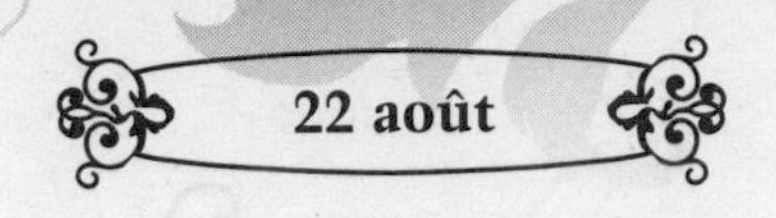

# JE NE PUIS CONTRÔLER MON CONJOINT

À bien y penser, il n'y a pas grand-chose que je sois en état de contrôler en ce monde. Il m'est impossible de contrôler mon petit monde, sans cesse soumis à des événements inattendus. Il m'est parfois impossible de contrôler mes réactions, souvent trop impulsives. Quant à contrôler les autres, c'est carrément impossible. J'ai déjà essayé et il n'en est résulté que de la frustration pour tout le monde, moi y compris. Le premier que j'ai essayé de contrôler, c'est mon conjoint, puisqu'il est le plus proche de moi. Et il m'a bien fallu admettre que c'était une tentative stérile et inutile. Il a sa vie propre et je ne puis rien y changer.

---

**La recherche du contrôle est motivée par la peur; si je cherche à contrôler les autres, de quoi ai-je peur?**

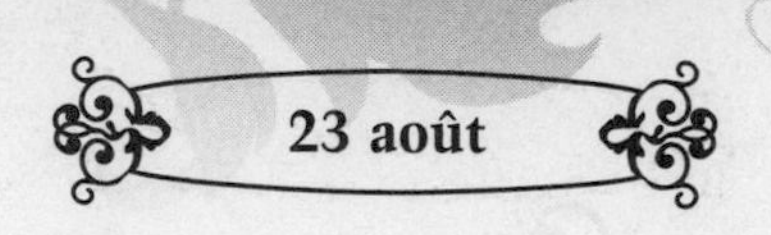


## JE FAIS FACE À MES SECRETS

J'ai certains secrets enfouis profondément en moi; si loin, que je n'en ai conscience que rarement. Ce sont des choses que je n'ose m'avouer clairement, tellement elles m'inspirent de la honte et de la culpabilité. Mais, je comprends que la charge émotive que suscitent ces secrets remonte à mon enfance, alors que je n'étais pas encore capable de réagir de façon équilibrée à ce qui se passait dans ma vie. Et, aujourd'hui encore, cette charge émotive revient me hanter. Pour m'en débarrasser, je dois faire face à mes secrets, me les avouer et me pardonner d'avoir tant tardé à le faire.

---

**Mes secrets font partie de moi**
**et j'en serai esclave**
**tant que j'en aurai peur.**

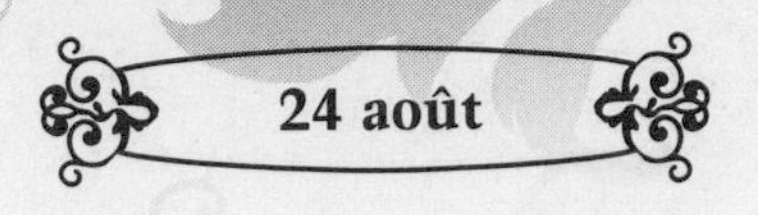

24 août

# JE RECHERCHE LE CONTACT AVEC LA NATURE

La nature qui m'entoure me donne une occasion merveilleuse d'entrer en contact avec la création dans un climat agréable et doux. L'été est une saison pleine de richesses pour les sens : l'air, l'eau, la végétation sont en abondance et agréables à la perception. Les teintes sont multiples et riches en nuances. Un climat plus doux me permet de pratiquer plusieurs sports d'extérieur. Le soir, une marche avec mon conjoint sous un ciel criblé d'étoiles, par une température agréable de fraîcheur, est une occasion de rapprochement. Est-ce que je profite pleinement des richesses que m'offre l'été?

---

**Je me rapproche de la nature dans cette saison douce et agréable; j'y trouve la paix et le sentiment d'appartenir à la création.**

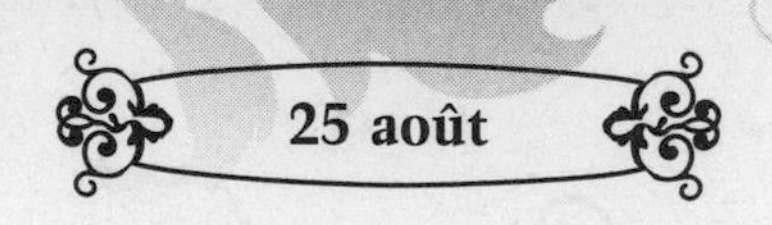


# JE ME CHOISIS

Dans une situation où j'ai le choix entre penser aux autres et penser à moi, où va ma préférence ? Et quelle est la motivation qui sous-tend mon option ? Si je choisis de penser aux autres, est-ce dans le but de me faire aimer d'eux, de me sentir importante, de me valoriser à leurs yeux ou aux miens ? Si j'aide quelqu'un, qu'est-ce qui me pousse vraiment à le faire ? Un désir altruiste d'aider ou la recherche d'un obscur avantage ? Si je me choisis, est-ce dans le but de renforcer mon identité personnelle ou de rechercher un but égoïste ? Les choix que je fais supposent des motivations sous-jacentes; est-ce que je les connais ?

---

**En me choisissant,
est-ce que je fais la bonne chose
pour la bonne raison ?**

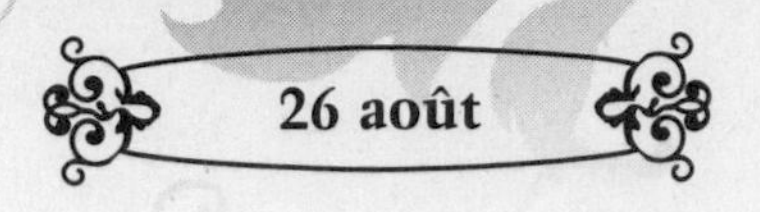

26 août

# JE DONNE L'ESPOIR À QUELQU'UN

En travaillant sur moi et en faisant des efforts, j'ai vu qu'il était possible de changer. Avec le temps, cette possibilité de changement m'a encouragée à persister. Aujourd'hui, cette prise de conscience me permet d'aller plus loin et de transmettre à une autre personne l'espoir qu'il est possible que les choses aillent mieux dans sa vie. Ce don de l'espoir est important pour cette personne. Sans présumer des résultats, c'est peut-être ce qui lui permettra de passer à travers sa journée aujourd'hui. Le fait de redonner espoir à quelqu'un m'aide à continuer dans mon évolution et donne un sens à mes efforts passés.

---

**Transmettre à une autre personne l'espoir d'une vie meilleure m'aide à passer une meilleure journée.**

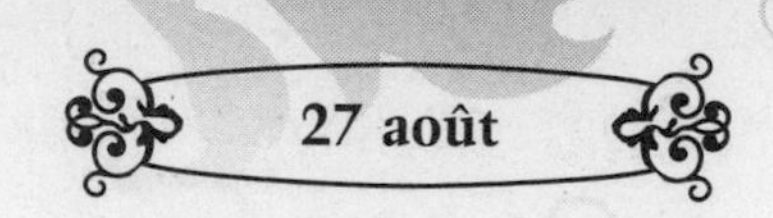

27 août

# J'ÉVITE LES SCÉNARIOS IMAGINAIRES

Quand les choses ne vont pas comme je le souhaiterais, ma réaction est d'imaginer ma vie comme elle devrait être et de me réfugier dans cet univers sans réalité, où tout va pour le mieux. Je perds alors contact avec la réalité, avec moi-même et avec les autres. Le retour à cette réalité sera d'autant plus brutal que je m'en serai éloignée. Les problèmes que je n'aurai pas voulu voir réapparaîtront dans toute leur intensité et je serai encore plus démunie devant eux. Quand la tentation de me réfugier dans mon imagination survient, je fais un effort conscient pour revenir à la réalité et pour la ressentir par tous mes sens.

---

**La fuite dans l'imaginaire me fait perdre contact avec moi-même et me prépare des souffrances inutiles.**

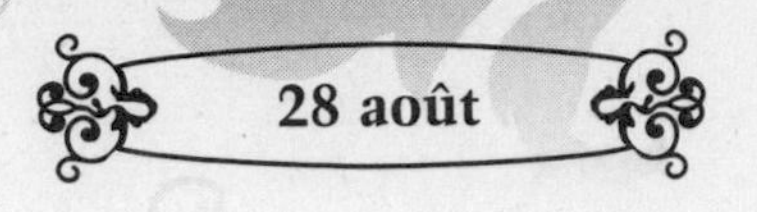

28 août

# JE ME DONNE DE NOUVEAUX DÉFIS

Ne pas rester enfermée dans les mêmes habitudes et les mêmes routines me permet de continuer à voir ma vie avec des yeux neufs et jeunes. C'est particulièrement important dans ma vie de couple. C'est pourquoi je me donne de nouveaux défis, de nouvelles activités à entreprendre, de nouveaux buts à atteindre. Je propose souvent à mon conjoint de se joindre à moi. Ainsi, notre vie commune demeure intéressante et ouverte à la nouveauté. Ainsi, nous restons jeunes en vivant ensemble, ce qui donne plus de solidité à notre couple. Les nouvelles entreprises font de notre vie commune une aventure au lieu d'une routine sans surprises.

---

**De nouveaux défis gardent notre couple jeune: ils en font un lieu de croissance.**

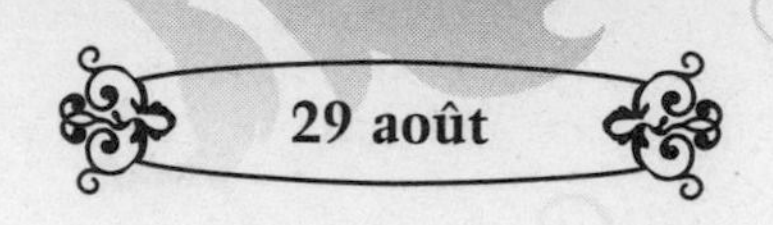

# JE NE CHERCHE PLUS À PLAIRE À TOUT PRIX

Dans mes rapports avec les autres, je cherchais souvent à plaire en manifestant de la courtoisie, de la serviabilité, de la générosité. Par ces attitudes, je visais à être acceptée, à être aimée. Ceci m'amenait à nier mes propres besoins et à me faire toujours passer en dernier. Maintenant, je suis davantage consciente et de mes motivations et de mes besoins. Avant de faire un geste, il m'arrive de plus en plus souvent de me demander quelle est ma véritable motivation. Je me demande si je respecte mes valeurs en faisant cet acte. Je pratique un contact plus conscient avec la personne que je suis vraiment.

---

**Dans mes rapports avec les autres, je demeure à l'écoute de mes besoins, de mes valeurs et de mes motivations véritables.**

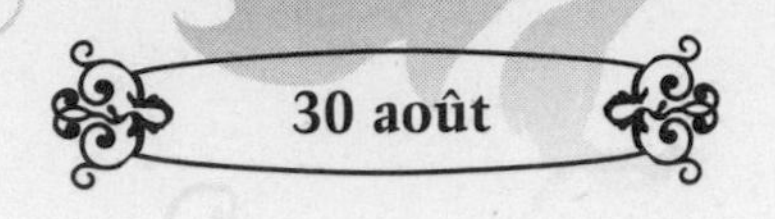

30 août

# JE M'OCCUPE DE MES BESOINS

Aujourd'hui, je prends soin de moi. Je m'occupe de ma personne tout d'abord dans les petites choses: bien manger, bien me détendre, bien m'organiser dans mon travail, m'habiller confortablement et non seulement pour plaire. Je prends aussi soin de moi dans mes rapports avec les autres: je reste à l'écoute de mes besoins et je ne m'oublie pas pour faire plaisir ou attirer l'attention. Je m'occupe également de mes besoins profonds à plus long terme: aujourd'hui je prends soin de mes besoins dans ma relation avec moi-même, dans ma vie de couple, et dans la manière dont je vis mon contact avec la vie.

---

**Je demeure à l'écoute de mes besoins et j'agis de manière à les satisfaire dans la mesure du possible.**

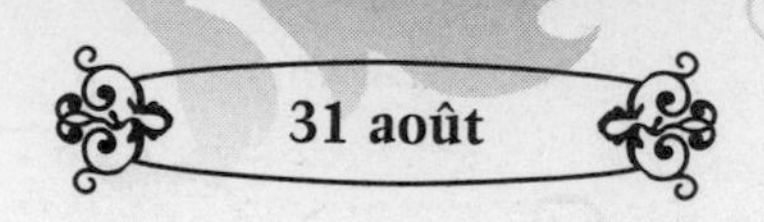

31 août

# JE PRENDS LE RISQUE DE PARTAGER AVEC MON CONJOINT

La vie de mon couple dure depuis longtemps et, malgré cela, j'ai encore bien des hésitations à me confier vraiment à celui avec qui je vis. Parfois, il me semble que ce que j'ai à dire n'est pas bien important. D'autres fois, il s'agit de choses gênantes à exprimer. Enfin, quand je suis en désaccord, il m'arrive d'avoir de la difficulté à m'en ouvrir; si l'autre décidait de moins m'aimer à cause de ce que je lui ai dit? Bien sûr, c'est dans mon imagination que tout cela se passe et c'est une peur irréelle qui m'inspire ces pensées. Aussi, je vais au-delà de cette peur et je prends le risque de partager avec courage ce que je ressens.

---

**L'échange vrai dans ma vie de couple nous rapproche au lieu de nous éloigner; je suis dans l'illusion en croyant le contraire.**

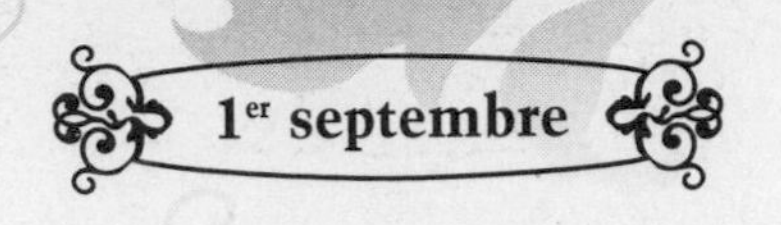


# POURQUOI EST-CE QUE JE TRAVAILLE?

Le premier lundi de septembre, il est d'usage de célébrer la fête du Travail. Cela signifie tout simplement que ce jour-là je ne vais pas travailler. C'est aussi une occasion de me demander quel est le sens de mon travail. Bien sûr, je travaille pour gagner de l'argent qui sert à assurer ma subsistance. Je travaille aussi parce que j'aime ce que je fais. Le travail me fait rencontrer des gens et j'ai quelques personnes amies parmi eux. Par mon travail, je contribue aussi à faire mieux fonctionner l'Univers; mes efforts font que la vie s'ordonne mieux autour de moi. C'est le véritable sens de mon travail: apporter ma contribution à la création.

---

**Lorsque je vis dans la frustration à cause de mon travail, je peux penser que celui-ci a une raison d'être et un sens.**

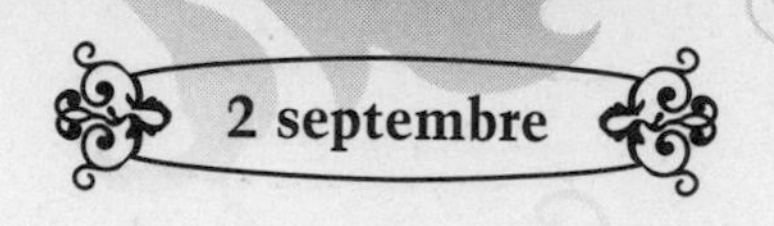

2 septembre

# JE CHOISIS DE DÉVELOPPER MON ESPRIT

Le développement des différentes facettes de ma personnalité fait partie du sens de ma vie. Aussi, je choisis de développer mon esprit en choisissant un cours dans un domaine qui m'intéresse. En cette saison, de multiples cours sont offerts par les institutions d'enseignement, les services municipaux de loisirs, etc. C'est une façon de me donner un nouveau défi et de réaliser un vieux projet toujours remis à plus tard. J'apprendrai ou je ferai ainsi des choses qui m'intéressent. Je me ferai plaisir et je développerai ma capacité à apprendre et à rester jeune car il n'y a pas d'âge pour apprendre.

---

**En développant mon esprit, je me garde jeune.**

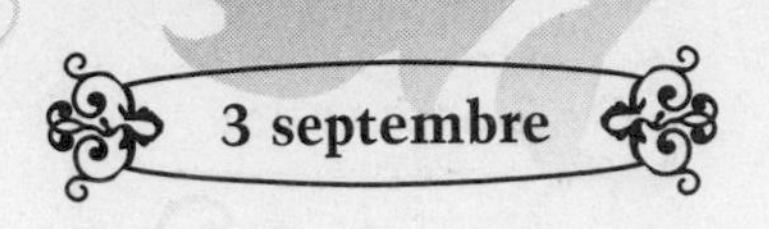

3 septembre

## JE METS DE L'AMOUR DANS MA JOURNÉE

En commençant ma journée, je prends un moment pour me mettre en contact avec ma Puissance supérieure et je lui demande de ressentir et de dégager de l'amour autour de moi durant cette journée. Je demande aussi de pouvoir être réceptive à l'amour que les autres me donneront. Je demande de pouvoir aimer en abondance les gens qui me sont proches, mais aussi d'aimer au moins un peu les personnes que, normalement, j'ai de la difficulté à accepter. Je demande aussi à voir comment je peux exprimer cet amour en gestes concrets de tolérance et de générosité à la maison, dans les transports en commun, au travail et dans les lieux publics.

---

**Je demande à porter aujourd'hui un message d'amour dans les moindres circonstances de ma vie quotidienne.**

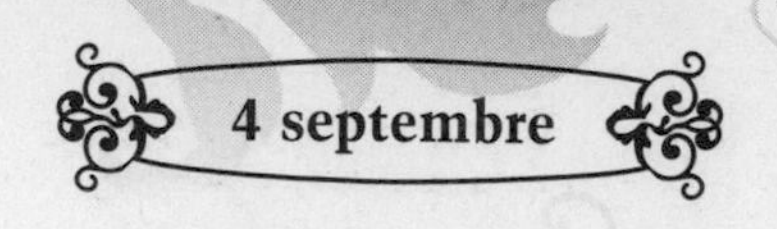


# JE CONSTATE LA GÉNÉROSITÉ DE LA CRÉATION

L'automne est la saison des récoltes et cela se traduit par la généreuse abondance de nourriture que nous pouvons trouver autour de nous. Je me suis rendue aujourd'hui au marché public et j'ai été éblouie par la variété de fruits et de légumes que les marchands offraient. Ces produits viennent de quelque part. Bien sûr, ils viennent des fermes; ils viennent de la terre. Mais, ultimement, ce sont les fruits de la création dans laquelle je vis. Tout cela m'est offert par une création qui prend soin de moi et comble mes besoins de manière concrète. Cette abondance me rappelle symboliquement que mes besoins moins concrets seront aussi comblés. Comment ne pas en éprouver de la gratitude?

---

**Je vis dans une Création qui répond généreusement à mes besoins.**

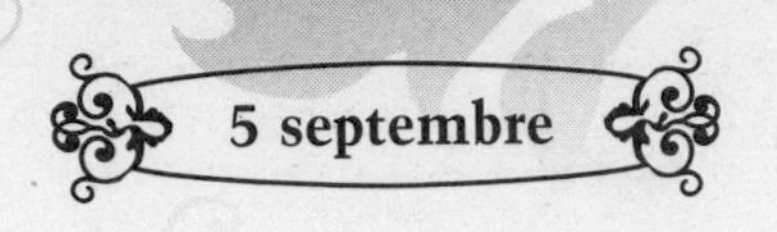

5 septembre

## J'ÉVITE DE M'EMPOISONNER PAR L'APITOIEMENT

L'habitude de m'attrister sur mon sort et de me dire combien ma vie est misérable et injuste est de l'apitoiement sur soi. Et une telle façon de penser m'est néfaste. Cela m'entretient dans un isolement morbide où je tourne en rond. Toute mon énergie passe dans cet exercice et il ne m'en reste plus pour faire autre chose. Je me coupe des personnes qui peuvent m'aider et me conseiller adéquatement. Je ne pense plus à rechercher le contact avec ma Puissance supérieure. C'est donc une attitude que j'évite et que je combats par la prière et le contact avec les autres aussitôt qu'elle menace d'apparaître.

---

**L'apitoiement sur mon sort m'isole de la vie et des autres; je le combats avec persévérance.**

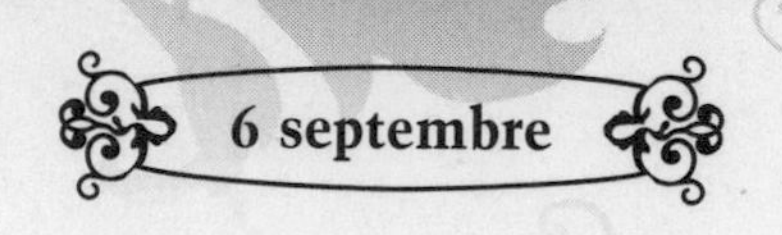


## JE PROFITE D'UNE BELLE JOURNÉE D'AUTOMNE

L'automne est fait de belles journées colorées des millions de teintes que m'offre la nature. Le soleil encore chaud me réchauffe. L'air frais et vivifiant a juste ce qu'il faut de mordant. Une telle journée est idéale pour une promenade à l'extérieur. Si je ne peux en profiter aujourd'hui, je planifie une sortie à la campagne avec mon conjoint aussitôt que ce sera possible. Me rapprocher de la nature et de ses plaisirs simples me fait mieux connaître ma véritable nature et me fait du bien. Dans de tels moments, je ne sens plus les contraintes de la ville et du travail.

---

**Me rapprocher de la nature me rapproche de moi et me libère de comportements inutiles que m'impose la vie de la ville.**

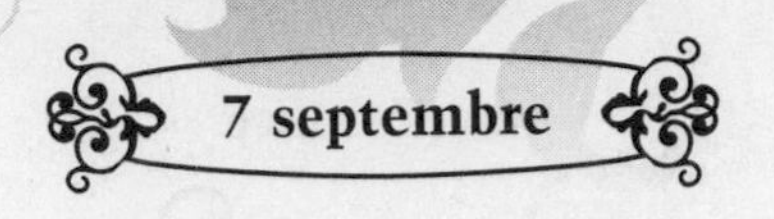

7 septembre

## JE METS DE LA JOIE DANS MA JOURNÉE ET JE LA PARTAGE

Le matin, je cherche à me connecter à la joie qui habite mon cœur et je la laisse grandir en moi pour qu'elle me remplisse. Je laisse au deuxième plan les tracas et les soucis, et je me concentre sur la joie d'être aujourd'hui celle que je suis dans le monde où je vis. Je ne cherche plus à comprendre d'où vient cette joie; j'essaie juste d'entrer en contact avec cette joie pour la vivre. Ainsi, je peux la partager avec les gens qui m'entourent. De cette manière, je peux rejoindre les autres et les aider à ma façon. Celui qui en a besoin trouvera son désir comblé.

---

**En semant de la joie autour de moi, je contribue à faire de ce monde un meilleur endroit où vivre et évoluer.**

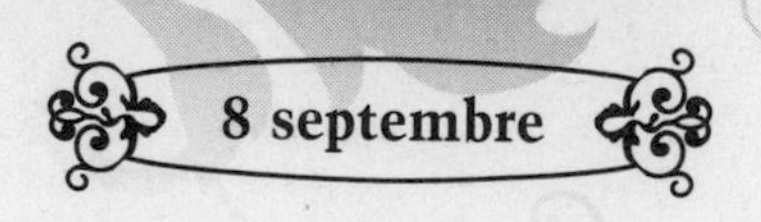

8 septembre

# J'APPRENDS À VIVRE MON IMPERFECTION

Je ne suis pas parfaite, et lorsqu'on m'a appris que je ne le serais jamais, j'ai accueilli cette nouvelle avec soulagement. Je n'aurai plus besoin de déployer des efforts surhumains afin de présenter une image parfaite de moi à mes amis, à ma famille ou à mes collègues de travail. Cela ne serait plus nécessaire. Je suis parfaitement humaine et, comme telle, sujette à l'erreur. Dans cet état, mon but n'est plus de rechercher la perfection, mais la croissance et l'amélioration. J'apprends à tirer fierté et satisfaction de mes progrès et le contact que j'ai avec moi-même est plus juste.

---

**J'accepte d'être imparfaite et,
en m'améliorant,
je me prouve que je m'aime.**

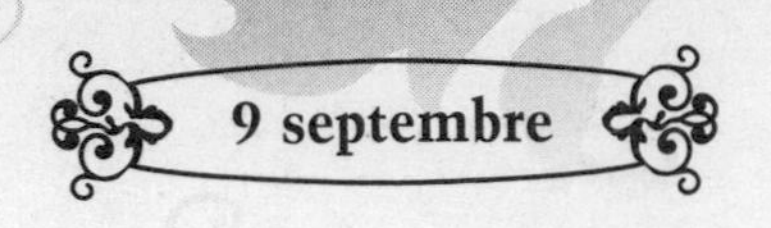

9 septembre

## JE N'AURAI PAS PEUR DE L'ÉCHEC

J'ai longtemps fonctionné avec l'idée que l'échec n'était pas acceptable et que si j'échouais, je ne serais pas digne d'être aimée. Aujourd'hui, je réalise que ce conditionnement ne tient pas compte du droit de chacun à l'erreur. Et je me permets l'erreur. Lorsque de faux sentiments de culpabilité viennent me hanter à la suite d'une erreur, je les vis mais je sais que ce ne sont que des épouvantails. Et ils disparaissent rapidement. Je me pardonne donc mes erreurs, mais je n'en assume pas moins la responsabilité qui vient avec, car elle est bien réelle. Je n'aurai plus peur d'admettre mes erreurs aux autres.

---

**La peur de l'échec**
**ne vient plus me hanter**
**et me paralyser,**
**car elle n'est qu'un épouvantail:**
**l'amour des autres ne dépend pas**
**de mes erreurs ni de mes échecs.**

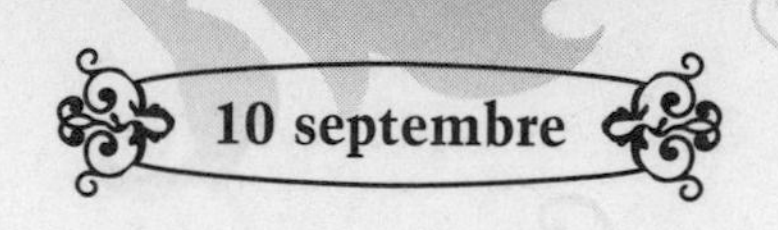

# JE RECHERCHE L'INTIMITÉ AVEC MON CONJOINT

L'intimité est mon aptitude à vivre avec mon conjoint des rapports dénués d'ambiguïté et de manipulation. Dans cette perspective, les rapports sexuels deviennent une occasion de vivre dans l'intimité et ils cessent d'être une condition de cette intimité. L'aptitude à parler avec franchise de ce que je ressens et de ce que je désire en vient à s'appliquer dans tous les domaines de ma vie de couple. Au cœur de l'intimité partagée je trouve la conviction profonde que je suis digne d'amour, et que mon conjoint l'est également. C'est à ce niveau que se vit l'intimité.

---

**La capacité de vivre dans l'intimité partagée renforce mon sentiment d'être digne d'amour.**

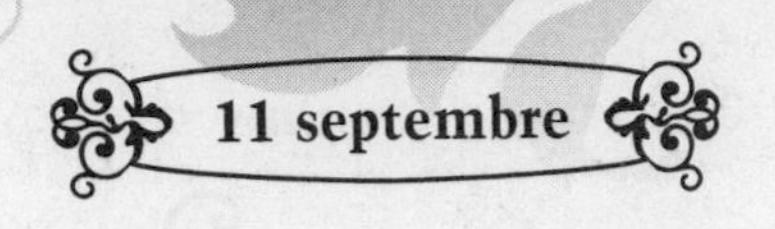

# 11 septembre

## J'ACCEPTE DE FAIRE DES EFFORTS

La croissance personnelle et la paix intérieure qui en découle ne viennent pas sans que je consente à faire certains efforts. Remplacer un comportement malsain habituel par une habitude de vie saine ne se fait pas tout seul. Une décision consciente de le faire et une persévérance à continuer sont essentielles et constituent déjà un effort. Le dépassement des peurs qui accompagnent le changement demande également des efforts soutenus. La possibilité de vivre des moments de solitude dans cette recherche exige du courage, ce qui n'est pas dans ma façon habituelle de faire les choses. Tout cela requiert des efforts persévérants.

---

**La croissance personnelle ne se fait pas sans efforts conscients et une application soutenue.**

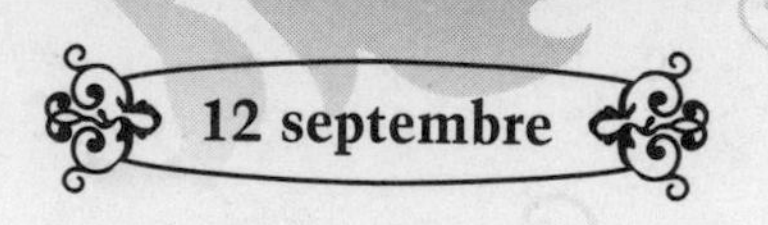

12 septembre

# JE VIS AVEC MES CONTRADICTIONS

Je n'arrivais pas à m'expliquer pourquoi j'étais tellement changeante jusqu'à ce que je comprenne qu'il y a en moi plein de contradictions qui font de moi un être pas encore intégré présentement. Je peux éprouver de l'amour, puis de la haine, envers quelqu'un. Je recherche la réussite et, à d'autres moments, le succès me fait peur. Je n'arrive pas à concilier tous ces aspects de ma personnalité, ce qui rend ma vie difficile. Quelle est la solution alors? Elle consiste tout simplement à accepter dans mon cœur ce qui est pour aujourd'hui insoluble. C'est là une réalité que je ne peux changer et qu'il ne me reste qu'à accepter.

---

**J'accepte de vivre avec mes contradictions et je renonce à devenir une personne pleinement intégrée pour le moment.**

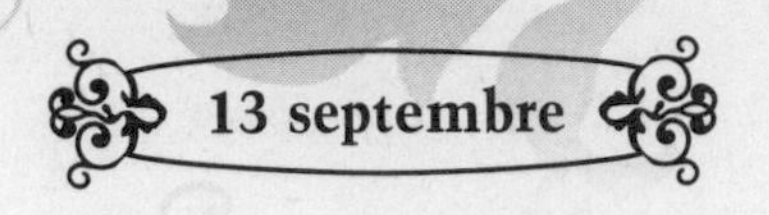


## JE FAIS PREUVE DE DISCRÉTION

Sous le sceau de la confidentialité, des amis proches me confient parfois des choses très personnelles. Lorsque je reçois ces confidences, j'ai le devoir de les protéger comme un bien précieux. Pour ce faire, je dois respecter la confiance qu'on m'a accordée et assurer à ces confidences une totale discrétion. Ainsi, je permets au processus thérapeutique du partage d'avoir lieu et un lien d'amour se tisse entre nous deux. Ne pas respecter ce climat d'échange, c'est me priver d'une richesse dont j'ai moi aussi besoin.

---

**Je fais preuve d'amour en recevant et en gardant avec discrétion les confidences des autres.**

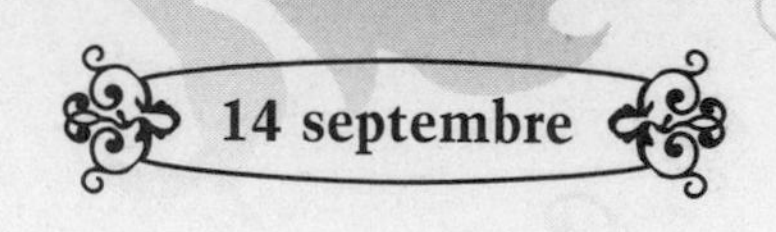

# JE VIS DANS UN CLIMAT D'ENTRAIDE

Je ne suis pas la seule à connaître des difficultés. Plusieurs personnes autour de moi en éprouvent également. Et si ces gens se sont déjà sortis de ces situations difficiles, cela me fait du bien de savoir comment ils y sont parvenus. Dans d'autres circonstances, c'est à mon tour de partager mon expérience avec des gens aux prises avec des difficultés semblables à celles que j'ai déjà surmontées. C'est un processus d'entraide constant dans lequel chacun donne et chacun reçoit. Des liens d'amitié en viennent ainsi à se former entre nous et le sentiment illusoire d'isolement que nous connaissons parfois s'efface.

---

**Je ne suis plus seule depuis que je vis dans l'entraide avec les autres.**

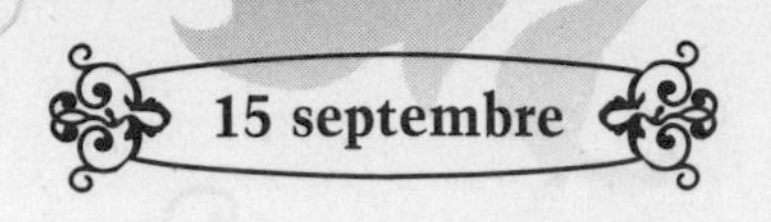

15 septembre

# J'APPRENDS À LÂCHER PRISE

Un besoin maladif de sécurité me faisait rechercher le contrôle quelles que soient les circonstances de ma vie. Cela n'aidait en rien mes relations avec les autres et me gardait toujours sous tension. Avec des résultats finalement toujours négligeables. Puis, on m'a appris que si je renonçais à tout contrôler dans ma vie, cela irait beaucoup mieux. Renoncer au contrôle, cela s'appelle «lâcher». Mais en renonçant à tout contrôler, ne vais-je pas me retrouver devant rien? C'est alors que j'ai découvert que si je n'essaie pas de tout régler par moi-même, la vie va se charger des résultats. Pratiquer ce «lâcher prise» ne fonctionne que dans le mesure où cela s'appuie sur la confiance en la vie.

---

**J'accepte de lâcher prise devant ce que je ne peux contrôler et je fais confiance à la vie.**

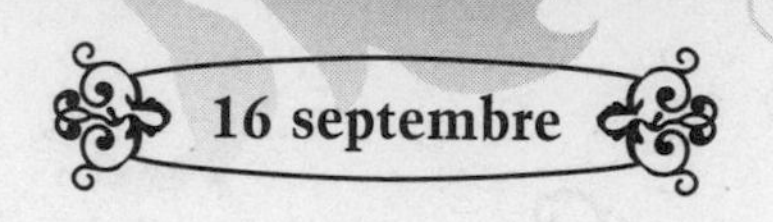

16 septembre

# JE NE JUGE PAS MON CONJOINT

Il est facile de juger les autres, car personne n'est parfait et personne ne peut répondre parfaitement à nos attentes. Cela est d'autant plus facile que l'autre est proche. Au lieu de choisir cette attitude de jugement vis-à-vis de mon conjoint, je choisis d'accepter ce qu'il dit et ce qu'il fait, quitte à lui faire part de mes réactions lorsque je me sens dérangée par ses attitudes. En évitant le jugement et la critique, je demeure beaucoup plus libre dans mon couple. Ainsi, je peux chercher et voir, chez lui comme chez moi, ce qu'il y a de meilleur.

---

**En ne jugeant pas les autres, j'apprends à ne pas me juger moi-même.**

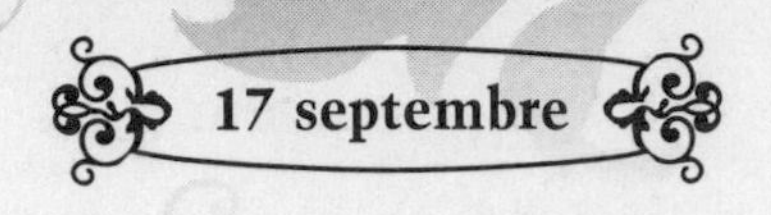

17 septembre

# MA CAPACITÉ À VOIR CORRECTEMENT LA RÉALITÉ AUGMENTE

Lorsque j'ai commencé à faire un travail de croissance personnelle, l'un de mes problèmes majeurs était mon incapacité à évaluer correctement la réalité. Ma compréhension des faits et des événements était déficiente et inefficace. Maintenant, je suis beaucoup plus à même de comprendre la réalité et de l'interpréter correctement. Et cela inclut ma réalité intérieure. Le contact que j'ai avec moi-même est chaque jour un peu plus conscient. Je commence à distinguer clairement mes forces et mes faiblesses, comme celles des autres. Et j'éprouve de la gratitude de pouvoir ainsi comprendre ce qui se passe en moi et autour de moi.

---

**En devenant capable de voir et d'évaluer correctement la réalité, je me libère des illusions.**

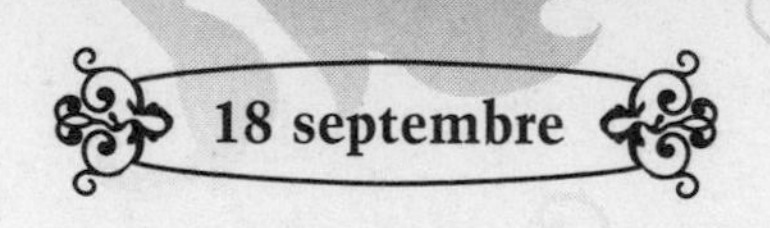

## 18 septembre

# JE DEMANDE À CHOISIR CE QUI EST BON POUR MOI

Mes désirs personnels peuvent m'amener à choisir des choses qui ne sont pas nécessairement bonnes pour moi. Mes instincts et mes pulsions me dictent des choix qui vont dans le sens de mes pulsions, mais sans tenir compte de mes valeurs. J'ai des choix à faire entre ce qui est bon pour moi et ce qui m'est agréable ou souhaitable. Aussi, en me levant le matin, je demande à ma Puissance supérieure d'avoir la capacité de faire des choix qui vont dans le sens de ce qui est bon pour moi. J'admets donc que, par moi-même, je n'ai pas toujours le discernement souhaité et qu'il y a encore de la confusion lorsque vient le temps de faire des choix.

---

**Mes choix sont-ils toujours éclairés et vont-ils dans le sens de ce qui est bon pour moi ?**

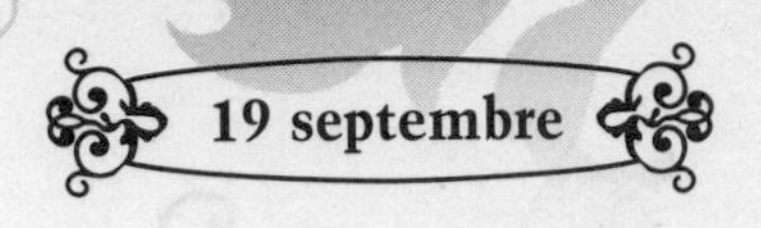

# JE SUIS RECONNAISSANTE AUSSI POUR LES DIFFICULTÉS

Il est relativement facile d'éprouver de la reconnaissance pour les améliorations, pour les bienfaits ou pour les cadeaux de la vie. Ma réaction première est tout autre vis-à-vis des difficultés de la vie. L'incrédulité et l'apitoiement sur mon sort sont mes premières réactions. Mais y a-t-il aussi quelque chose d'autre à comprendre dans ces difficultés, à un niveau plus profond ? Une difficulté, un désappointement, de la souffrance ne sont-ils pas des occasions de mieux me situer par rapport à moi-même, de mieux me comprendre et d'y rechercher le positif ? Vues sous cet angle, les difficultés de la vie ne sont pas des épreuves à fuir à tout prix.

---

**Est-ce que je recherche ce qu'il peut y avoir de positif dans les difficultés que je rencontre ?**

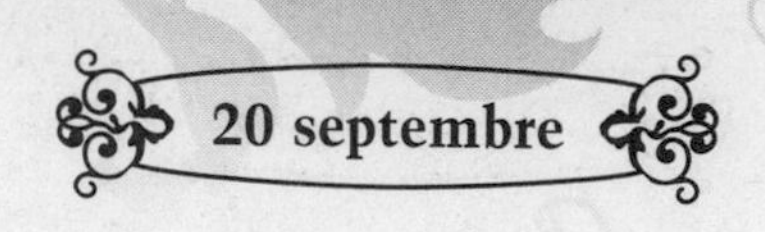


# JE M'EXPLIQUE AVEC L'AUTRE

Il y a des situations où des malentendus ou des frictions peuvent survenir avec une autre personne. Il est alors facile à la peur de s'installer et de perpétuer ces malentendus jusqu'à ce qu'ils dégénèrent en conflit durable. Si je laisse une telle situation s'installer, je sais que je me prépare de nombreux jours difficiles. Je choisis plutôt de régler le conflit maintenant et d'approcher l'autre pour lui expliquer comment je me sens. Une explication franche permet bien souvent de réaliser que le malentendu n'avait pas de base réelle et ne correspond en rien à ce que l'autre voulait dire.

---

**Je choisis de m'expliquer avec l'autre lorsqu'il se produit un malentendu; cela contribue à me libérer de l'emprise de la peur.**

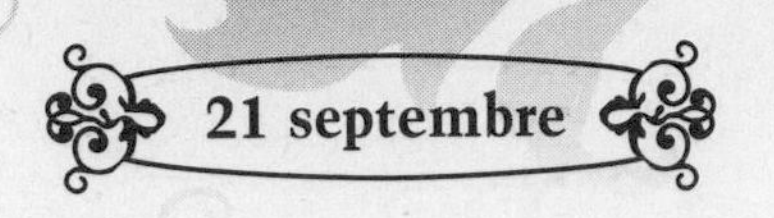

# JE SALUE LA VENUE DE L'AUTOMNE

C'est une autre saison qui s'annonce et qui vient me rappeler que la nature continue son cycle indépendamment de moi. On parle souvent de l'automne en termes poétiques: on exalte ses couleurs fantastiques, on parle d'une vague symbolique de la maturité, ou on évoque la température maussade et la pluie. Pourtant, je peux l'aborder chaque jour, en stabilisant mon humeur sans la faire dépendre des circonstances extérieures comme le climat. C'est une chose de profiter pleinement des sensations que m'offre la saison et c'en est une autre de me laisser conditionner par ces circonstances extérieures.

---

**Je ne laisse pas les conditions climatiques ambiantes influencer le climat de mon humeur.**

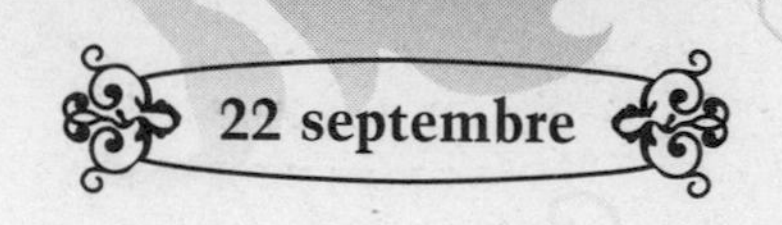

22 septembre

## JE METS L'AMOUR EN PRATIQUE

L'amour n'est pas une théorie ou un concept vide de sens; c'est une réalité qui s'expérimente et se vit. Il y a une forme d'amour qui me relie à mon conjoint. Une autre forme d'amour que je donne à mes enfants. C'est de l'amour relativement facile à vivre. Il y a également une forme d'amour que je destine aux humains en général et à l'univers. Et la forme d'amour la plus difficile à vivre est l'amour de mes ennemis, des gens contre qui je ressens de la colère ou de l'agressivité. C'est là que l'amour prend son véritable sens et qu'une habitude d'aimer peut prendre racine solidement.

---

**La vie m'offre plein d'occasions où pratiquer l'amour des autres et apprendre à aimer.**

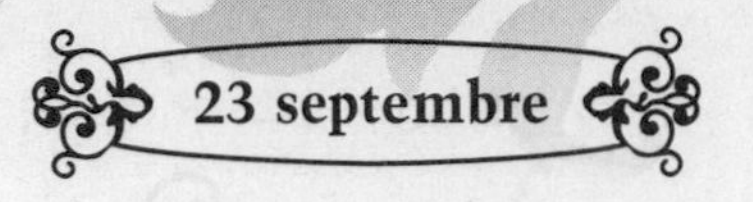

23 septembre

# EST-CE QUE JE CÈDE À LA COLÈRE ?

Ma tolérance est-elle trop faible devant les événements et les circonstances de la vie ? Ce manque de tolérance sort-il sous forme de colère ? C'est parfois mon cas. Je cherche alors ce qui me dérange, ce que je refuse. Car ma colère est souvent une réaction de refus. C'est peut-être moi-même que je refuse. Ce n'est qu'en me regardant honnêtement tout en me posant les bonnes questions que j'en viendrai à comprendre ce que je refuse de moi. Peut-être est-ce ce que je perçois une certaine incapacité à faire face aux événements ? Quoi qu'il en soit, la colère est chez moi signe que quelque chose d'autre ne va pas.

---

**La colère me sert de baromètre pour mesurer mon niveau de bien-être intérieur.**

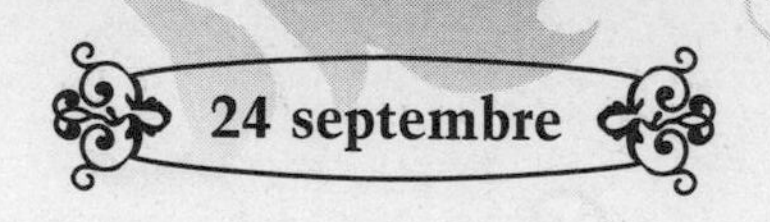


# JE RECHERCHE L'ENTHOUSIASME

La vie est souvent faite de routine, soit à la maison, soit au travail. Et la routine m'amène à répondre aux événements avec indifférence. Lorsque je réagis ainsi, je me trouve à m'isoler des autres et de ce qui se passe autour de moi. Et je ne pense pas que ce soit la meilleure façon de faire pour être en contact avec les autres et pour profiter de la vie. Pour combattre cet état d'esprit négatif, je recherche l'enthousiasme en moi pour ensuite le semer autour de moi. Tout m'apparaît alors sous un jour nouveau. Tout est dans la manière dont je perçois les choses.

---

**Recherchant l'enthousiasme dans ce que je fais m'aide à rester jeune dans les tâches de chaque jour.**

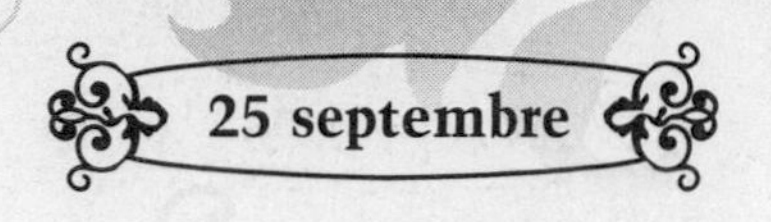

25 septembre

## JE ME FAIS UN PROJET DE CROISSANCE

Après un bon moment passé à examiner mon progrès personnel, il est temps que je fasse des choix et que j'en arrive à formuler clairement un projet de croissance qui me soit personnel. J'en arriverai alors à déterminer ce que je désire vraiment rechercher dans la vie et ce que je souhaite faire du temps et des talents qui me sont donnés chaque jour. Les formes d'engagement qui me conviennent, les objectifs que je désire atteindre dans chacun des domaines de ma vie seront clairement indiqués dans mon projet. Les moyens qui me semblent appropriés pour y parvenir seront clairement identifiés.

---

**Je me donne un projet de croissance pour continuer à avancer de façon cohérente au lieu de plafonner et de faire du surplace.**

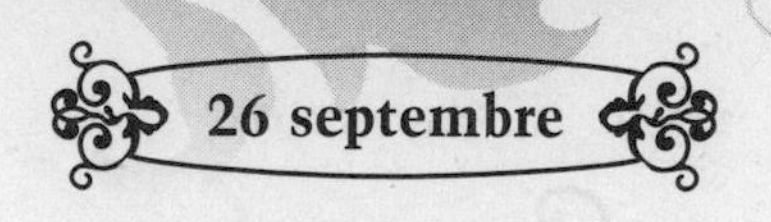


# JE PARLE EN BIEN DE MOI

J'étais souvent réticente à accepter les compliments et les hommages que les autres voulaient m'adresser. Je ne me sentais pas digne de telles démonstrations, et je n'aurais jamais osé penser de telles choses à mon sujet. Ce n'était pas là de la modestie, mais une faible estime de moi, un manque d'amour pour moi-même. Je sais aujourd'hui faire la différence entre un compliment intéressé et une opinion favorable sincèrement formulée. Si elle est méritée, je l'accepte. Et je n'hésite plus à parler en bien de moi et de mes réussites, lorsque cela est véridique. Mon opinion sur moi a changé avec le temps.

---

**Je me montre de l'amour lorsque je parle en bien de moi avec équilibre.**

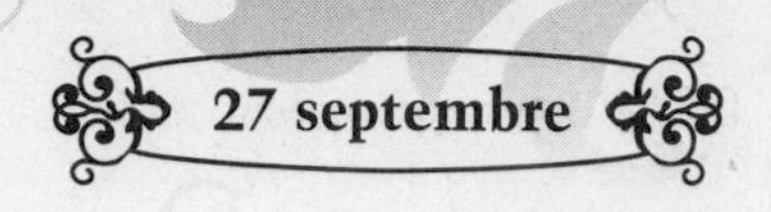

27 septembre

# JE LAISSE À MON CONJOINT LE TEMPS QU'IL LUI FAUT

En évoluant, j'ai appris à me donner du temps et à être patiente lorsqu'il s'agit de réaliser mes objectifs. Pourquoi n'en ferais-je pas autant avec mon conjoint? Après tout, lui aussi a besoin de temps pour progresser. Il ne peut pas tout faire d'un seul coup. Il lui faut du temps pour accomplir ses propres objectifs et pour prendre les bonnes décisions. Il n'est que juste que je le laisse aller à son propre rythme. Je garde un équilibre dans ma démarche en laissant l'autre libre.

---

**Le temps est le même**
**pour tout le monde;**
**si j'en ai besoin, mon conjoint**
**en a besoin lui aussi.**

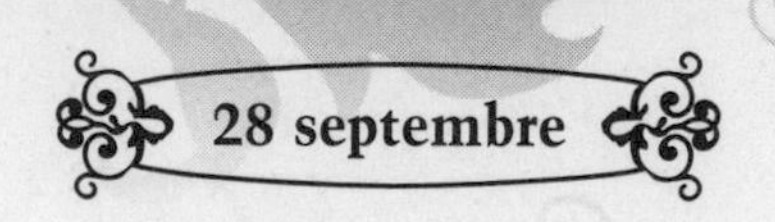

## JE NE REFOULE PLUS MES ÉMOTIONS

Auparavant, je ne me permettais pas de ressentir certaines émotions. Celles-ci étaient considérées comme néfastes ou mauvaises et je devais les nier. Il est bien entendu qu'une émotion non acceptée ne disparaît tout simplement pas dans le néant. Elle reste en moi. Et les émotions ainsi refoulées s'accumulent, jusqu'à créer une pression insupportable. La santé émotive consiste au contraire à accepter et à vivre toutes mes émotions telles qu'elles sont. Or, elles ne sont ni bonnes ni mauvaises en soi: elles font partie de ma réalité intérieure. En acceptant de les vivre, elles me deviennent familières et je m'en accommode.

---

**Je cesse de nier la réalité**
**en refoulant mes émotions;**
**je me rapproche de moi**
**en acceptant de les vivre**
**telles qu'elles se manifestent.**

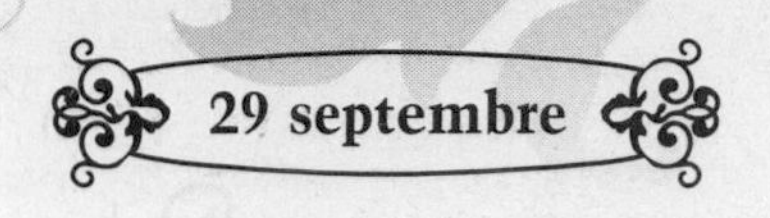

29 septembre

# JE M'IMPLIQUE DANS MON PROGRÈS PERSONNEL

Il peut être tentant d'essayer telle ou telle méthode pour changer ce qui ne va pas dans ma vie tout en restant à la surface des choses. Ensuite, je passe à une autre méthode, toujours en naviguant en surface. J'en viens à acquérir une connaissance encyclopédique des processus de croissance personnelle, mais sans jamais m'y impliquer vraiment. Je suis alors comme quelqu'un qui va au restaurant, qui lit le menu, mais sans jamais commander. Il finit par mourir de faim. La vie me demande plutôt de choisir ce qui me semble être bon pour moi et d'y engager à fond, en prenant le risque que cela fonctionne ou pas.

---

**Est-ce que j'accepte de prendre des risques et de m'impliquer vraiment dans mon progrès personnel ?**

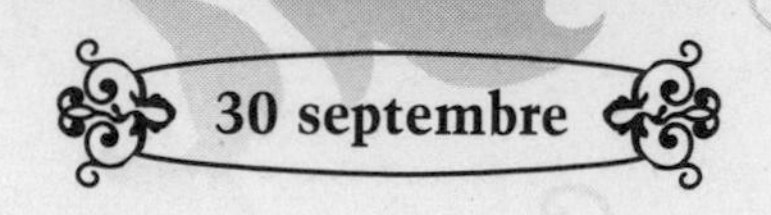

30 septembre

## L'INTIMITÉ M'APPARAÎT-ELLE COMME UNE RICHESSE?

L'intimité avec mon conjoint me permet d'être proche de lui et de lui faire confiance. La crainte que des jeux ou de la manipulation ne s'installent entre nous est tout simplement absente. Ce climat est une richesse dans ma relation de couple puisque la qualité de notre vie en est grandement augmentée. Je prends le risque de vivre dans ce climat et je n'ai plus peur de ce qui arriverait si les choses venaient à changer. Ces situations hypothétiques ne sont que des illusions causées par la peur. Je préfère vivre l'intimité du moment présent plutôt que la peur de demain.

---

**Est-ce que je choisis l'intimité de préférence à la peur?**

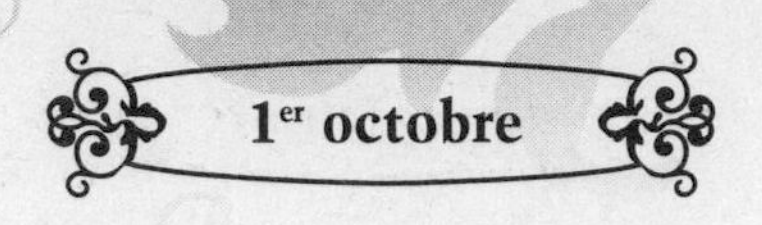

1er octobre

## FAIRE LA BONNE CHOSE POUR LA BONNE RAISON

Lorsque, devant une décision à prendre, plusieurs choix s'offrent à moi, il me devient plus facile de choisir si je me pose deux questions: «Quelle est la chose que je devrais faire?» et «Est-ce que je la fais pour la bonne raison, quelle est ma véritable motivation?» La première question m'aide à identifier ce que je devrais faire, et non ce que j'aimerais faire. Il s'agit d'éliminer des choix qui s'orientent vers la facilité. La seconde question me demande de faire preuve d'honnêteté dans mon choix. Ainsi, il me devient plus facile d'agir de la meilleure façon possible quand j'ai une décision à prendre.

---

**Est-ce que je fais la bonne chose pour la bonne raison lorsque j'ai un choix difficile à faire?**

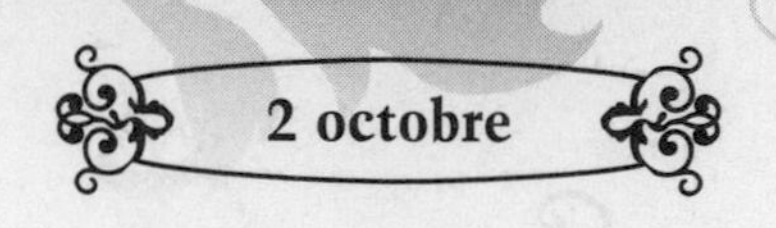

2 octobre

# JE RECHERCHE LE CHANGEMENT INTÉRIEUR

Les circonstances extérieures de ma vie n'influencent pas vraiment mon bonheur ni ma paix intérieure. Ceux-ci s'enracinent dans ce que je suis en ce moment. Même si je changeais de conjoint, de maison, d'emploi ou d'amis, je ne serais pas plus heureuse. Ce qui peut m'apporter le bonheur et la paix intérieure, c'est uniquement le changement qui, peu à peu, s'installe en moi. C'est la confiance en la vie qui remplace la peur et l'insécurité. C'est l'amour altruiste des autres qui remplace l'égoïsme et l'intolérance. La découverte de mes qualités et de mes talents prend alors le pas sur l'image négative que je me suis toujours faite de moi.

---

**Le changement intérieur est la condition du bonheur et de la sérénité.**

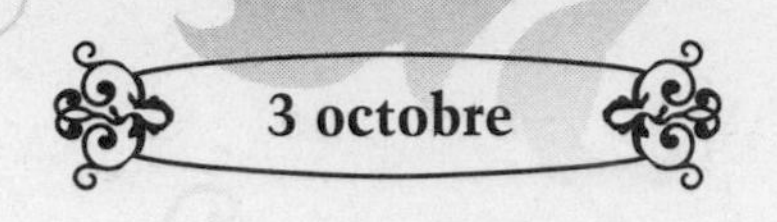

3 octobre

# JE NE LAISSE PAS DE PLACE À LA HONTE

La honte est un sentiment qui me fait me sentir inférieure, sans valeur personnelle. Ce sentiment peut apparaître à la suite d'une erreur ou d'un échec, ou même dépendre d'un commentaire injustifié venant d'une autre personne. C'est un sentiment qui me paralyse et m'isole des autres. C'est pourquoi je ne peux permettre à la honte de s'installer en moi. Dès que ce sentiment menace d'apparaître, je dois agir pour l'éliminer: la prière, le soutien d'une confidente amie, le souvenir de mes réussites personnelles sont autant de moyens à utiliser pour retrouver une saine estime de moi.

---

**La honte réduit à rien le sentiment de ma valeur personnelle et va à l'encontre de tout ce que j'essaie de faire pour évoluer.**

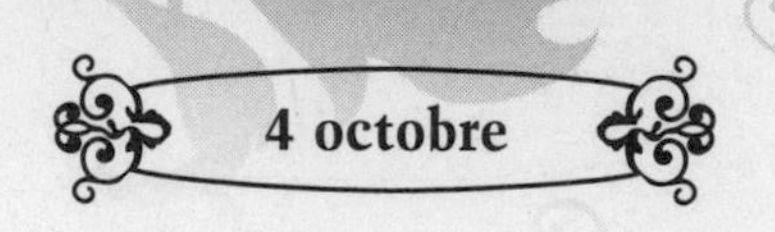

4 octobre

# JE GARDE MES CHOSES EN ORDRE

Il m'arrive d'être frustrée ou colérique quand je cherche quelque chose et que je n'arrive pas à mettre la main dessus. Pourtant, si j'avais mis cet objet à la bonne place lorsque je m'en suis servie, je n'aurais pas à perdre du temps à le chercher aujourd'hui. Ces contrariétés de la vie peuvent facilement être évitées en gardant mes choses en ordre. Appliquer cette habitude fait que, peu à peu, j'en viens à un meilleur contrôle sur mon environnement personnel et sur ma vie. Le sentiment de sécurité qui en découle rendra la colère et la frustration inutiles.

---

**En gardant mon environnement en ordre, mon fonctionnement intérieur devient plus ordonné.**

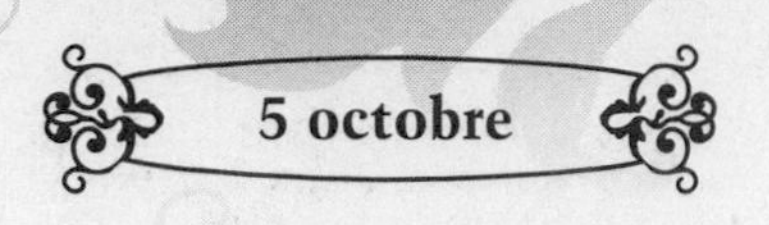

5 octobre

# J'APPRENDS À M'ABANDONNER

Dans mon enfance, on m'a appris à ne jamais lâcher et à persister jusqu'à ce que j'obtienne ce que je veux. Plusieurs dizaines d'années plus tard, on me dit que je dois apprendre à abandonner, à renoncer. J'ai été sceptique au début, puis déchirée entre ces deux conceptions. Peu à peu, l'expérience m'a convaincue que c'était la bonne méthode que de m'abandonner à la volonté d'une Puissance supérieure à moi-même. Les résultats de cet abandon ne tardaient pas à venir sous forme de paix d'esprit et de sérénité. De plus, j'ai dû constater que, dans cet état d'esprit, mes problèmes trouvaient une solution.

---

**En m'abandonnant à la volonté de ma Puissance supérieure, je constate que les résultats sont meilleurs que tout ce que j'aurais pu espérer.**

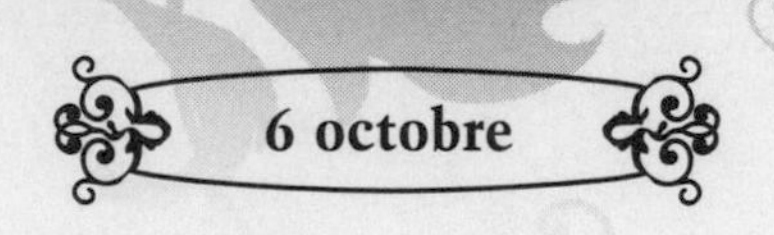

## MES LIMITES ÉMOTIONNELLES

Le fonctionnement émotionnel n'est pas quelque chose qui peut être contrôlé et discipliné par la volonté, qui peut être amélioré par des exercices. Mes émotions surviennent comme une réponse instinctive à des circonstances intérieures ou extérieures, et tout ce que je peux faire c'est de changer mes attitudes vis-à-vis de mes réactions émotionnelles. Là se situent mes limites dans ce domaine de ma vie. C'est dans mes attitudes que j'ai des limites et je peux travailler à les repousser en acceptant de vivre pleinement les émotions qui surviennent, même lorsqu'elles sont désagréables.

---

**J'accepte d'être limitée dans mon fonctionnement émotionnel, mais je sais que je peux changer mes attitudes vis-à-vis de mes émotions.**

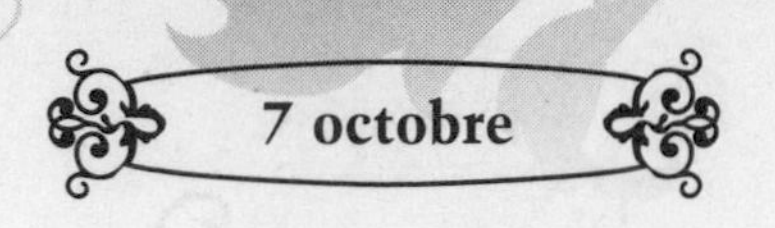

7 octobre

## JE METS DE LA CONFIANCE DANS MA VIE

L'incapacité à faire confiance a longtemps été un obstacle majeur dans mes rapports avec les gens. Il n'y avait en moi que de la peur: peur de me rapprocher, peur d'être blessée, peur de m'ouvrir. Aujourd'hui, j'ai appris à faire confiance aux autres et à me rapprocher d'eux. Cela rend les échanges entre nous plus authentiques. J'ai aussi appris à faire confiance à une Puissance supérieure à moi-même, et j'en suis venue à croire que ma présence en ce monde avait un sens. En vivant dans la confiance, la peur recule et sort peu à peu de ma vie.

**Je fais confiance aux gens et à ma Puissance supérieure, et c'est ainsi que je chasse la peur de ma vie.**

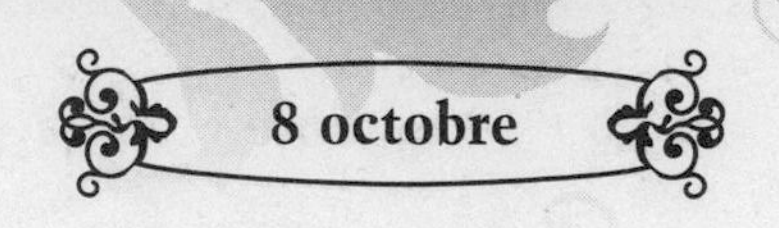

8 octobre

## JE NE CLASSE PAS LES GENS EN GAGNANTS OU PERDANTS

On m'a parfois conseillé de fréquenter des gagnants dans la vie. À bien y penser, je ne suis pas sûre que ce soit un bon conseil. Croire qu'il y a des gagnants, c'est aussi croire qu'il y a des perdants. C'est diviser les gens en deux classes pour en exclure une des deux. Je crois plutôt qu'il n'y a que des gens qui font de leur mieux avec ce que la vie leur réserve. Je crois aussi qu'il vaut mieux pour moi accompagner des gens qui en sont à peu près au même point que moi parce que nous avons plus de choses à partager. Ainsi, le monde redevient un endroit où il y a une place pour chacun.

---

**Je me tiens avec des gens qui peuvent m'enrichir moralement et avec qui je peux échanger, sans les classer par catégories.**

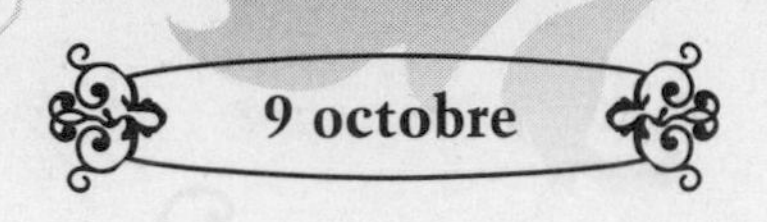

9 octobre

## JE RECHERCHE LA LIBERTÉ

La liberté n'est pas la possibilité de faire ce que je veux quand je veux, mais plutôt de choisir ce qui est bon pour mon évolution personnelle et de dire «non» au reste. Je vis ma liberté dans le cadre que me donne la vie. Ce que la vie me demande, c'est d'être détendue et heureuse, de ressentir la paix intérieure et de vivre en harmonie avec les autres dans un univers cohérent et équilibré. Je suis libre d'accepter ou non de dire «Oui» à la vie. Une fois que ce choix est fait, ma liberté devient plus réduite car mes options vont dans le sens de mon «Oui» ou de mon «Non». Je sais que si je choisis mal, je n'aurai pas la paix de l'esprit promise.

---

**Je recherche une nouvelle liberté, celle de dire «Oui» à la vie et d'être heureuse.**

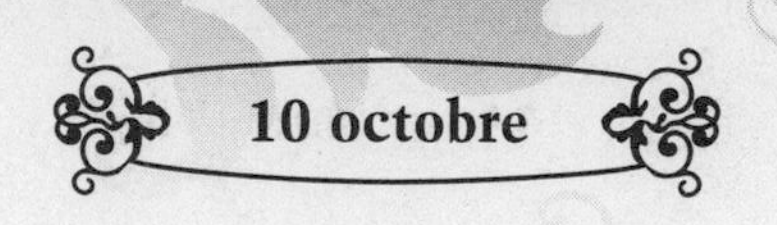


# JE RESSENS LA BEAUTÉ DE CE JOUR AVEC TOUT MON ÊTRE

Les dernières belles journées de l'automne nous sont données gratuitement comme un cadeau de la vie. Aujourd'hui, je vais à l'extérieur et je remplis tout mon être de cette beauté. Mon corps physique absorbe toutes ces sensations par les sens: couleurs, odeurs, température de l'air, bruits, etc. Émotionnellement, je me sens en paix et sereine, tout occupée à bien profiter du moment présent avec des yeux d'enfant. Mentalement, je suis dans un état de repos puisque je ne pense à rien d'autre qu'à cette journée. Spirituellement, je me sens unie à la vie et à l'univers, et la paix que j'éprouve vient de ce que tout mon être est intégré, ce qui est aussi un cadeau de la vie.

---

**Suis-je prête à tout laisser de côté pour profiter de cette journée avec tout mon être ?**

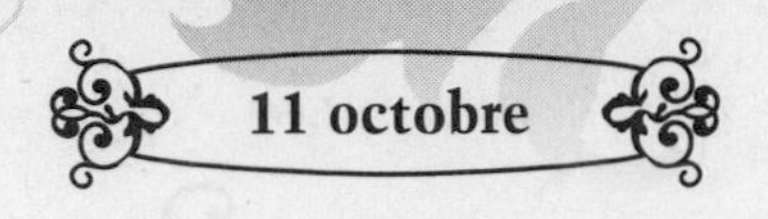

11 octobre

## AI-JE LA BONNE ATTITUDE?

Quelle est la bonne attitude? D'après mon expérience, c'est celle qui m'apporte la paix intérieure et la sérénité. J'ai toujours le choix d'opter ou non pour cette attitude. Et celle-ci varie avec chaque personne: il n'y a pas de recette universelle. Ce qui importe, c'est ma façon de me positionner vis-à-vis de mon bonheur et de mes expériences vécues. C'est comment je mets en pratique des principes de vie simples mais efficaces. C'est comment j'accepte de vivre avec moi-même, avec les autres et avec la vie. Il revient à chaque personne de définir l'attitude qui lui donnera le bonheur.

---

**Suis-je prête à vivre selon l'attitude qui m'apportera la paix de l'esprit et le bonheur?**

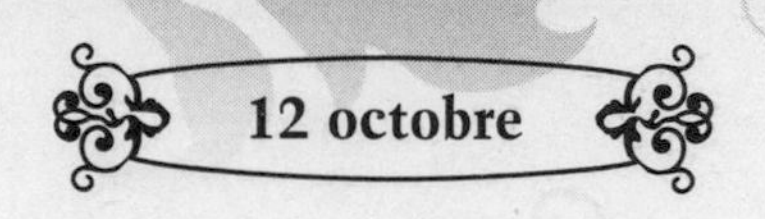

12 octobre

## JE M'AFFIRME SANS BLESSER LES AUTRES

L'un de mes problèmes a toujours été ma difficulté de m'affirmer, de faire connaître aux autres ce que je ressentais vraiment. J'en viens graduellement à pouvoir le faire en évoluant. Je suis maintenant capable de prendre mes distances, de refuser des situations qui ne me sont pas favorables ou qui me dérangent. Je peux faire connaître mes besoins et exiger qu'on y réponde. Mais je suis aussi consciente que mon évolution personnelle ne peut se faire au détriment des autres. Je ne peux afficher mes besoins en niant ceux des autres ou m'imposer en prenant toute la place. Je demeure responsable des conséquences de mes actes autour de moi.

---

**Mon évolution personnelle se fait avec les autres, non à leur détriment.**

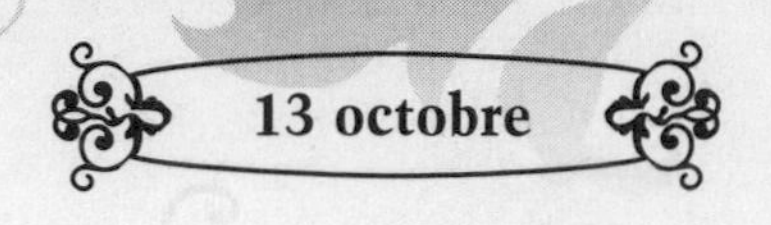

13 octobre

## J'ÉPROUVE DE LA GRATITUDE

C'est vers cette date-ci que nous célébrons le jour d'Action de grâce. L'esprit de cette fête, c'est de manifester notre gratitude pour tous les bienfaits reçus, à un moment de l'année où la nature est particulièrement généreuse à notre endroit. Mais la vraie générosité de la vie à mon endroit est d'abord intérieure. J'ai reçu beaucoup de la vie et une journée ne suffit pas pour manifester toute ma gratitude. Il est important de me le rappeler aujourd'hui. Des moments de plus en plus fréquents de paix intérieure, la capacité d'entrer en contact profond avec d'autres personnes, le sentiment d'avoir une place bien à moi dans l'univers sont autant de bienfaits qui motivent ma gratitude.

---

**La gratitude est un sentiment qui me relie à la vie et me fait me sentir vivante et en santé.**

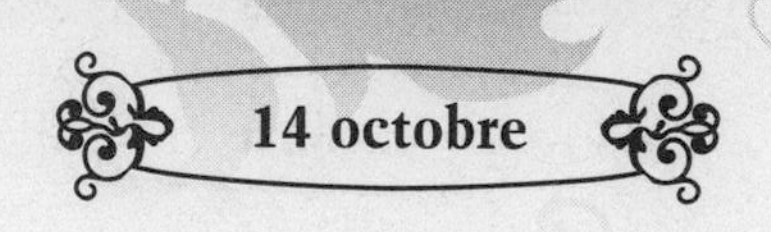

14 octobre

# JE PERMETS QU'ON ME CONNAISSE VÉRITABLEMENT

Dans le mesure où je m'ouvre à mon conjoint et aux autres, je me fais connaître. Je deviens alors vulnérable, mais en même temps capable d'intimité. Je renonce alors à contrôler l'échange et j'accepte de prendre le risque de me rapprocher d'une autre personne. Il peut alors se produire un miracle: la perception change et nous voyons naître un amour altruiste et véritable. C'est une expérience nouvelle et différente, mais qui en vaut la peine. En me rapprochant ainsi d'une autre personne, j'accepte ma véritable nature qui est d'aimer et d'être aimée.

---

**En m'ouvrant à l'autre,
je découvre l'amour
et une autre dimension
de la vie.**

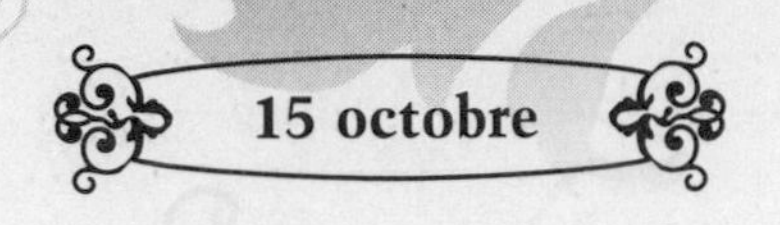

15 octobre

## JE FAIS FACE À DE NOUVEAUX DÉFIS

Les changements dans ma vie m'apportent de nouvelles occasions de croissance et me mettent face à des défis insoupçonnés. Je rencontre d'autres personnes, j'essaie de participer à des activités différentes, je m'ouvre davantage. Ce sont là autant de défis à relever pour moi. Autant de situations excitantes qui provoquent aussi en moi de la peur. Je n'hésite pas alors à recourir aux conseils et au support de gens en qui j'ai confiance. Je sollicite l'aide de ma Puissance supérieure. j'ambitionne de me faire confiance dans des situations que je sais être bénéfiques pour moi.

---

**Les nouveaux défis sont autant de possibilités de croissance que j'accueille avec gratitude et confiance.**

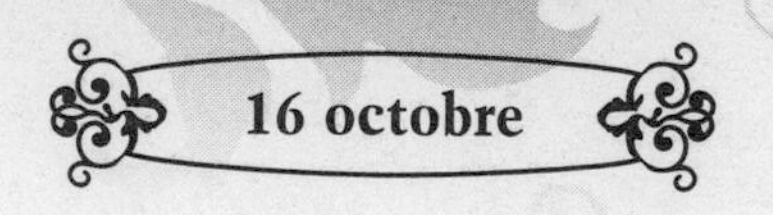

## 16 octobre

## J'ACCEPTE CE QUI EST

Un des secrets de la paix de l'esprit, c'est d'accepter qu'il y ait des choses que je ne peux pas changer. Mais «accepter» a aussi une autre signification, beaucoup plus positive: recevoir avec gratitude les cadeaux que m'offre la vie. J'ai longtemps eu de la difficulté à accepter que des choses me soient offertes: je ne les méritais pas, je ne m'en sentais pas digne. Aujourd'hui, je comprends que la paix de l'esprit vient de mon acceptation de la réalité, avec tout ce qu'elle comporte: des situations difficiles devant lesquelles je suis impuissante et des situations où je reçois comme message que la vie m'aime et me veut heureuse.

---

**Ma paix de l'esprit vient de ce que j'accepte tout ce que la vie veut bien m'offrir.**

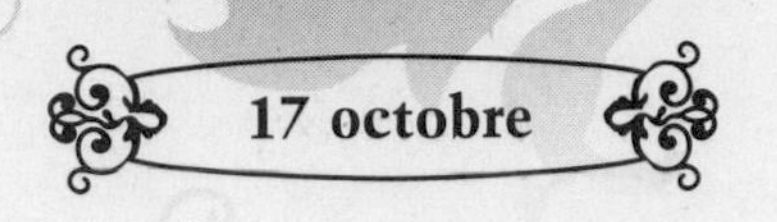


## JE SUIS HONNÊTE AVEC CE QUI SE PASSE VRAIMENT EN MOI

Afin d'avoir une opinion convaincante de moi-même, il est essentiel que je sois vraiment en contact avec ce que je vis. Autrement, mon opinion est une simple illusion, et elle repose sur quelque chose qui ne saurait durer. Ce contact conscient avec moi me demande beaucoup d'honnêteté. Alors seulement, je verrai qu'au-delà de mes faiblesses et de mes déficiences, il y a une force: celle de pouvoir entrer en contact avec ce que je vis. Alors seulement je commencerai à vraiment me connaître.

---

**J'aurai une opinion valorisante de moi-même pour autant que je pratiquerai l'honnêteté face à ce que je vis réellement.**

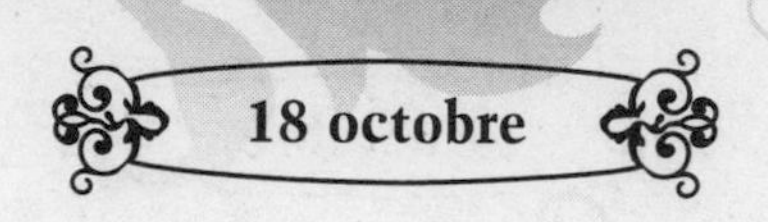

## 18 octobre

## JE PRATIQUE LA PATIENCE

Souvent, dans notre vie moderne, il nous faut des résultats concrets et définitifs. Et j'ai tendance à appliquer cette vaine attitude dans ma vie personnelle. Je commence une démarche de croissance personnelle et il me faut des résultats tout de suite. Mon attitude est vaine parce qu'alors je ne tiens pas compte d'un facteur important: moi. Moi et mes résistances, moi et mes peurs, moi et mes perpétuelles hésitations. Ma croissance est inversement proportionnelle à tous ces facteurs. Ce n'est qu'avec le temps que ces résistances vont graduellement être éliminées pour laisser place à des résultats intéressants.

---

**Je laisse à ma démarche de croissance le temps nécessaire pour faire son œuvre.**

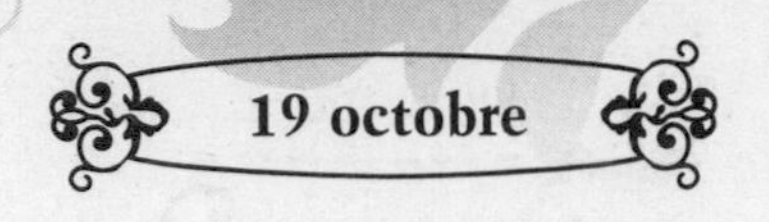

## J'AI BESOIN DES AUTRES

La croissance personnelle ne peut se faire uniquement par soi-même. Pour apprendre à mieux me connaître et à mieux m'aimer, j'ai besoin que les autres m'enrichissent de leur expérience. Pour mieux accepter mes erreurs, j'ai besoin que ùceux qui m'entourent me parlent des leurs. Pour calmer mes peurs, j'ai besoin qu'on me rassure. Pour mieux accepter mes peines, j'ai besoin que mes proches m'écoutent. Pour consolider mes progrès, j'ai besoin de les partager avec mes semblables. Les autres sont essentiels à ma croissance.

---

**Mon entourage joue un rôle essentiel dans ma croissance personnelle.**

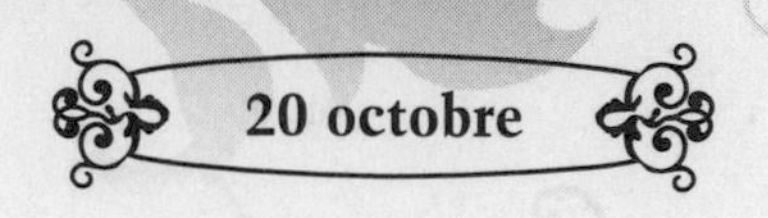

20 octobre

## JE DEVIENS CELLE QUE JE SUIS VRAIMENT

Mon progrès consiste moins à changer radicalement qu'à devenir la personne que je suis vraiment. Ma croissance consiste à enlever toutes ces couches qui masquent ma véritable nature et m'empêchent d'être moi-même: les peurs, les conditionnements, la faible estime de soi, la honte. La recherche du contact conscient avec moi permet d'en venir à comprendre quels mécanismes j'utilise pour ne pas être moi-même. La recherche du contact conscient avec ma Puissance supérieure me permet d'éprouver mon manque d'amour et de sécurité et de rechercher une vraie solution à cette carence.

---

**Je cherche qui je suis vraiment en enlevant tous les masques que je porte et qui m'empêchent d'être moi-même.**

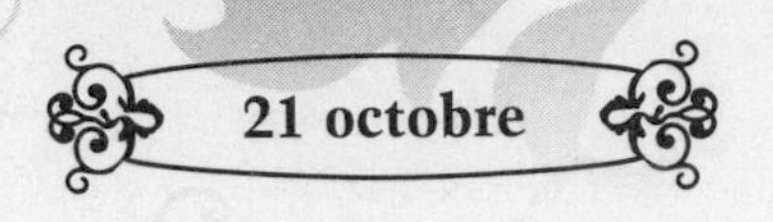


# LES LIMITES DE L'INTELLIGENCE

Il peut sembler prétentieux que je voie des limites à l'intelligence alors que nous sommes capables de développer des technologies qui nous font accomplir toutes sortes de prouesses. Je veux parler des limites de mon intelligence, appliquée à ma vie et à mes problèmes. Ces limites, c'est l'incapacité de mon intelligence à régler mes souffrances et mes malaises par la compréhension et la logique. Ma pensée peut aussi m'orienter vers de fausses pistes où je ne trouverai ni le bien-être intérieur ni le bonheur. L'intelligence peut me servir à acquérir certaines connaissances à mon sujet, mais le progrès intérieur est plutôt affaire de foi en la vie et de volonté de passer à l'action pour changer ce qui peut l'être.

---

**Mon intelligence peut m'aider à me connaître, mais non à me changer ni à progresser.**

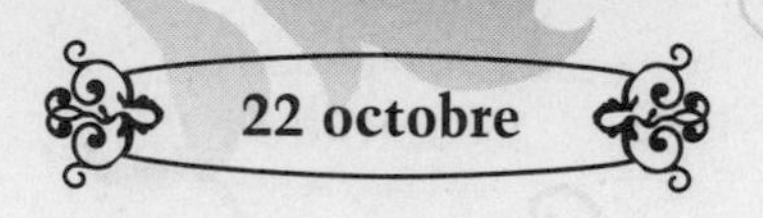


## J'ÉVITE LES ATTENTES À L'ENDROIT DE MON CONJOINT

En entretenant des attentes de la part de mon conjoint, j'ai souvent été déçue et désillusionnée. Il ne pouvait simplement pas répondre à mes espérances, tellement celles-ci étaient élevées. En refusant de nourrir de telles expectatives, j'ai découvert que je pouvais souvent être agréablement surprise par ses comportements et ses attitudes. Cela m'a permis de lui suggérer de renoncer à ses attentes envers moi. Ainsi, nous nous sommes rapprochés comme couple en nous faisant vivre au présent, au lieu d'anticiper des résultats à venir.

---

**Les attentes envers quelqu'un ne permettent pas d'établir une véritable association avec lui; est-ce que je suis prête à laisser l'autre être lui-même ?**

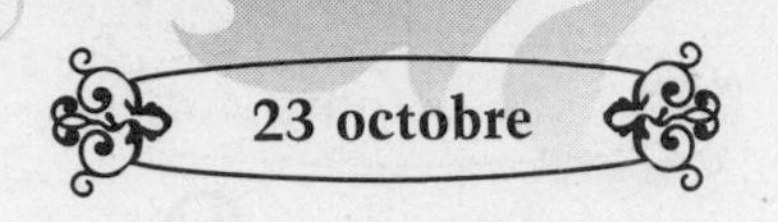

23 octobre

# LA VRAIE SÉCURITÉ VIENT DE MA PUISSANCE SUPÉRIEURE

J'ai recherché toute ma vie un véritable sentiment de sécurité et je n'ai jamais pu le trouver. Ni les relations affectives, ni un bon emploi, ni une abondance de biens matériels ne peuvent procurer ce sentiment. Toutes ces choses peuvent rendre la vie plus agréable, mais elles n'ont pu me donner le bonheur et la tranquillité d'esprit. Le seul cas où je n'ai pas été déçue, c'est dans ma relation avec ma Puissance supérieure. J'y ai ressenti alors une véritable sécurité et trouvé la paix de l'esprit. C'est pourquoi je cultive cette relation jour après jour.

---

**La seule vraie sécurité m'est donnée comme un cadeau par ma Puissance supérieure; je n'ai pas à la mériter.**

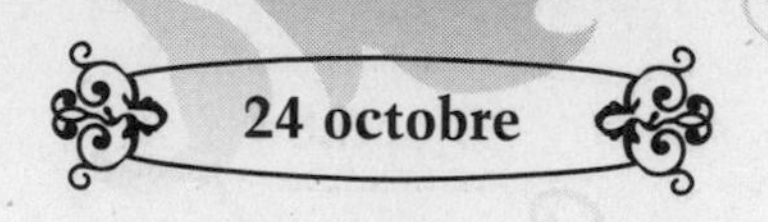

24 octobre

# LES SOLUTIONS NE DÉPENDENT PAS TOUJOURS DE MOI

Les problèmes, les miens comme ceux de mes proches, peuvent parfois me causer beaucoup de tension. C'est que, dans de telles circonstances, j'agis et je ressens comme si leur solution ne dépendait que de moi. J'essaie alors de prévoir et de contrôler tout ce qui va arriver. La tension s'accumule en moi jusqu'à ce que je réalise que je ne fais pas ce qu'il faut. Il me faut alors lâcher prise et laisser la vie agir à ma place. Alors, tout rentre dans l'ordre et je retrouve mon calme. J'ai souvent besoin de me rappeler que la vie est plus sage que moi dans la solution des problèmes.

---

**En assumant la responsabilité des problèmes de tous, je choisis un rôle pour lequel je ne suis pas faite.**

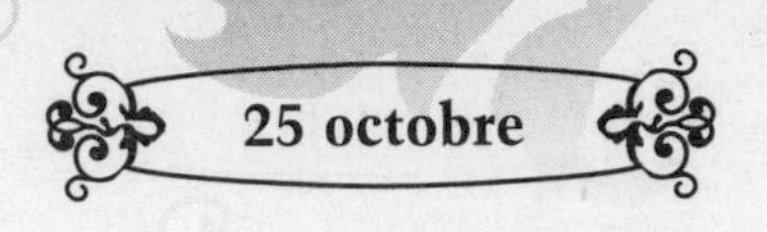

25 octobre

# JE RÉCOLTE CE QUE JE SÈME

Ce qui est vrai dans le domaine du jardinage ne l'est pas moins dans le domaine de la pensée. Si je sème des pensées positives autour de moi, je peux m'attendre à ce que d'autres pensées positives vont fleurir. De même, si je sème des pensées négatives chez les gens qui m'entourent, il ne faudra pas me surprendre si d'autres pensées négatives font leur apparition. J'ai toujours le choix de mes semences, mais je dois tenir compte de cette loi du jardinage. C'est ainsi que si je sème du positif, je connaîtrai la paix intérieure et l'amour autour de moi. Si je sème la critique, l'égoïsme et la dépression, ma récolte ne sera pas fameuse.

---

**En choisissant ce que je vais semer, je m'arrange pour tenir compte des conséquences de mon choix.**

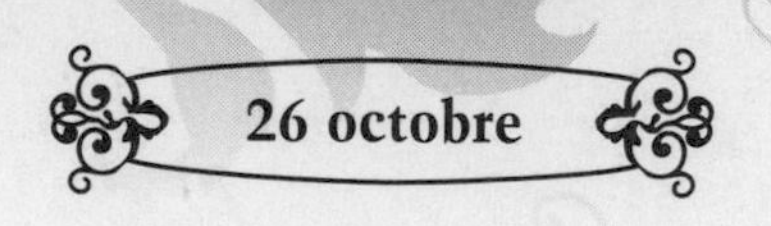

26 octobre

# J'APPRENDS PAR L'EXPÉRIENCE

Ce que je sais à mon sujet, je l'ai appris par l'expérience, non en le lisant dans des manuels de psychologie. Je me suis découverte dans la mesure où dans les moments difficiles de ma vie, j'ai fait face aux difficultés qui se présentaient. C'est par l'expérience que j'ai pu apprendre davantage qui j'étais. Ce sont les points que je devais changer en moi qui me faisaient souffrir et c'est ainsi que j'ai pu les identifier. J'ai aussi appris que la souffrance regardée en face cessait de me faire souffrir. Et j'ai compris que la fuite dans les moments difficiles ne valait rien.

---

**J'apprends sur moi-même en restant en contact avec moi dans les moments difficiles.**

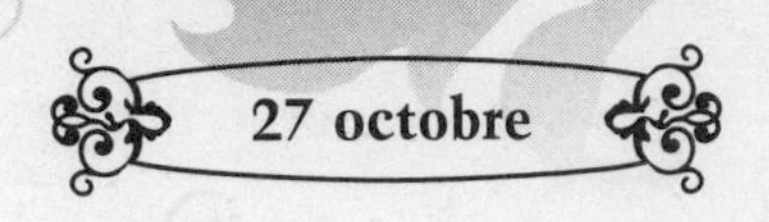

## 27 octobre

# C'EST BIEN DE PENSER À MOI

Un des messages que j'ai reçus durant mon enfance est que penser à moi et m'aimer, c'est faire preuve d'irresponsabilité et d'égoïsme. Cette attitude était fortement condamnable. Par contre, il était bien de s'oublier pour penser aux autres et leur faire plaisir, tout en passant en dernier. J'ai grandi avec ce principe et j'ai fonctionné avec. À force de pratique, j'ai réussi à m'oublier et à ne penser qu'aux autres. Si je manifestais un tant soit peu le souci de moi-même, je n'avais besoin de personne pour me rappeler à l'ordre: je réussissais très bien à le faire moi-même, et je me sentais coupable. Aujourd'hui, je sais que cette valeur était fausse et qu'il est bien de penser aussi à moi.

---

**En pensant à moi à bon escient, je deviens capable de penser aux autres de la bonne façon.**

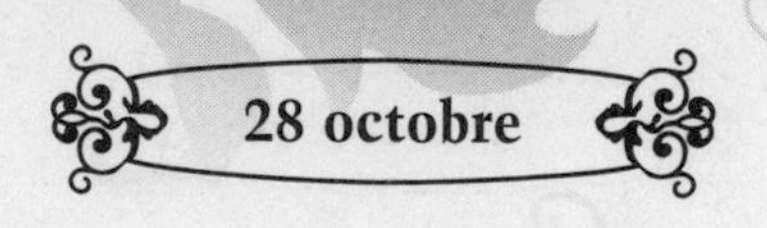

# 28 octobre

## JE NE ME COMPARE PAS

En me comparant aux autres, je n'arrive jamais à avoir une vision juste et réaliste de moi. D'abord, la comparaison n'est jamais souhaitable, car chacun fait toujours de son mieux avec ce qu'il a reçu. Ensuite, je peux me comparer à des gens «meilleurs» que moi et tirer la conclusion que, par rapport à eux, je ne vaux pas grand-chose. Il est possible aussi que je me compare à des gens «moins» que moi et en conclure que je suis vraiment excellente en toutes choses. Dans un cas comme dans l'autre, je n'ai pas une idée juste de ma valeur personnelle. La comparaison ne m'a menée qu'à l'erreur sur mon compte. Je peux seulement me comparer à ce que j'étais auparavant.

---

**En ne me comparant pas aux autres, j'apprends à me connaître véritablement.**

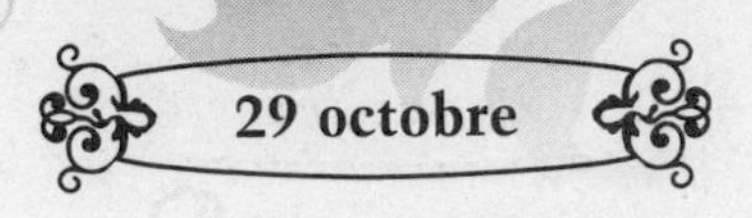

29 octobre

## JE DEMEURE À L'ÉCOUTE DES CHANGEMENTS EN MOI

Les changements dans mon amélioration personnelle se font graduellement, peu à peu, comme l'aube qui naît. Cette évolution est rarement dramatique par son ampleur ou son importance. Pourtant, elle n'en est pas moins réelle. Je reste à l'écoute de cette transformation en moi. C'est ce qu'on entend quand on parle de développer un contact conscient avec soi. Je deviens capable de me voir évoluer. Mes attitudes changent et je me rapproche de la personne que je suis vraiment.

---

**Le progrès personnel se fait souvent à notre insu; c'est pourquoi il est important de cultiver un contact conscient avec soi.**

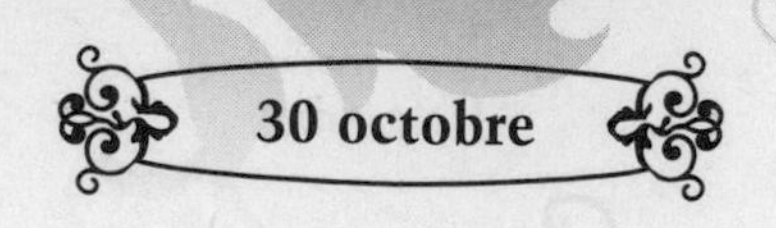

30 octobre

## LE PLAN DE MA PUISSANCE SUPÉRIEURE À MON ENDROIT

Je crois que ma Puissance supérieure a un plan pour moi et que ma vie s'ordonne dans ce sens. Je demeure libre de faire des choix qui vont ou non dans le sens de ce plan, mais mes options me rendront heureuse ou malheureuse selon que je m'oriente ou non dans cette voie tracée pour moi. Si je choisis de vivre selon la volonté de ma Puissance supérieure, ma vie devient plus facile et les événements s'y ordonnent comme «par enchantement». Ce qui est bon pour moi se produit, même si cela va à l'encontre de mes désirs personnels. Avec un peu de recul, je suis bien obligée de reconnaître que ce qui m'est arrivé était mieux que ce que j'aurais souhaité.

---

**Est-ce que je réalise dans ma vie le plan que ma Puissance supérieure a tracé pour moi?**

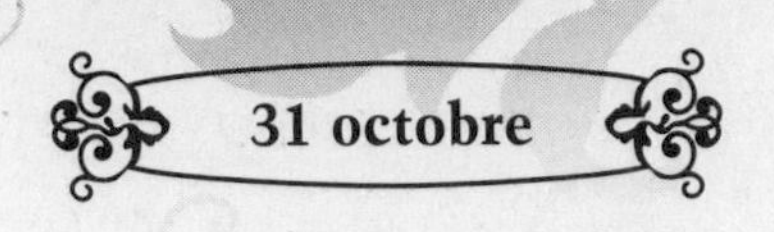

31 octobre

## C'EST JOUR DE FÊTE POUR MOI AUSSI

Aujourd'hui, c'est l'Halloween. C'est une fête pour nos enfants et ils peuvent se costumer, sonner aux portes, rire et recevoir des bonbons. Les rues leur appartiennent pendant quelques heures. On évoque les monstres et les fantômes, qui redeviennent vivants le temps d'une soirée. C'est l'occasion pour moi de participer à une activité avec mes enfants; non seulement je peux les accompagner dans leur tournée pour qu'il ne leur arrive rien, mais je peux également en profiter pour m'amuser moi aussi. Je laisse alors l'enfant qui est en moi s'extérioriser et manifester sa joie. C'est une fête pour tous les enfants, moi y compris.

---

**Je profite de cette occasion pour laisser mon côté enfant s'exprimer.**

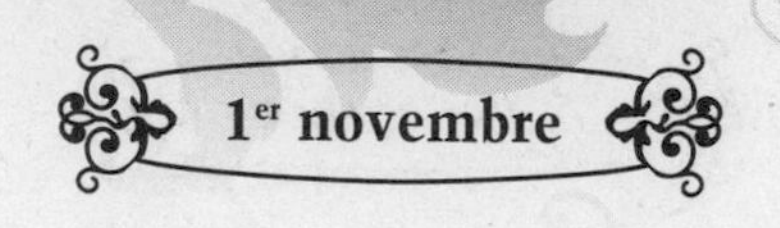

1er novembre

# JE DEVIENS LIBRE DE MES OBSESSIONS

Je suis demeurée longtemps prisonnière d'obsessions, de pensées qui me hantaient sans arrêt. Depuis que j'ai entrepris une démarche d'amélioration personnelle, j'ai constaté que mes préoccupations ont commencé à changer. Mes obsessions sont devenues moins fréquentes, ont cédé la place à des pensées positives, orientées vers le changement. Le contact avec ma Puissance supérieure a rendu ces angoisses insignifiantes. En m'ouvrant aux autres, je me suis aperçue que je pensais moins à moi-même. Tous ces changements m'ont apporté une libération de mes hantises et la capacité de penser sereinement.

---

**De nouvelles habitudes de vie changent ma façon de raisonner; je deviens capable de penser positivement.**

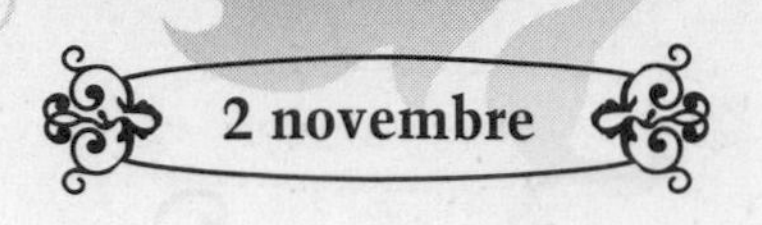
2 novembre

# MES PENSÉES VONT AUX DISPARUS

Avec le temps, des gens que je connaissais décèdent et ne font plus partie de ma vie. Souvent j'ai été proche de ces personnes et je leur dois ce que je suis aujourd'hui. Il m'est facile de les chérir dans mes pensées et je le fais de temps à autre. Cependant, envers certaines personnes également disparues, c'est beaucoup plus difficile parce que je nourris une rancune tenace en raison de vieilles histoires. Pourtant, cela n'a plus vraiment d'importance aujourd'hui, alors que je ne peux même pas m'expliquer avec elles. À ces gens j'adresse une pensée d'amour et de pardon pour être libérée de ce passé.

---

**Je me recueille et je formule une pensée d'amour à l'endroit des personnes disparues.**

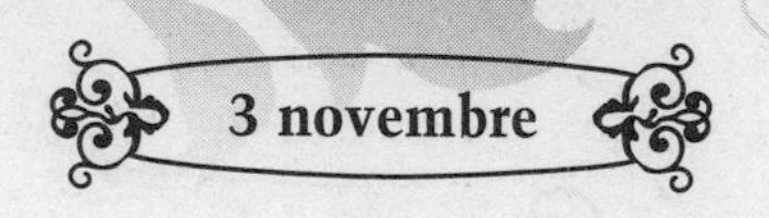

3 novembre

## JE M'ACCEPTE TELLE QUE JE SUIS

J'aurais voulu naître et grandir différente de celle que je suis aujourd'hui. J'aurais souhaité avoir une vie différente de celle que j'ai menée jusqu'à présent. Mais il n'est pas possible de faire une autre prise de vues avec un autre scénario. Je suis celle que je suis et ma vie est ce qu'elle est. Vouloir récrire mon histoire personnelle ne fait que me séparer de celle que je suis. Et divisée contre moi-même, il est bien sûr que je ne serai pas heureuse. Le secret est dans l'acceptation de ce qui est, c'est-à-dire la réalité; le reste n'est qu'illusion. Dans la réalité je trouve aussi le réconfort, la sécurité et la paix de l'esprit.

---

**En acceptant la réalité, je cesse d'être divisée contre moi-même.**

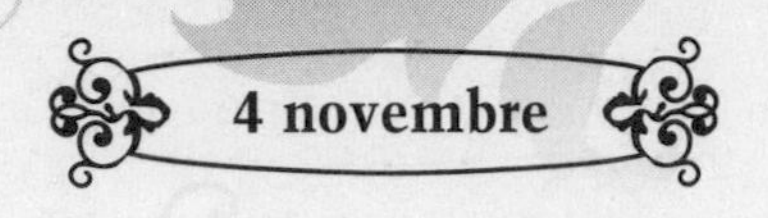

4 novembre

# JE PRENDS LE RISQUE DE L'INTIMITÉ AVEC MON CONJOINT

Vivre dans l'intimité, c'est prendre un risque. C'est accepter d'être vulnérable vis-à-vis d'une autre personne. C'est aussi accepter d'être confrontée à la vulnérabilité de son partenaire de vie. C'est être responsable d'une relation et d'un engagement. La possibilité de rencontrer des difficultés, de vivre des tensions, des disputes et des conflits rend cet engagement difficile à accepter. Cependant, la possibilité de vivre à deux des moments heureux, de la joie et une satisfaction profonde fait également partie de ce risque. La chance d'entretenir une véritable relation avec un autre être humain n'a pas de prix.

---

**Prendre le risque d'une intimité profonde, c'est s'exposer à rencontrer des difficultés, mais aussi à trouver le bonheur.**

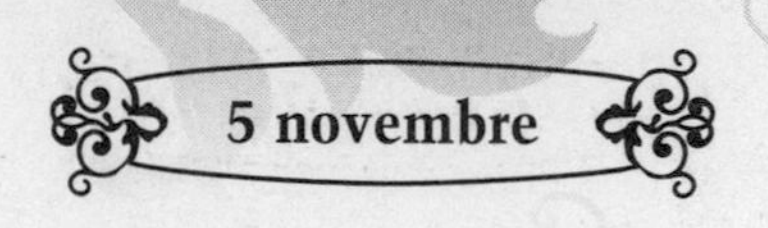

5 novembre

# JE SUIS DIFFÉRENTE DE MES COMPORTEMENTS

Mes comportements viennent de mes habitudes de vie, de choix que j'ai faits il y a bien longtemps. Certaines de ces habitudes sont bonnes; d'autres, par contre, sont malsaines ou inefficaces. Lorsque j'agis, je peux réussir ou rencontrer l'échec. Mais ma valeur personnelle ne dépend pas de ces comportements, mais bien de la personne que je suis réellement, plutôt que de ces manifestations extérieures. Et cette personne que je suis est digne d'être aimée, sans conditions, indépendamment de ses réussites ou de ses échecs, car je fais toujours de mon mieux.

---

**Je suis digne d'amour,**
**quels que soient**
**mes comportements,**
**mes échecs ou mes erreurs.**

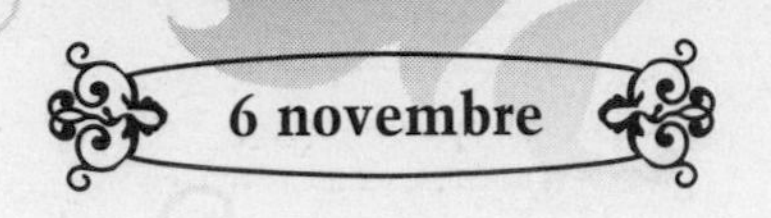

## 6 novembre

# SUIS-JE CAPABLE DE ME PARDONNER?

Dans mon désir de recevoir l'amour et l'estime des autres, j'étais toute disposée à pardonner leurs manquements ou leurs erreurs à mon sujet. Cependant, j'étais bien incapable d'une telle générosité à mon endroit. Je ne m'estimais pas digne de pardon. J'étais bien trop sévère, trop exigeante avec moi-même. Avec le progrès que j'ai fait, j'ai appris qu'il devenait important de m'approcher d'une manière douce et amoureuse et que je méritais mon propre pardon. Le pardon accordé aux autres n'a pas beaucoup de valeur si je suis incapable de me pardonner à moi-même.

---

**Je suis digne de mon amour**
**et de mon pardon;**
**tant que je ne serai pas entrée**
**en relation avec moi sur**
**cette base, mon amour**
**et mon pardon pour les autres**
**demeureront précaires.**

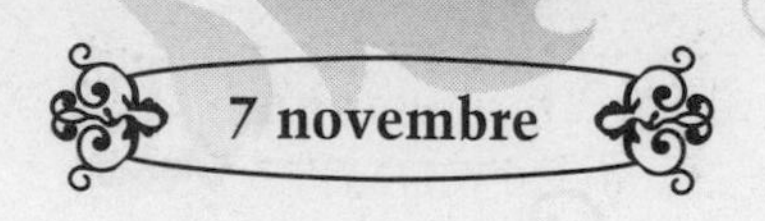


## J'APPRENDS À MON RYTHME

Au cours de mon évolution personnelle, j'intègre des expériences nouvelles et ma connaissance de moi-même s'approfondit. Tout cela, je le fais à la bonne vitesse, du mieux que je peux, au rythme avec lequel je me sens à l'aise. Le rythme des autres peut être différent du mien, plus lent comme plus rapide, mais cela n'a pas d'importance. Vouloir brûler les étapes ou me traîner les pieds n'influera en rien sur mon évolution car la vie se chargera bien de régulariser mon rythme si je ne sais pas me respecter.

---

**Je demande de la tolérance et de la compréhension concernant le rythme de mon évolution personnelle et celui des autres.**

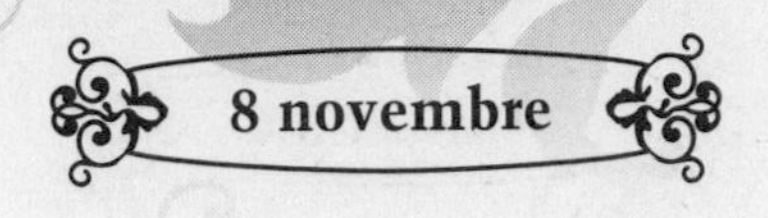

## C'EST L'ANNIVERSAIRE DE MON CONJOINT

Je souligne cet anniversaire en lui faisant un cadeau: je prends la résolution de le laisser vivre ce qu'il a à vivre sans essayer de le changer ou de lui dire quoi faire. Je le laisse libre de sa vie sans chercher à m'en rendre responsable. Cela diminue les tensions en moi et cela l'aide à mieux fonctionner au quotidien. En lui laissant toute liberté, je reconnais qu'il a le droit de faire ses propres choix et ses propres erreurs. Puisqu'il en sera responsable, je m'abstiendrai alors de le critiquer ou de lui donner des conseils.

---

**Je renonce à changer mon conjoint et à diriger sa vie; à la place, j'essaie de mieux vivre la mienne.**

## JE CHOISIS MES MOTS

Le choix des mots que j'emploie pour m'exprimer reflète mes états d'âme et les projette tout autour de moi. Je choisis donc mes mots avec soin afin de ne pas m'influencer ou influencer les autres négativement. Je m'habitue à utiliser des termes positifs et constructifs, au lieu de me concentrer sur l'aspect négatif d'une situation. Mon vocabulaire reflète une énergie qui vient de moi et dont je suis responsable. C'est pourquoi je m'arrête au choix des mots que j'utilise avant de parler.

---

**Je suis responsable non seulement de ce que j'exprime, mais de la façon de le dire.**

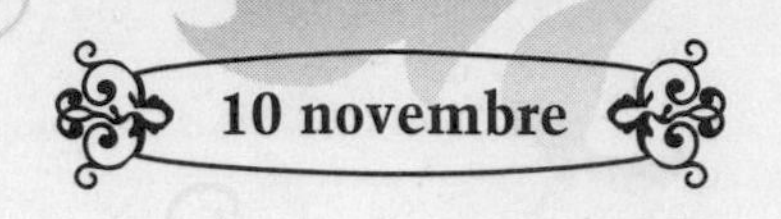

10 novembre

## JE PORTE ATTENTION AUX PETITS MIRACLES DANS MA VIE

Ma vie n'est pas faite de bouleversements spectaculaires; bien sûr, il s'en produit un de temps en temps, mais c'est exceptionnel. Mon quotidien semble plutôt routinier et terne. Mais, en fait, si on y regarde de près, il s'est passé durant ces dernières vingt-quatre heures une suite de petits miracles. J'ai pu profiter pleinement de la vie avec mes sens, ma santé, mon intelligence et mon affectivité. J'ai eu des échanges avec les gens autour de moi et j'ai contribué à ce que la vie sur cette planète tourne un peu plus rond. J'ai à peu près conservé mon équilibre émotif et je suis restée en bonne santé. N'est-ce pas là une suite de petits miracles ?

---

**Suis-je reconnaissante de tous les petits miracles qui ont marqué ma vie depuis vingt-quatre heures ?**

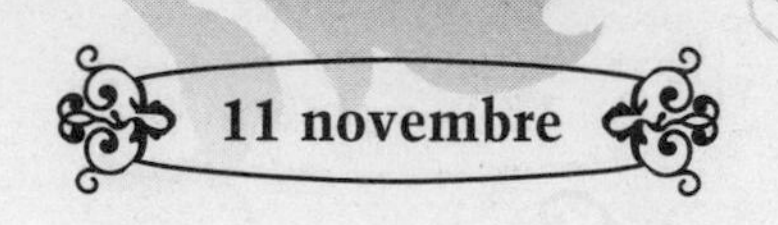

## LORSQUE J'AI UNE PEINE, JE LA VIS

Certaines circonstances de ma vie suscitent en moi de la tristesse, qui est alors une émotion normale à vivre. Je permets à cette émotion de se manifester en moi et d'occuper tout mon espace intérieur parce que c'est ce que j'ai à vivre devant un événement. Je ressens cette peine dans tout mon être et je ne la fuis pas sous prétexte que c'est une émotion désagréable à vivre. J'accepte de rester dans ma réalité, de passer par là et de la vivre. Néanmois, une émotion est toujours passagère et, une fois bien vécue, elle laisse la place à d'autres émotions suscitées par la vie qui continue.

---

**Je n'aurai pas peur de vivre ma peine, car c'est ma réalité du moment, et le contact avec la réalité est toujours sain.**

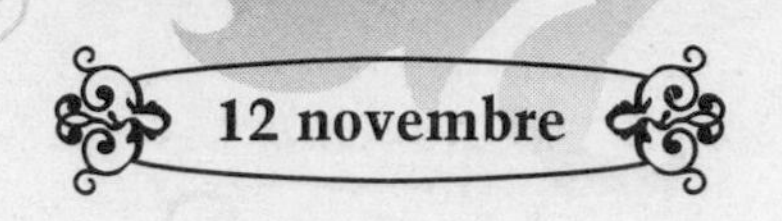

12 novembre

# JE GARDE UN ÉQUILIBRE DANS MON HORAIRE

Chaque journée n'a que vingt-quatre heures. Ma responsabilité vis-à-vis de moi-même est de bien gérer ce temps qui m'est confié. Je l'emploie pour répondre à mes différents besoins: physiques, émotionnels, mentaux et spirituels. Des périodes de repos, tout le temps nécessaire aux repas, les heures de travail, des moments de lecture, de méditation, de prière et de détente alternent durant la journée. Je fais de mon mieux pour garder un équilibre dans tout cela; ainsi, je suis à même de donner aux autres, comme à moi-même, du temps de qualité.

---

**L'emploi judicieux de mon temps est un facteur important dans ma croissance personnelle.**

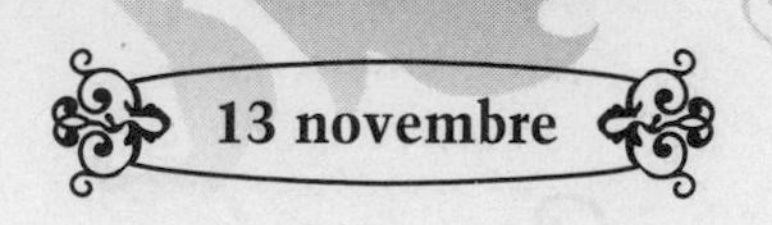

13 novembre

# J'OFFRE UN MOT D'ENCOURAGEMENT AUTOUR DE MOI

Dans mes contacts avec les autres, et ils peuvent être nombreux dans une journée, je rencontre parfois des gens qui vivent des moments difficiles. Je peux m'arrêter un instant et leur offrir un mot d'encouragement. Ainsi, je contribue, sans leur dire comment régler leurs problèmes, à alléger l'isolement dans lequel leur souffrance les plonge. Ces personnes ne sont plus seules, et c'est peut-être ce dont elles avaient besoin pour continuer leur chemin. Ce qui leur arrive par la suite ne me regarde pas nécessairement. L'important, c'est que pendant un instant je me suis arrêtée pour leur manifester un peu de compassion.

---

**Si quelqu'un sur mon chemin a besoin d'un mot d'encouragement, je n'hésite pas à le lui donner.**

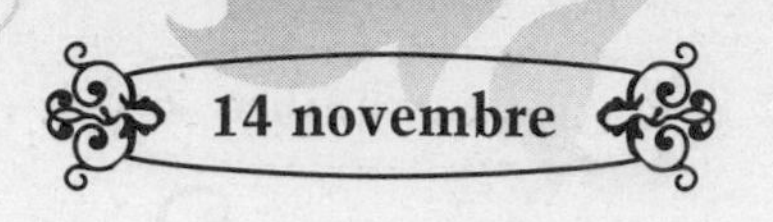

14 novembre

# AUJOURD'HUI, J'ASSUME MES RESPONSABILITÉS

Dans différents domaines, j'ai des responsabilités à assumer aujourd'hui. Vis-à-vis de moi-même, je suis responsable de voir à ce que mes besoins soient comblés. Vis-à-vis de mes proches, conjoint et enfants, j'ai aussi des responsabilités à assumer. Au travail, il en va de même. Est-ce que je me sens écrasée par toutes ces obligations ? Si c'est le cas, je demande à ma Puissance supérieure de m'aider à les assumer. Je demande aussi à mon conjoint de faire sa part. Et je me mets au travail.

---

**Je ne suis pas seule devant mes responsabilités; je peux trouver de l'aide pour les assumer lorsque j'en ai besoin.**

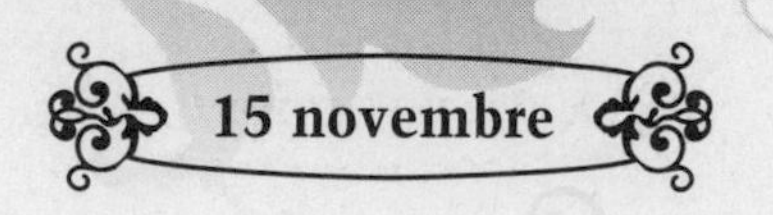

15 novembre

# JE PERSÉVÈRE

Dans mon apprentissage de la croissance personnelle, certains sont plus difficiles à franchir. La peur de l'inconnu, le découragement et le doute m'envahissent. À certains moments, je ne crois plus en moi. Ce sont là des symptômes normaux de croissance. Quand je traverse une période de désert, je peux me rappeler que je ne suis pas seule à avoir vécu de telles situations; je peux entrer en contact avec quelqu'un qui est déjà passé par là et qui peut me faire bénéficier de son expérience. La prière peut m'aider à trouver la lumière et l'espoir au milieu des ténèbres. Si je persévère, je trouverai l'aide dont j'ai besoin.

---

**Les périodes de doute
et de découragement font partie
d'un processus normal
de croissance; je peux trouver
de l'aide pour les traverser.**

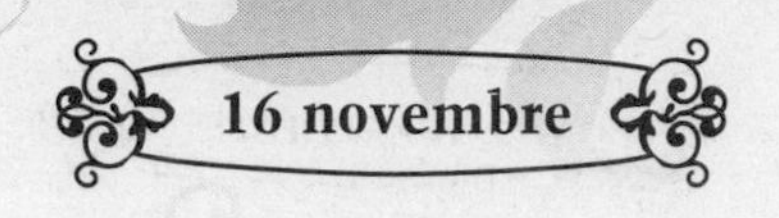

16 novembre

## J'APPRÉCIE MES AMIES ET MES AMIS

Les amies et amis véritables sont rares. Ce sont des cadeaux de la vie et j'ai appris à les apprécier à leur juste valeur. Je cultive ces amitiés et les traite comme des biens précieux. Je sais que je peux toujours compter sur ces personnes que j'ai choisies et qui m'ont choisie. Nous avons vécu des moments difficiles ensemble et ces difficultés partagées nous ont rapprochées. Il arrive que nous nous perdons un peu de vue, mais ce n'est jamais pour bien longtemps; la vie nous ramène ensemble.

---

**L'amitié véritable est un cadeau de la vie; est-ce que je l'apprécie à sa juste valeur ?**

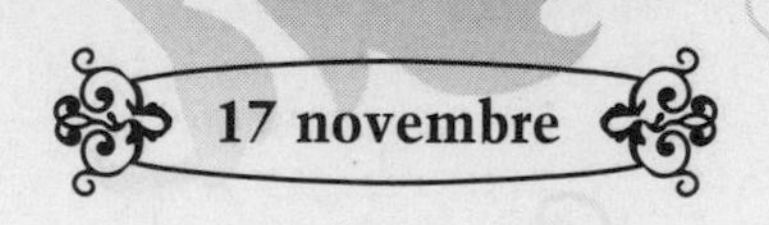

17 novembre

# JE SOIGNE MON APPARENCE

Je peux choisir de prendre soin de mon apparence par vanité. Je peux aussi le faire par respect pour ma personne. Si le progrès personnel consiste à mettre de l'ordre dans sa vie, cela touche aussi l'extérieur. Des vêtements impeccables, des cheveux bien coiffés et un corps impeccable témoignent de l'estime et du respect que je me porte. Je prends aussi soin de mon corps en veillant à ma santé: un examen médical régulier s'impose ainsi qu'une visite chez le dentiste lorsque c'est nécessaire.

---

**J'ai la responsabilité de prendre soin de mon corps avec amour.**

18 novembre

# JE PROGRESSE DANS MA SÉRÉNITÉ

Depuis que j'ai commencé ma recherche de croissance personnelle, des choses ont changé en moi. Je constate que des situations qui, autrefois, m'irritaient ou me rendaient agressive ne me dérangent plus maintenant. Ma tolérance et ma patience ont augmenté. J'ai appris à garder une distance entre les gens, les événements et moi. L'habitude de vivre plus calmement a graduellement remplacé la tension et les réactions à fleur de peau. Je me sens plus solide dans ma paix intérieure depuis que je vis plus intensément une seule journée à la fois.

---

**De nouvelles habitudes de vie favorisent une paix intérieure plus solide et plus durable.**

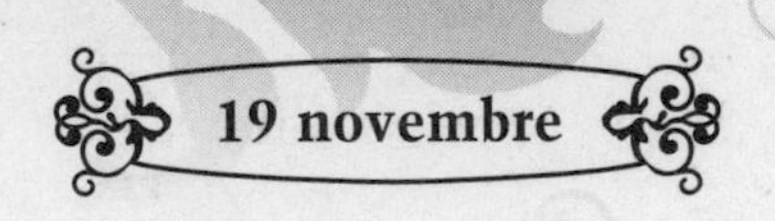


# JE FAIS L'EXPÉRIENCE DE LA JOIE

Dans mon évolution personnelle, la recherche de la joie est devenue centrale. La véritable joie n'est pas de l'euphorie ou un sentiment d'excitation; c'est plutôt une émotion tranquille, une plénitude et un bien-être. La source de ma joie est en moi: dans le contact conscient que j'entretiens avec ma Puissance supérieure et dans le sentiment que j'ai ma place dans la création. Lorsque j'éprouve ces moments de joie, toute ma vie prend un sens nouveau, plus profond; tout s'ordonne et devient clair.

---

**La recherche de la joie est capitale dans mon évolution personnelle.**

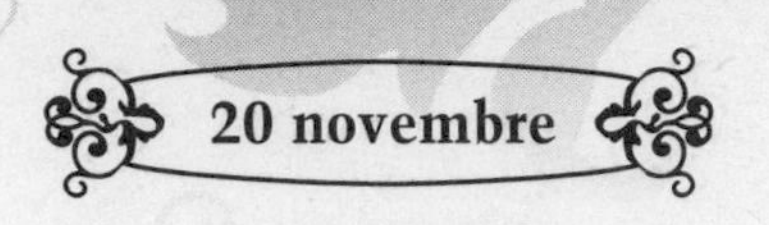

## JE M'ADAPTE AU CHANGEMENT

Quand des changements se produisent dans ma vie, est-ce que je m'y adapte facilement ? Si j'ai de la difficulté à les accepter, c'est peut-être que, par manque de sécurité, je continue à vouloir contrôler toutes les circonstances de ma vie. Ma facilité à m'adapter au changement devient un indice du degré de confiance que je manifeste envers la vie: est-ce que je crois que la vie va répondre à mes besoins et prendre soin de moi ? Au contraire, si je fais preuve de flexibilité et d'une capacité d'adaptation au changement, je me sens à l'aise dans la vie.

---

**Ma capacité de m'adapter au changement est en rapport avec la confiance que j'ai en la vie.**

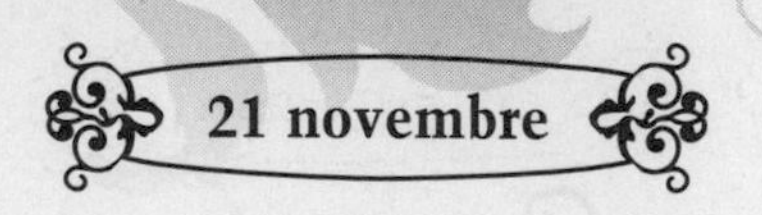


# JE DÉVOILE MON MOI VÉRITABLE

Au fur et à mesure que je progresse, je crains de moins en moins d'être moi-même, de révéler ma véritable nature. Je cesse de porter des masques pour me protéger contre des dangers imaginaires. En acceptant de plus en plus ma véritable nature, je serai de plus en plus agréée par les autres telle que je suis. Je me rapproche alors de plus en plus des autres et la confiance remplace l'insécurité et la peur. En changeant ainsi, j'acquiers de l'assurance et de la maturité; le monde cesse d'être un endroit dangereux et hostile.

---

**Je ne crains plus de montrer mon véritable moi.**

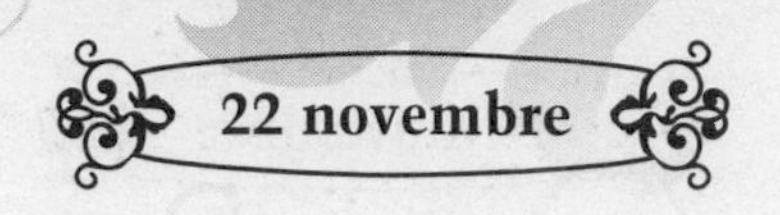

## 22 novembre

# JE ME RAPPROCHE DE LA NATURE

Se rapprocher de la nature, en plein cœur de novembre, dans le froid et la pluie, peut sembler inapproprié. Pourtant, même en novembre, la nature est en vie et il peut être réconfortant d'entrer en contact avec elle, avec tout ce qui se passe autour de soi. Ainsi, je serai peut-être moins influencée par la température maussade de la fin de l'automne. Même s'il est vrai que les journées plus courtes nous donnent moins de soleil, je ne suis pas obligée de laisser ces circonstances déterminer mon humeur. En me rapprochant de la nature, je m'affranchis de cette influence sur mon humeur.

---

**Il n'y a pas de moment privilégié pour entrer en contact avec la nature.**

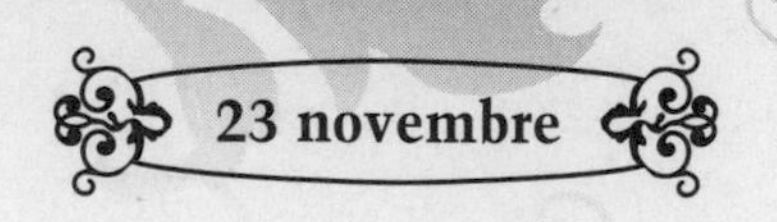


# J'APPRENDS À ÊTRE EN CONTACT AVEC MES ÉMOTIONS

Nier la vérité à mon sujet a longtemps été un problème important chez moi. Aujourd'hui, j'accepte la réalité de ce que je vis. J'apprends à accepter que j'ai des émotions qui peuvent être dérangeantes. En entrant en contact avec ce que je vis, je cesse d'être terrorisée à l'idée d'avoir à faire face à de la peine ou à de la peur. C'est la réalité présente qui compte. Si ces émotions sont difficiles à vivre, l'aide de ma Puissance supérieure m'est toujours accessible.

---

**Mes émotions ne sont ni bonnes ni mauvaises;**
**elles sont une partie**
**de ma réalité**
**et je cesse de les fuir.**

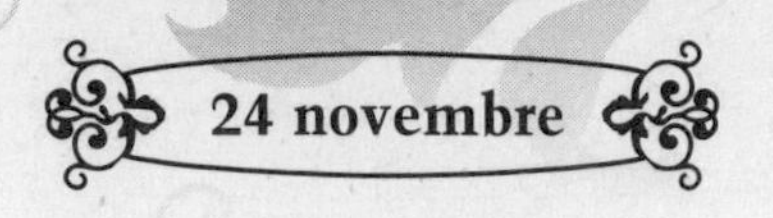

24 novembre

# J'ÉPROUVE DE LA COMPASSION POUR MOI

Mes choix de vie n'ont pas toujours été heureux et j'ai commis des erreurs graves qui m'ont fait longtemps souffrir. Aujourd'hui, je m'accueille avec mon histoire passée et les souffrances que je me suis infligées et je remplace la colère à mon endroit par la compassion. Je ne pouvais tout simplement pas faire mieux en ce temps-là. C'est ainsi que j'en suis venue à me pardonner un peu mes erreurs passées. Je commencerai à être vraiment à l'aise avec ce chapitre de ma vie quand je pourrai partager avec d'autres cette expérience pour qu'ils en tirent profit.

---

**La compassion est la porte vers le pardon de mes erreurs passées.**

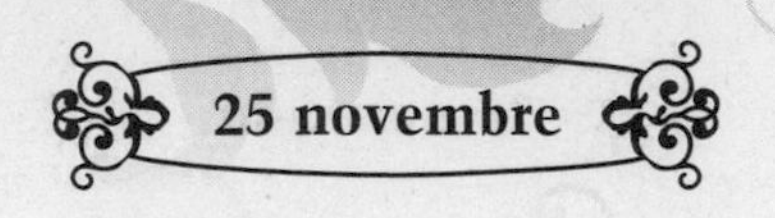

25 novembre

## JE DISTINGUE ENTRE LA CRITIQUE ET L'ESPRIT CRITIQUE

J'ai toujours été très forte pour me critiquer et trouver la petite erreur à corriger. Et, naturellement, j'appliquais ce même procédé aux autres. Maintenant, je comprends de plus en plus que la critique est stérile et ne mène nulle part parce qu'elle n'est pas fondée sur l'amour. Par contre, j'ai commencé à faire preuve d'esprit critique à mon endroit: je ne me laisse pas choisir les solutions faciles ou les réponses toutes faites comme le voudrait la paresse. Je connais ma tendance à aller vers la facilité et lorsque je me vois pencher dans cette direction, mon esprit critique intervient.

---

**Je cesse de me critiquer, mais je n'accepte pas pour autant n'importe lequel de mes comportements.**

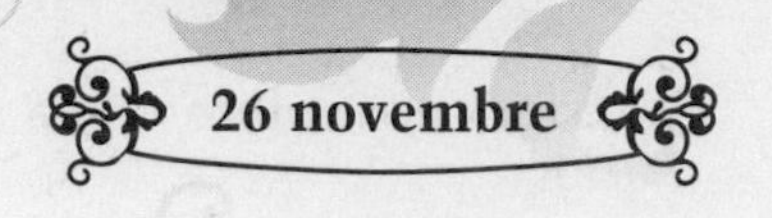

26 novembre

# JE CHERCHE LE BON CÔTÉ DES CHOSES

Toute chose a un bon côté. Si je suis dépressive ou tendue, je n'aurai toutefois pas le réflexe de rechercher ce bon côté et je me concentrerai plutôt sur l'aspect négatif de la situation. Dans les épreuves et les difficultés de la vie, où le négatif abonde, on peut également déceler un bon côté, quelque chose à intégrer qui me donnera plus de sagesse et de paix intérieure. C'est ce que je recherche au lieu de me concentrer avec complaisance sur le mauvais côté.

---

**À toute chose il y a deux côtés,
un bon et un mauvais ?
Pourquoi en ignorer un
pour me contenter
de l'autre.**

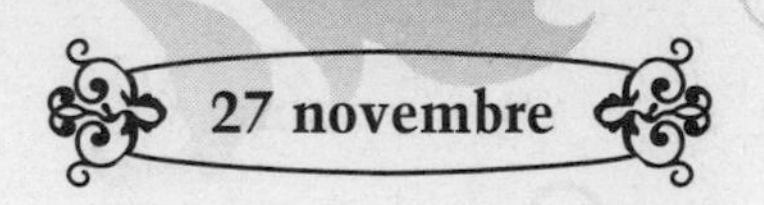

27 novembre

# LA CONNAISSANCE EST INTÉRIEURE

La véritable connaissance de moi-même ne me vient pas de l'extérieur. Elle consiste à découvrir la vérité à mon sujet, mais cette vérité est intérieure: elle est déjà tout en moi, et la connaissance est le processus par lequel je la découvre et j'y accède graduellement. Je discerne la personne que je suis vraiment en passant à travers mes peurs, en affrontant mes résistances et en confrontant les illusions qui me séparent de la connaissance de moi-même. C'est un processus ardu à cause des obstacles que je me crée, mais c'est une démarche possible.

---

**J'apprends à me connaître en allant à l'intérieur de moi, non en m'éparpillant vers l'extérieur.**

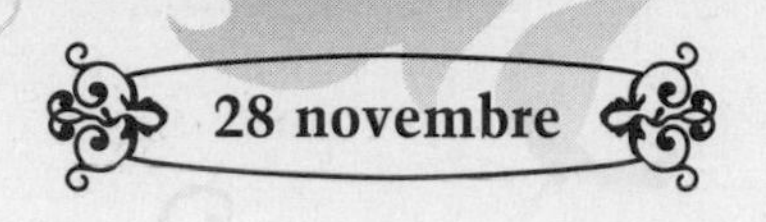

28 novembre

# J'IDENTIFIE LES BIENFAITS REÇUS

Dans ma vie de tous les jours, des centaines d'événements se déroulent et la majorité d'entre eux sont positifs: on peut les considérer comme des bienfaits. Le plus souvent, ce sont de petits plaisirs, mais ils sont bienvenus quand même. Suis-je vraiment consciente qu'il s'agit de bienfaits quand je me vois en santé, quand je vis dans un certain bien-être ou quand je trouve l'outil dont j'ai précisément besoin pour effectuer une réparation ? Voir ainsi la vie, comme une suite de bénédictions, m'aide à être plus positive et à ne pas tout tenir pour acquis.

---

**Je vis dans l'abondance des bénédictions que me prodigue la vie.**

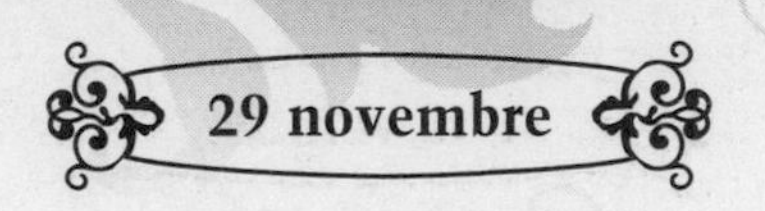


# LA PERCEPTION QUE J'AI DE MOI-MÊME EST-ELLE JUSTE ?

Est-ce que je me fais une juste idée de ma valeur et de mon identité ? Il se peut que, parfois, la vision que j'ai de moi soit sujette à des distorsions causées par mes émotions ou par d'anciens jugements formulés sur moi. Il ne m'est pas toujours facile d'en arriver à une perception exacte de moi-même. Pour autant que je suis consciente de la possibilité de me tromper, je sais que je ferai attention et que je tendrai vers la vérité. C'est lorsque je serai certaine de la vérité à mon sujet que le risque de me tromper est plus grand.

---

**Je doit éviter les jugements trop rapides sur moi; peut-être suis-je dans l'erreur ?**

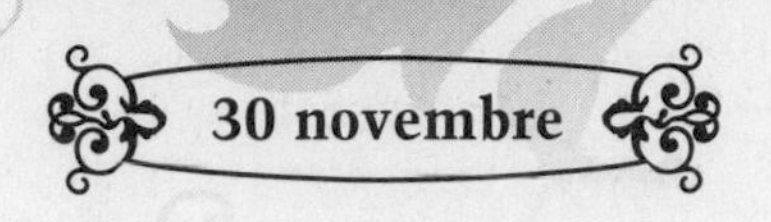


# JE NE LAISSE PAS LA CONFUSION AGIR EN MOI

Particulièrement lorsque j'ai des décisions à prendre ou des gestes à faire. Il m'arrive de me retrouver dans un état de confusion. Des émotions de peur (peur de l'échec, peur du jugement des autres) et le manque de confiance en moi viennent causer et alimenter cette confusion. Pourtant, je sais que je peux prendre la bonne décision, que je peux agir dans le bon sens. Toutefois, cette connaissance est insuffisante. Dans une telle impasse, je fais appel à ma Puissance supérieure pour m'aider à voir clair dans ma situation et pour continuer mon chemin.

---

**Je trouve dans le contact avec ma Puissance supérieure la lumière nécessaire pour dissiper la confusion.**

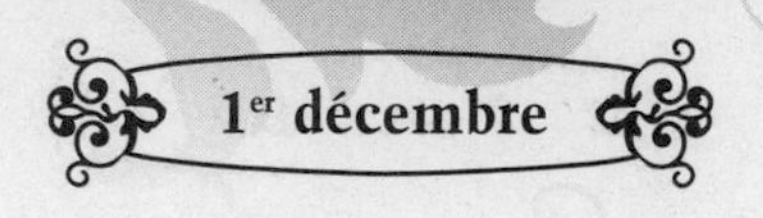


## JE PRÉSERVE MA DIGNITÉ

Dans différentes circonstances de la vie, il est facile d'agir selon ce que dictent des émotions primaires comme la colère ou la peur. Il est aussi facile, avec de tels comportements, de perdre ma dignité de femme et d'être humain. Cependant, le respect de ma personne me demande d'éviter de tels comportements et cette valeur n'a rien à voir avec la vanité. Je garde donc ce sentiment de dignité personnelle présent à l'esprit. Si j'ai de la difficulté à le concilier avec mes impulsions, je prie pour que diminuent la colère ou les autres émotions négatives qui me font perdre la maîtrise de ma vie.

---

**Le sentiment de ma dignité personnelle est une valeur à préserver dans toutes les circonstances de ma vie.**

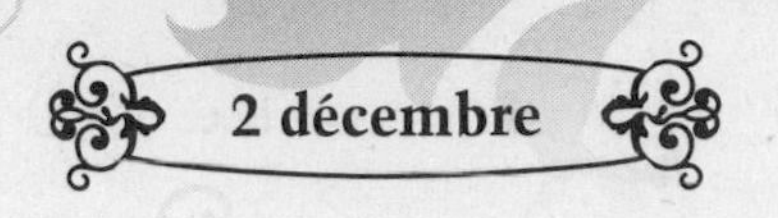

2 décembre

## JE DEMEURE RESPONSABLE DE MA VIE

Même s'il m'arrive de confier à ma Puissance supérieure les situations de ma vie devant lesquelles je me sens impuissante, je n'en demeure pas moins responsable de ma vie. J'ai la responsabilité de continuer à utiliser ce que j'ai reçu pour fonctionner: la possibilité de partager ce que je vis avec des gens qui me comprennent, soit la prière, la méditation, l'exercice, l'aide aux autres, le discernement, ma bonne volonté, le désir de progresser, etc. Le contact avec ma Puissance supérieure ne m'encourage pas à tomber dans une béate passivité; bien au contraire, je dois agir avec encore plus de détermination.

---

**J'agis de façon responsable avec les outils de croissance qui me sont donnés.**

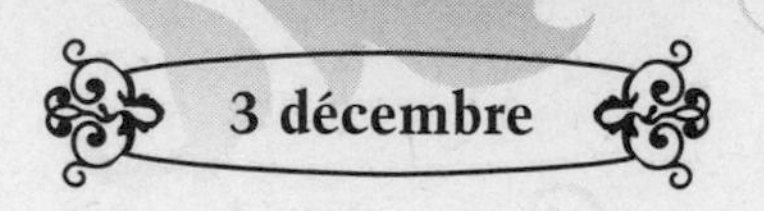


# J'AI ENTRE MES MAINS LE POUVOIR DE CHANGER MA VIE

J'exerce sur ma vie un pouvoir considérable: celui de la changer ou de la garder telle quelle. Ce pouvoir est entre mes mains et je l'utilise chaque jour, depuis plusieurs dizaines d'années. Chaque jour, j'ai choisi d'y recourir pour ne pas changer, pour conserver le *statu quo* dans ma vie. Pourtant, si je décidais de dire «Oui» à la vie, les choses changeraient pour moi. Il n'y aurait plus ni tensions, ni difficultés relationnelles, ni combat acharné contre la peur. Les conflits intérieurs inutiles disparaîtraient. Chaque jour, j'ai le pouvoir de choisir cette voie.

---

**J'ai le choix d'utiliser ou non ce pouvoir de changer ma vie.**

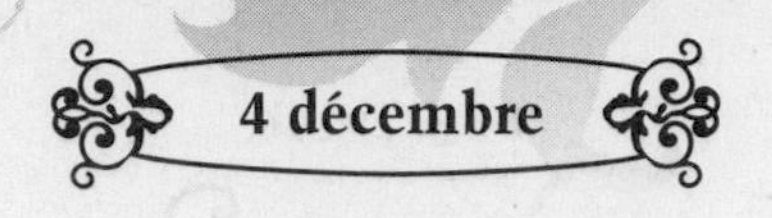

## 4 décembre

# EN BLESSANT UNE AUTRE PERSONNE, JE ME BLESSE AUSSI

L'influence que j'ai autour de moi en raison de mes attitudes, de mes paroles ou de mes silences me revient constamment. C'est là une bonne raison pour réfléchir avant de montrer de l'agressivité, de la rancune ou du mépris. Si j'installe un climat de bouderie à la maison, j'en serai certainement affectée. Il en est ainsi parce que je fais partie du grand tout de la vie. C'est, par contre, un fait que je peux tourner à mon avantage en rayonnant la joie et la paix tout autour de moi. Cela aussi me reviendra.

---

**Je suis connectée**
**à tout mon entourage**
**et ce que j'y émets me reviendra,**
**sous une forme**
**ou sous une autre.**

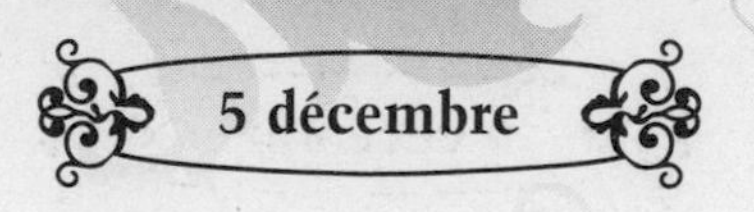

5 décembre

## J'UTILISE SAGEMENT LE SILENCE

Le silence me permet de réfléchir dans une ambiance de calme et de tranquillité. Il favorise le retour vers soi par la méditation. De telles pauses me sont nécessaires et ce recours au silence est certainement bénéfique. Toutefois, il existe d'autres façons d'utiliser le silence qui le sont beaucoup moins. Si, à la suite d'une dispute avec mon conjoint, je garde un silence glacial, je suis tout autant dans le silence, mais l'effet est tout autre. Le silence n'est donc rien en soi: ce qui compte c'est l'intention qui m'anime lorsque je l'utilise.

---

**Est-ce que je me résous au silence en vue d'un plus grand bien?**

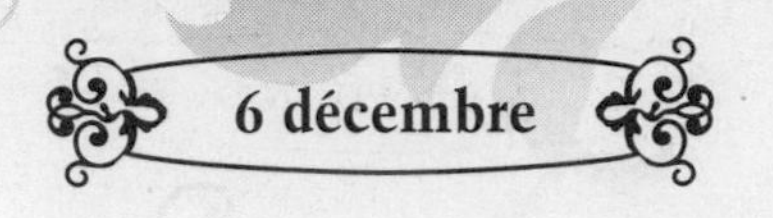

6 décembre

# EST-CE QUE JE SUIS BONNE POUR MOI ?

Je peux pratiquer cette forme de bonté de multiples façons, mais au cœur de tout ce que je fais, est-ce que j'éprouve la certitude d'être digne de cette bonté ? C'est la première forme de bonté que je puis exprimer à mon endroit. Viennent ensuite les modalités. Vivre dans le présent, loin des souvenirs du passé et des chimères de demain, c'est être bonne pour moi. Ne pas permettre aux autres de venir me blesser par leurs paroles inconsidérés en est une autre. Prendre soin de moi à tous points de vue, c'est être bonne pour moi. Participer à des activités où je peux aider les autres, c'est être bonne pour moi, puisque ce que je donne me reviendra.

---

**Je pratique la bonté à mon endroit pour apprendre à être bonne envers les autres.**

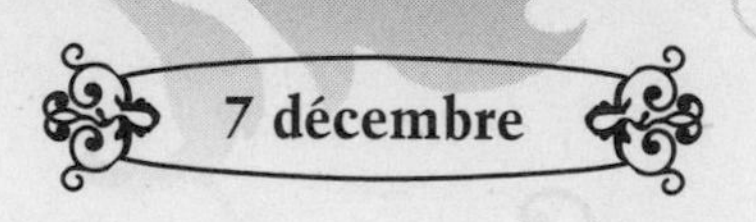

7 décembre

# J'APPRENDS À ME DÉTACHER DE MON CONJOINT

Je réussis à me détacher quand je prête suffisamment attention à mon humeur pour devenir capable de ne pas adopter celle de quelqu'un d'autre. Si l'autre est alors en colère ou déprimé, je prends note de ce fait sans devenir moi-même colérique ou déprimé. Ainsi, je deviens émotivement autonome par rapport à mon conjoint. Je n'interviendrai pas dans sa vie sans y être invitée pour le faire changer d'humeur parce que cela me dérange.

---

**Par le détachement,**
**je laisse mon conjoint**
**vivre ses humeurs**
**sans être émotivement affectée.**

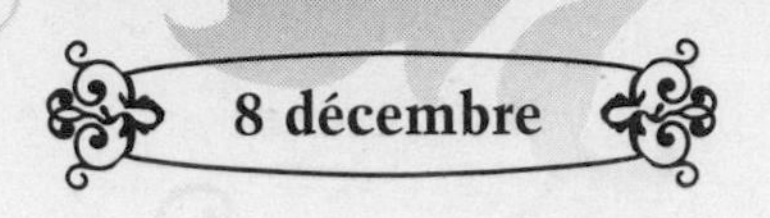



## JE FAIS DES CHOIX QUI CONTRIBUENT À MA CROISSANCE

Je garde toute liberté quant à ma croissance personnelle. Cependant, si je désire que des choses changent réellement dans ma vie, j'ai intérêt à faire certains choix plutôt que d'autres. Je peux alors avoir des contacts plus fréquents avec des gens qui partagent les mêmes préoccupations que moi. Je peux pratiquer la détente et la relaxation, méditer régulièrement et me garder en bonne forme physique par de l'exercice. Je peux me distraire et m'alimenter sainement. Je peux faire des lectures qui m'enrichissent. Je peux choisir parmi ces activités et les pratiquer aujourd'hui.

---

**Si je veux des résultats,
je fais les choix
qui y conduiront.**

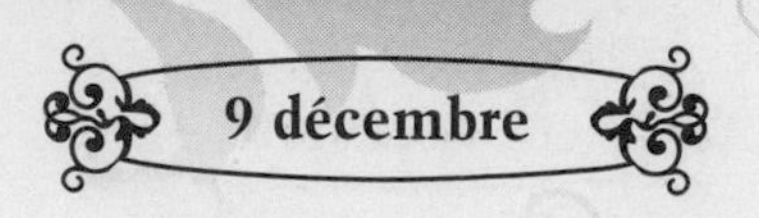

9 décembre

## JE NE PRATIQUE PLUS L'ÉVITEMENT

L'une de mes méthodes préférées pour ne pas avoir de problèmes consistait à m'éloigner de tout ce qui pouvait provoquer des expériences pénibles, des conflits ou l'obligation de prendre des risques. Ma méthode consistait en réalité à passer à côté de la vie. Ainsi, il n'y aurait pas de peur, pas de colère, pas de frustration, pas de nécessité de m'affirmer. Mais la réalité, c'est que la vie est faite de tous ces ingrédients. J'ai seulement à accepter ce fait et l'aspect difficile à vivre dans ces expériences passera rapidement. Pendant le reste du temps, je peux profiter des aspects positifs que m'offre la vie.

---

**Je ne fuis plus les situations difficiles de la vie: je choisis de les affronter pour en être libérée.**

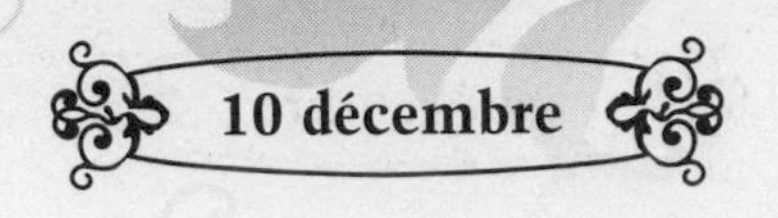

## 10 décembre

# JE PEUX RIRE DE MES TRAVERS

Un signe certain que je commence à être en paix face à une de mes faiblesses, c'est que je suis prête à m'en défaire et j'ai la capacité d'en rire. Je cesse de me prendre au sérieux avec ce travers et je peux voir le côté parfois comique, ridicule même, où il m'entraîne. Mettre de l'humour dans ma croissance cesse d'en faire un processus on ne peut plus sérieux et dramatique. Tout se remet alors en perspective, tout reprend sa place. Et j'invite mon conjoint à entrer dans le jeu.

---

**Rire d'une de mes faiblesses montre que j'ai déjà commencé à m'en libérer.**

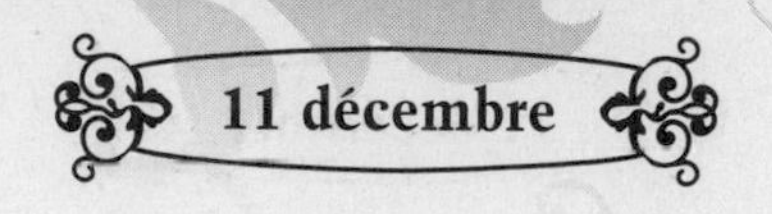


## JE SUIS MA VOIX INTÉRIEURE

Ce qui va m'aider dans mes choix, c'est habituellement ma logique, appuyée sur le souvenir d'expériences vécues analogues. Le choix logique génère un sentiment rassurant de sécurité. Mais, parfois, une petite voix à l'intérieur de moi me suggère tout doucement d'opter pour un autre choix, qui ne s'appuie sur aucune logique et n'offre aucun sentiment de sécurité. Quoi faire ? La piste rassurante, commode et logique nous semble avoir priorité. Mais si l'autre choix était valide lui aussi ? Chaque fois qu'il m'est arrivé, contre toute logique, d'écouter cette petite voix, les résultats ont été bénéfiques. Alors pourquoi ne pas suivre cette petite voix ?

---

**La petite voix intérieure me parle dans le sens de la vie.**

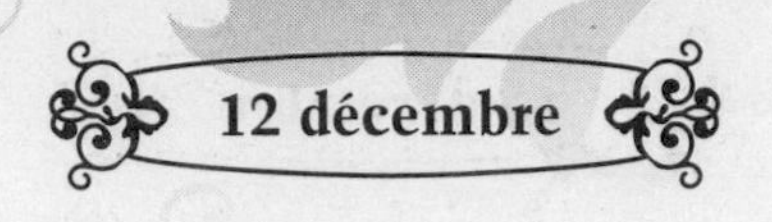

12 décembre

## MON ESTIME PERSONNELLE

Mon estime personnelle ne dépend pas de ce que mon conjoint, ou toute autre personne, pense de moi. Elle ne dépend pas non plus de ma performance. Elle repose sur l'amour que je me porte et sur l'acceptation de ma valeur intrinsèque. Si je cherche à être valorisée ailleurs, j'entre dans le domaine de l'illusion et je me prépare des déceptions. Je suis digne d'être aimée telle que je suis en ce moment même. Mon identité personnelle et le sens de ma valeur personnelle sont fondés là-dessus. Le reste est secondaire.

---

**Mon estime personnelle ne dépend de rien d'autre que de ce que je suis maintenant.**

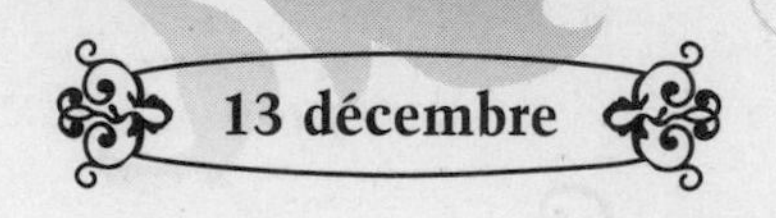

13 décembre

## JE PEUX PLANIFIER, MAIS LES RÉSULTATS NE M'APPARTIENNENT PAS

Il m'est toujours possible de faire des plans, mais je dois être bien consciente que la suite des événements ne va pas nécessairement se dérouler selon mes prévisions, surtout si je planifie dans le domaine du problématique et de l'humain. Les résultats, m'a-t-on appris, ne m'appartiennent pas. Tant que je n'accepterai pas comme une évidence ce fait de la vie, je m'exposerai à des tensions, des attentes et, forcément, à des déceptions et à de la souffrance inutiles. Alors, quoi faire? Tout simplement croire que ce qu'il y a de mieux pour moi, la vie me le donnera.

---

**Je ne cherche pas à contrôler les résultats; la vie saura s'en charger mieux que moi.**

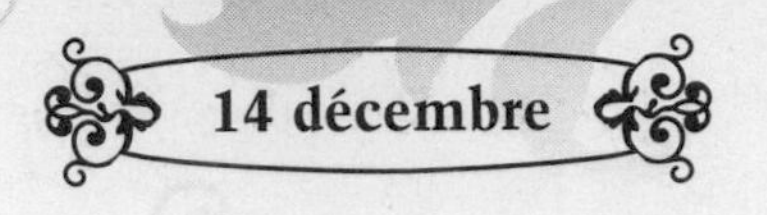

14 décembre

## MON BONHEUR DÉPEND DE MA PAIX DE L'ESPRIT

Aujourd'hui, je ne rechercherai pas le bonheur dans les choses matérielles, le pouvoir, les relations affectives, la connaissance ou le prestige. Je ne ferai pas non plus dépendre mon bonheur de l'opinion des autres à mon sujet ou de mon sens de la performance. Mon bonheur reposera sur ma capacité à vivre avec des problèmes qui n'ont pas été réglés et sur la paix de l'esprit qui en découle. Cette définition toute simple du bonheur m'aide à passer une meilleure journée.

---

**Mon bonheur est fait du renoncement à tout ce qui ne concourt pas à la paix de l'esprit.**

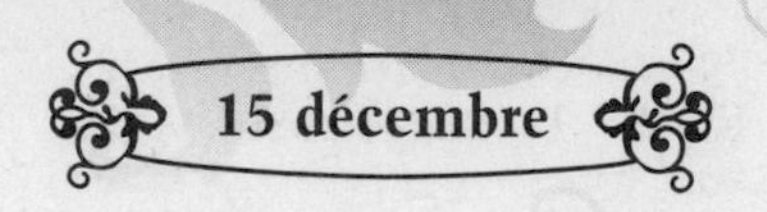

# J'AIDE QUELQU'UN SANS QU'ON LE SACHE

Le fait d'aider quelqu'un de façon désintéressée et discrète peut être très enrichissant. Un tel geste me décentre de mes problèmes personnels, me fait sortir de mon tourbillon d'agitation interne et fait tourner mon regard vers quelqu'un qui a un besoin à combler. L'élément de discrétion vient m'assurer que je ne le fais pas pour ajouter à ma réputation et flatter ma vanité. Je ne m'attribuerai pas trop de mérite en choisissant de faire quelque chose que je n'aimerais pas faire normalement.

---

**Une aide anonyme**
**peut rendre service à quelqu'un**
**qui en a besoin,**
**mais je m'aide également**
**en faisant un tel geste.**

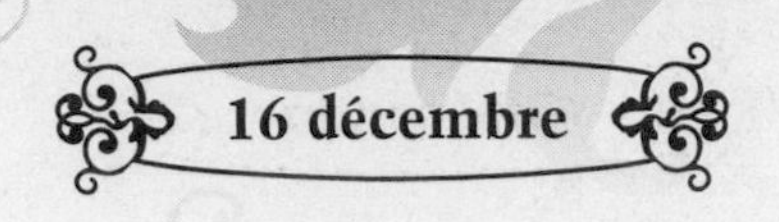

## 16 décembre

# JE M'ADAPTE À LA RÉALITÉ

Pour être en paix avec moi-même aujourd'hui, j'essaierai de m'adapter à la réalité telle qu'elle est, au lieu d'essayer d'adapter la réalité à mes désirs infantiles. J'accepterai donc mon conjoint, mes enfants, mes proches tels qu'ils sont. J'assumerai mes conditions de vie telles qu'elles se présentent. Je demanderai la force d'accepter ce qui me semble trop difficile. Je chercherai à trouver ce qui est bon pour moi dans ce qui est. Je cesserai de combattre et de réagir à tout ce qui ne me convient pas.

---

**Je chercherai à m'adapter à ce qui est et je cesserai de lutter pour que cela soit comme je le veux.**

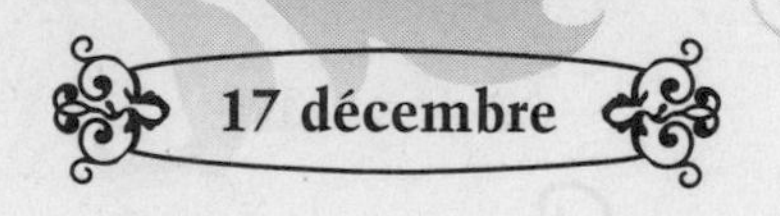

17 décembre

## SI JE VEUX DU TEMPS, JE DOIS LE PRENDRE

Il est illusoire de croire que je trouverai du temps pour tout faire ce que j'ai en tête. Le temps m'est donné en quantité limitée de vingt-quatre heures à la fois et si je choisis de faire trop de choses, je vais forcément en manquer. Si j'ai besoin de plus de temps, je devrai le prendre et le consacrer au but précis pour lequel j'en ai besoin; autrement dit, je devrai apprendre à gérer mon temps. Sinon, je ne trouverai jamais le temps dont j'ai besoin.

---

**Apprendre à gérer mon temps**
**me permettra de mieux**
**l'employer**
**et de ne pas en**
**manquer.**

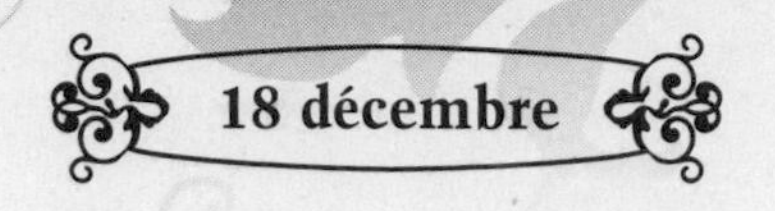

## J'ÉVITE LES FORMULES MAGIQUES DE BONHEUR

Croire que si j'avais plus d'argent, si je gagnais à la loterie, si j'étais mariée à l'homme idéal, si j'avais un diplôme universitaire, je connaîtrais le bonheur est une illusion dangereuse. Il n'y a pas de formule magique pour être heureuse. J'ai un travail personnel à faire pour être plus heureuse, je dois renoncer à certaines choses et il y a surtout l'apprentissage d'une autre façon de voir les choses et de les vivre afin de me connecter vraiment à la personne que je suis réellement.

---

**Mon bonheur est lié à la réalisation de mon identité personnelle.**

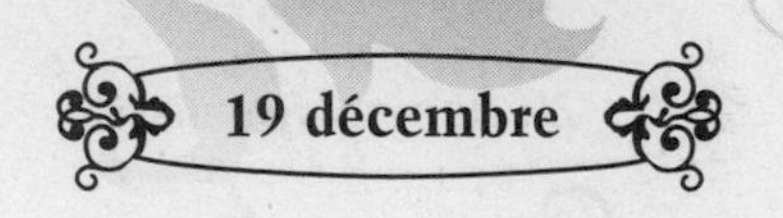


# LES SENTIMENTS ET LES ÉMOTIONS NE SONT PAS DES FAITS

Pendant longtemps, j'ai fait des choix basés sur des sentiments et des émotions en supposant que ces impressions avaient la valeur de vérités objectives. Si une rencontre avec telle personne allait provoquer de la colère, il était préférable de ne pas être en contact avec cette personne puisqu'il en résulterait sûrement de la colère. J'ai appris que ces sentiments ne sont pas réels: ce sont des réactions à mon interprétation de la réalité. Et peut-être que je peux éprouver non seulement de la colère envers cette personne, mais aussi de l'affection. Je peux anticiper de la peur devant telle situation, et accepter de la vivre quand même.

---

**Les émotions sont des réactions, non des vérités objectives devant guider mes actes.**

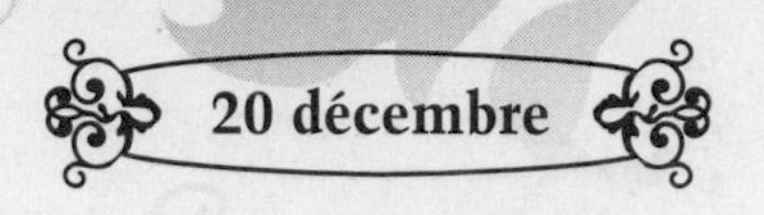



# J'ESSAIE D'ADOPTER UN NOUVEAU COMPORTEMENT

Rien que pour aujourd'hui, je tente d'adopter un nouveau comportement, dans le but d'en remplacer un qui me cause des problèmes. J'essaie quelque chose de différent rien que pour voir quel changement cela produira sur moi-même et sur les autres. Je peux choisir de réagir différemment, d'une manière plus positive, dans une situation donnée. L'idée dans tout cela est que si le changement me plaît, je n'aurai pas de mal à le répéter demain, puis après-demain. C'est ainsi que naissent les habitudes.

---

**C'est avec une habitude saine qu'on remplace graduellement une habitude malsaine.**

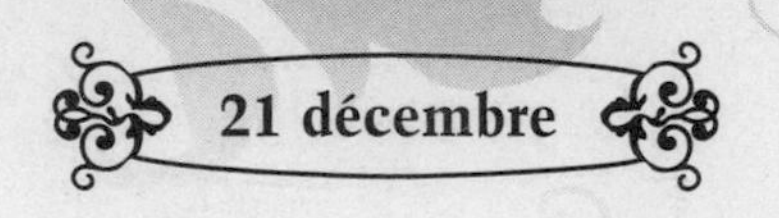

21 décembre

## J'ACCUEILLE UN AUTRE CHANGEMENT DE SAISON

Nous passons de l'automne à l'hiver. C'est la journée de l'année où le jour est le plus court et les ténèbres durent le plus longtemps. C'est ce qui explique notre besoin de lumière. Il faut qu'il y ait des ténèbres pour que brille la lumière. Une lampe allumée en plein jour ne serait même pas remarquée; mais au cœur de la nuit, elle brille intensément. De même, j'ai besoin des difficultés de la vie pour que brille la lumière de la paix à l'intérieur de moi. J'apprécie donc à leur juste valeur les ténèbres: elles jouent un rôle utile dans ma croissance.

---

**La lampe a besoin des ténèbres pour briller.**

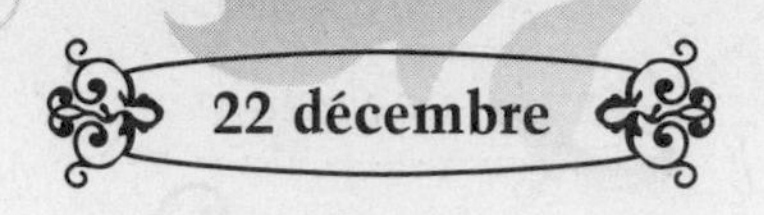

22 décembre

# LES ÉMOTIONS NE SONT NI BONNES NI MAUVAISES

Il n'y a pas de «bonnes» ou de «mauvaises» émotions. Elles font partie de moi, de ma réalité. Elles apparaissent puis disparaissent selon ce qui se passe autour de moi. Une émotion peut jouer un rôle constructif ou non, c'est tout ce qu'on peut dire. Une même émotion peut être positive ou négative, selon le contexte. La colère qui me permet de m'affirmer et de faire qu'on cesse de m'ignorer est saine. La colère capricieuse venant de ce qu'on n'a pas agi selon ma volonté est négative. La peur m'a amenée à croire en une puissance supérieure.

---

**J'accepte la réalité
de mes émotions
et je n'essaie pas
de les combattre
ou de les refouler.**

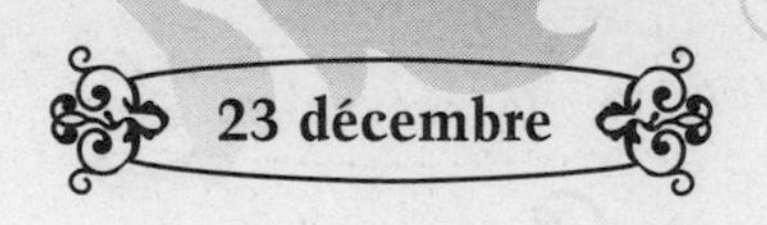

23 décembre

# J'IDENTIFIE MES TALENTS

Il y a certaines choses pour lesquelles j'ai une facilité et une habileté naturelles. J'identifie ces domaines car je devrais exploiter cette richesse que j'ai de bien réussir certaines activités. Me savoir là où j'ai plus de facilité à agir fait partie de ma connaissance personnelle et je peux alors en tirer parti. À ce moment, j'utilise de manière responsable les talents que j'ai reçus et je suis davantage à même de me réaliser plus pleinement.

---

**Mes talents sont une richesse de ma personnalité; en suis-je consciente?**

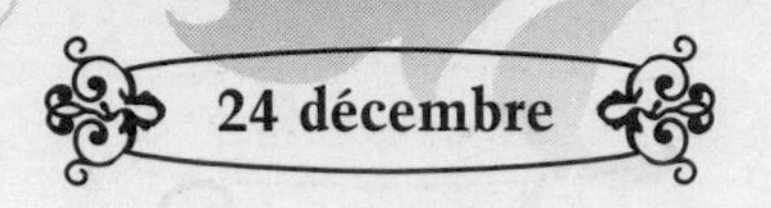

## EST-CE QUE J'ACCEPTE TOUS LES ASPECTS DE LA VIE?

La vie n'est pas comme un menu de restaurant où je peux choisir ce que je veux et oublier le reste. La vie est un tout et je ne peux me limiter à ne choisir que les aspects qui m'intéressent. Ma vie est un amalgame de bons choix et d'erreurs, de forces et de faiblesses de personnalité, de bons souvenirs et de cauchemars. C'est une réalité globale avec laquelle j'ai à composer. Tant que je tenterai de négocier une porte de sortie hors de cette réalité, je resterai dans l'illusion et la souffrance.

---

**Il ne sert à rien de jouer à cache-cache avec les aspects de ma vie que je n'aime pas et que je voudrais oublier.**

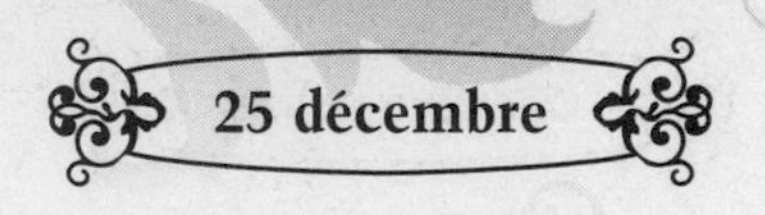


## JOYEUX NOËL!

Aujourd'hui, c'est la fête de Noël. C'est une journée bien spéciale où nous célébrons une naissance. Cette naissance, c'est aussi un la mienne, la vôtre, alors que naît la partie de nous qui est orientée vers la vie, la création, l'univers. Il y aura des célébrations, les enfants recevront des cadeaux et des souhaits seront échangés. Des gens que nous n'avons pas vus depuis longtemps nous rendront visite. Toutefois, dans toute cette agitation, je me souviens que ma vraie nature est plus près de la contemplation de la voûte étoilée que des cantiques de Noël que distille la radio...

---

**La fête de Noël nous parle de naissance; n'est-ce pas une naissance qui se passe en nous, profondément?**

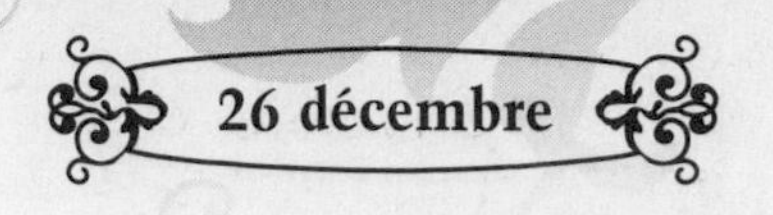

## 26 décembre

## JE SIMPLIFIE AU LIEU DE COMPLIQUER

Une partie de mes problèmes, une bonne part des problèmes de mon conjoint, certains des problèmes de tous et chacun, voilà d'où vient notre habitude de tout compliquer au lieu de tout simplifier. Dans le fond, une bonne partie de mes problèmes consiste à vouloir tout comprendre parfaitement avant d'agir. Or, c'est l'action qui est importante, et on peut agir avec des données incomplètes, avec une compréhension incomplète de la réalité. Et il se produira quelque chose, peut-être pas ce que j'escomptais, mais quelque chose.

---

**L'analyse et les connaissances ne sont pas mauvaises, à condition de déboucher sur l'action.**

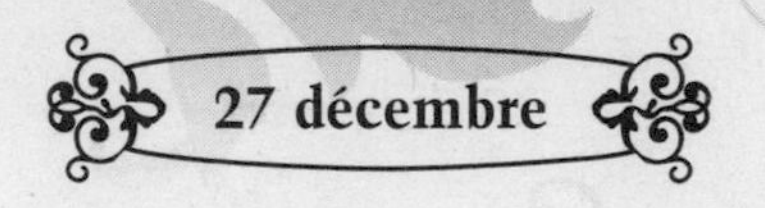

## JE NE LAISSERAI PAS LA PEUR ME SÉPARER DE LA VIE

Aujourd'hui, je n'aurai pas peur de ce que j'ai à vivre. Je ne laisserai pas la peur me paralyser et m'empêcher de voir ce qui est beau, de goûter ce qui est bon et de profiter des cadeaux que me réserve la vie. Je n'aurai pas peur de laisser le bonheur entrer chez moi à pleines portes et m'éclairer. Je n'aurai pas peur de formuler des rêves et des espoirs et de croire qu'ils pourront se réaliser. Je n'appréhenderai pas de suivre ma petite voix intérieure. Je ne craindrai pas de me rapprocher des autres.

---

**La peur est le grand ennemi qui m'empêche de jouir de la vie.**

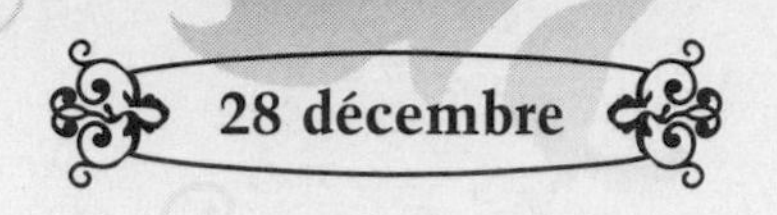


## JE NE BLÂMERAI PERSONNE POUR MES DIFFICULTÉS

Il est facile de blâmer quelqu'un pour les problèmes que je vis aujourd'hui: c'est la faute de mes parents, de mes éducateurs, de ma famille, du gouvernement, de la société. Cependant, blâmer est aussi une excellente méthode pour ne pas agir, pour ne pas changer ce qui peut l'être. Finalement, ce qui compte c'est ce que je peux faire aujourd'hui pour m'améliorer. Il est sûr que d'autres ont une certaine responsabilité pour ce que je suis aujourd'hui, mais je crois qu'ils ont quand même fait de leur mieux avec ce qu'ils connaissaient et avec leurs propres difficultés.

---

**Blâmer les autres ne fera pas avancer ma croissance d'un centimètre.**

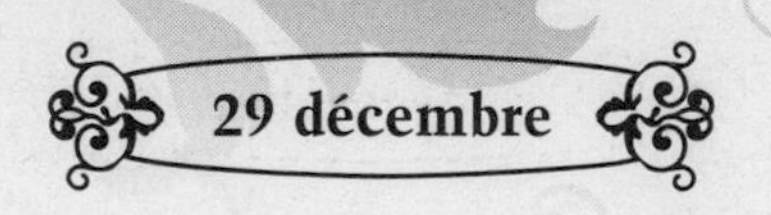

## JE DRESSE UN BILAN DE MON ANNÉE

L'année tire à sa fin et il est temps que j'en fasse le bilan, de voir où j'ai progressé et où il me reste du travail à faire. J'en profite pour voir comment j'ai évolué, ce qui a changé dans ma vie, comment sont mes relations avec mon conjoint et ma famille, comment j'ai aidé les gens. Qu'en est-il de la colère, de la dépression, de la peur, de l'orgueil? Est-ce que ma relation avec ma Puissance supérieure est satisfaisante?

---

**Un bilan périodique m'aide à voir, sur une plus longue période, comment j'ai évolué.**

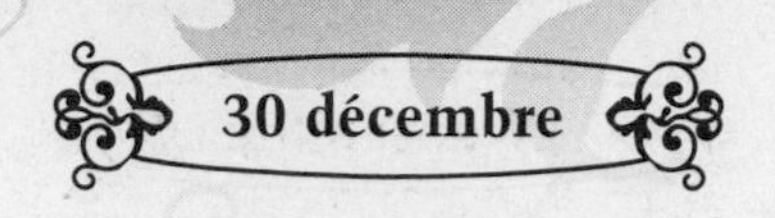

# J'APPORTE UNE CONTRIBUTION POSITIVE À LA VIE

La meilleure façon de remettre tout ce que j'ai reçu de la vie, c'est de partager ce que j'ai maintenant avec ceux qui en ont besoin, c'est de témoigner de ce que j'ai reçu afin de raviver l'espoir chez le défaillant, d'accompagner le faible et de donner mon temps et mon énergie pour autant que le peux. C'est aussi m'occuper de moi, développer mes talents et poursuivre ma croissance par la réflexion, la méditation, la prière et le service désintéressé.

---

**Participer au mouvement de la vie est la meilleure façon d'exprimer ma gratitude pour ce que j'ai reçu.**

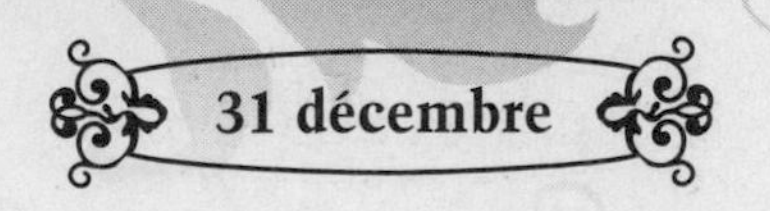

31 décembre

# JE REVIENS À MON MOMENT PRÉSENT

Nous venons de passer une année complète ensemble, en échangeant des pensées quotidiennes. C'est long une année: c'est 365 jours, mais cela s'est fait une journée à la fois. Je n'insisterai jamais assez là-dessus: tout ce qui est difficile ou problématique dans la vie se vit une journée à la fois. La tâche la plus écrasante, la souffrance la plus aiguë peuvent être abordées si on le fait un jour à la fois, alors que cela nous apparaît impossible autrement. Cette idée de faire face aux difficultés pour une période de vingt-quatre heures ou moins est un cadeau de la vie qui peut m'aider réellement à passer à travers.

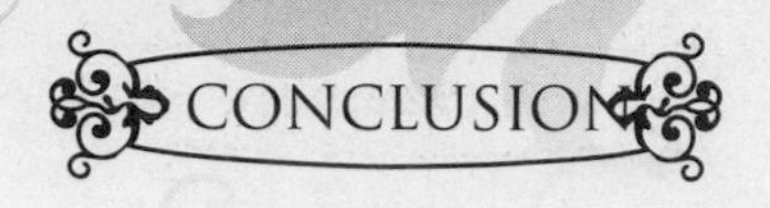

# CONCLUSION

Dans la vie, nous nous retrouvons souvent devant des situations qui nous semblent vraiment insurmontables. Nous espérons sincèrement que ce livre vous aura apporté l'inspiration et les outils nécessaires pour adopter des comportements nouveaux devant les obstacles de la vie.

Il n'y a pas de plus grand bonheur que celui d'être bien avec soi-même et avec celui ou celle que l'on aime de tout son coeur.

## VOS PENSÉES PERSONNELLES

........................................................................

........................................................................

........................................................................

........................................................................

........................................................................

........................................................................

........................................................................

........................................................................

........................................................................

........................................................................

........................................................................

........................................................................

........................................................................

........................................................................

........................................................................

........................................................................

## VOS PENSÉES PERSONNELLES

..........................................................................

..........................................................................

..........................................................................

..........................................................................

..........................................................................

..........................................................................

..........................................................................

..........................................................................

..........................................................................

..........................................................................

..........................................................................

..........................................................................

..........................................................................

..........................................................................

..........................................................................

..........................................................................

## VOS PENSÉES PERSONNELLES

..............................................................................

..............................................................................

..............................................................................

..............................................................................

..............................................................................

..............................................................................

..............................................................................

..............................................................................

..............................................................................

..............................................................................

..............................................................................

..............................................................................

..............................................................................

..............................................................................

..............................................................................

..............................................................................

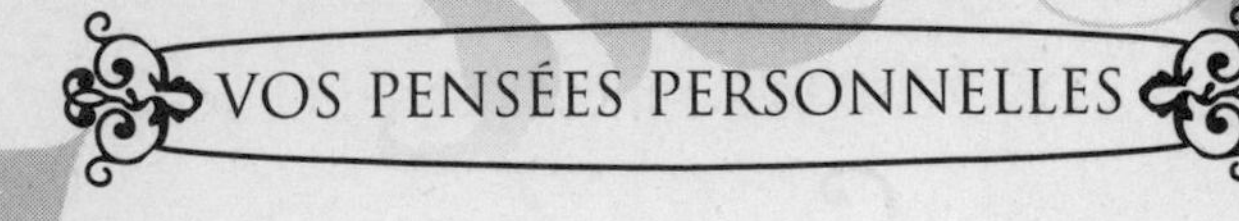
VOS PENSÉES PERSONNELLES

## VOS PENSÉES PERSONNELLES

...........................................................

...........................................................

...........................................................

...........................................................

...........................................................

...........................................................

...........................................................

...........................................................

...........................................................

...........................................................

...........................................................

...........................................................

...........................................................

...........................................................

...........................................................

...........................................................

# VOS PENSÉES PERSONNELLES

# VOS PENSÉES PERSONNELLES

.....................................................................

.....................................................................

.....................................................................

.....................................................................

.....................................................................

.....................................................................

.....................................................................

.....................................................................

.....................................................................

.....................................................................

.....................................................................

.....................................................................

.....................................................................

.....................................................................

.....................................................................

.....................................................................

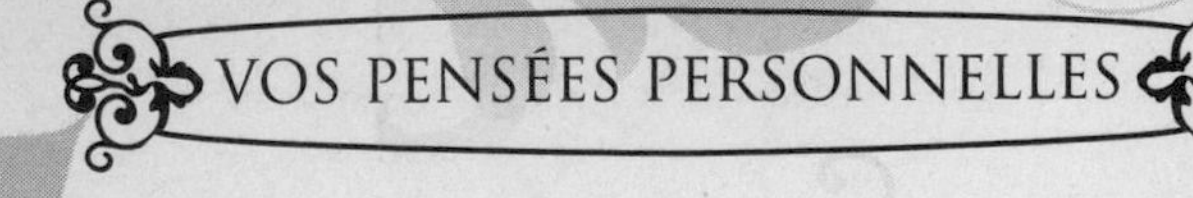

## VOS PENSÉES PERSONNELLES